◎唐酒卿／著

这世间千万

人来往我独

信他一个人

长江出版社
CHANGJIANGPRESS

图书在版编目(CIP)数据

南禅.2 /唐酒卿著. — 武汉:长江出版社,2022.4
ISBN 978-7-5492-8083-4

I.①南… II. ①唐… II.①长篇小说一中国一当代 IV.①I247. 5
中国版本图书馆CIP数据核字(2021)第244297号

南禅.2 / 唐酒卿著.

出　　版	长江出版社	
	(武汉市解放大道1863号　邮政编码:430010)	
市场发行	长江出版社发行部	
网　　址	http://www.cjpress.com.cn	
责任编辑	陈　辉	
印　　刷	北京盛通印刷股份有限公司	
版　　次	2022年4月第1版	
印　　次	2022年4月第1次印刷	
开　　本	880×1250mm 1/32	
印　　张	9.5	
字　　数	330千字	
书　　号	ISBN 978-7-5492-8083-4	
定　　价	39.80元	

目录

CONTENTS

立夏

卷二

064章 讨命

京都遭逢雨夜之难，坍塌的屋舍不计其数。朝中渐起天谴舆论，可皇帝依然如故。诏狱之中囚禁的美人按照天数依次被递入大内，各地涉及的牙行也行动如常。

喜言找到荒院时已近黄昏，小狐狸上前叩门。几声响后，眼前荒败晦暗之景如同水波一晃，变成满园热闹。他小心地踮脚，趴在门上。

"叨扰！"

喜言入内后偷看阿乙，因阿乙生得貌美，束着发着锦袍也辨不出男女。阿乙骄傲，心知狐妖是钦羡，便恨不得竖起尾毛，在喜言面前张着翅膀好好踱一番。苍霁打发他出门，他偏不，又从窗钻进来，定要听听他们说什么。

喜言不坐，只捧着茶一股脑喝了，对净霖说："老板娘派遣我来，便是给二位公子通个气，不必再畏着那晖桉，他也不过是来此走一场，方便回去交差。现下看在老板娘的面子，不会再为难二位。"

"他那是来得凶。"苍霁说，"不像是会轻易走的样子。"

"原本确实棘手，但出了旁事，即便是晖桉也不能擅自处理。他急着回九天境，远比捉住两位更加迫在眉睫。"

"出了何事？"

"京中藏着的邪魔吞食了笙乐女神半具身躯，那笙乐女神又非同一般。如果耽搁了禀报，晖桉也难辞其咎。"喜言拱手放回茶杯，说，"老板娘说，此事告之九天境，只怕两位也要卷入其中。若是已经寻到了丢失之物，就尽快离去吧。此外能寻回千钰哥哥，两位功不可没，老板娘愿倾力相助，以偿恩情。"

"东西仍在京中，如不能拿回，我们两人便不能离开。"苍霁说，"那邪魔畏而奔逃，这么快便又回来了？"

"晖桉鹰眸所见。"喜言做大人忧愁状，"只是他入京后藏得隐蔽，晖桉也再寻不得，如今竟不知道他到底藏在何处。"

"鹰眸只破人邪，晖桉寻不到魔是意料之中。"净霖说道。

阿乙在椅后听了半晌，突然冒头，说："晖桉那眼睛算什么？我与阿姐的才好，他就是藏在土里，我也能瞧得出来。"

苍霁把他的脑袋摁回去，只说："与你什么干系。"

阿乙顶着脑袋，气道："你们净待在这里好没意思！不如带上我去降魔，五彩鸟寻人最了不得！只是想借小爷的眼寻找邪魔，总要付些报酬。"

苍霁思量还真要靠阿乙去找邪魔，便稍松了手，问："你欲求什么报酬？"

阿乙正色，说："帮你们好说，看在阿姐的面儿上，只望日后如受追究，不要干系到我阿姐，尽管推到我这里来就是了。"

净霖看他，说："操心。"

"我就这么一个姐姐，自然要操心了！"阿乙不耐道，"答不答应！"

"你先找到邪魔再说。"苍霁说道。

阿乙却不上当，对苍霁说："我知你狡诈！今日若不能得你们两人的准话，小爷便不去了，你们尽管找别人去！"

"我答应你。"净霖说，"如受追究，必不牵连五彩鸟一族。"

阿乙抱着手示意苍霁，苍霁反而慢条斯理地倒了茶，只说："我听净霖的便是了。"

阿乙觉得这话不大清楚，细想之下又并无不妥，便颔首说："我入京时便觉得此地有异，似神非神，似魔非魔，古怪得很，原是他吃了笙乐，难怪这般难以寻找。不过我既然应了，就自有办法，你们二人随我走就是了。但我们离开了，那笔妖跟病秧子怎么办？"

净霖合上茶盖，说："山人自有妙计。"

翌日，便见那连日告病休养的"楚纶"重回翰林，精神奕奕，气色甚佳。楚纶入内递呈名帖，顺利入了院，与人寒暄并无异常，反倒比以往更好打交道。他提着袍跨入室内，待坐在座上，听着左右高谈阔论，袖间却鼓动几下。

苍霁占据着袖中的大半江山，阿乙敢怒不敢言，五彩鸟垂头丧气地缩成一团，挤在角落里黯然伤神。

"愁什么？好好找人，大哥有赏。"苍霁搭着鸟背，说，"连净霖的袖都分了你一半。"

阿乙哼一声，觉得这声"大哥"简直难以启齿。可他在苍霁手中吃惯了苦头，只能咬牙喊道："……多谢大哥，我一点也不愁。"

苍霁说："叫得不情不愿。"

阿乙立刻歪头做小鸡天真状，磨着牙欢快地说："大哥！"

"进来之后感觉如何。"苍霁问道。

阿乙说："邪气冲天，这邪魔果真藏在王宫之中，只怕还要往里边去。"

净霖正听人论道，忽见洞门一闪，入了四五个太监，伴着刘承德进来。他认出这几个太监皆是那夜扛轿的小妖怪，当下借着楚纶的皮囊，对刘承德遥遥拜了拜。刘承德几步上阶，与人相客套一番，才坐在净霖身侧。太监守立阶下，看得出是专程来保护刘承德的。

对棋子也这般上心，可见陶致能用的人不多。

"听闻贤弟前几日染病在榻，愚兄分外惦记，特托人送去些上好的药材，不知贤弟用了没有？按理愚兄本该亲自探望，只是这几日京中琐事繁多，着实脱不开身。"刘承德说着，细细打量着净霖，点了点头，说，"瞧着倒比前些日子更精神了。"

净霖被袖中两人闹得几乎听不清话，便借此机会一抖袖，对刘承德说："承蒙大哥挂念，已经大好了。"

苍霁心道这人扮起别人时，可丝毫不介怀，连"大哥"都喊得情真意切！

刘承德叹了几叹，说："不瞒贤弟，自曦景辞世以后，我便已心灰意冷。如今见得贤弟能好起来，方才觉得不负当日所托。"

阿乙嘀咕："这人慈眉善目，还挺讲情义。"

阿乙虽知道乐言篡命一事，却对左清昼知之甚少，故而不认得刘承德是何人，只当他还惦记着枉死的左清昼。

苍霁却已烦腻，教唆净霖："事成之后不可轻饶此人，见他贼眉鼠眼讨厌得很，索性给我吃了算了。"

刘承德哪知道面前的"楚纶"正在听些什么，越发入戏："曦景去前已知难以脱身，特令人秘密到我府上，将那些个'信'交予我手中。贤弟，日后只剩你我两人，如有进展且须一道做打算，万不可再擅自行动。"

净霖亦叹一气，并不接话。

刘承德见状，只以为他心中仍有愧疚，便小声说："那改命一事皆是浑说，贤弟万不可当真。曦景沦入此境地，不怪你，要怪就怪这浑水太深，着实要我们几人皆豁出命去才成。"

苍雾见他卖力，不由想到了虚境中见过一面的左清昼。任凭左清昼百般谋算，也料不到他左右皆是心怀鬼胎之人。他兴许有一日能觉察疑处，命却没能给他这个机会。

净霖见刘承德的手已扶上自己的袖，便不漏痕迹地挪开。他巴不得立刻掏出帕来擦干净，又见刘承德并无退意，于是说："大哥说得是。只是我这一病许多日，不知眼下进展如何？"

刘承德拭去那几滴泪，说："此地绝非商议之地，今日归后，来我府上详谈不迟。"

阿乙在刘承德那一扶中嗅出了猫腻，他说："随他去！净霖，他指缝夹香灰，必是见过那邪魔的！"

净霖便颔首说："那便恭敬不如从命。"

刘承德的府宅位于风华街上，并非朱门高墙的那一类，而是简朴典雅，分外清幽。府内仆从甚少，竹枝并梅，甚至显得有些清寒。若非深知此人本性，必易被他这等伪装骗过。

净霖入内不过片刻，便见已换了常服的刘承德相迎而出。他差人摆了一桌酒菜，引着净霖入座，斟酒道："曦景走时，我心如刀割，只恨过去那般多的日子不曾与他把酒言欢！现下真是追悔莫及。慎之，今夜便无须忍耐，愚兄知你心中苦。"

净霖象征地碰了碰筷，并未入口，只接了酒，说："我病这几日耳目堵塞，不知曦景去后，左家安的什么罪名？"

刘承德仰头饮尽，长叹一声："诏狱里办的人，哪有什么罪名！你不知，曦景一入诏狱，我便奔走打点，可那些人只收金银，连个气也不肯通。曦景入狱半月，我竟什么也没能打听出来。"他说到此处，竟然泪流满面。

净霖端详着刘承德，仿佛见着什么稀罕之物。他不便表露太多，只能装作惆怅无言。

刘承德抬袖拭泪，说："在这京中行事，便如履薄冰，丝毫都容不得马虎。你如今也入了翰林，往后你我二人相互照应，许多事情，日子一长，你便明白苦处。虽有心锄恶，却万不能心急。"

净霖垂手，说："大哥总说不可心急，可我见如今情势紧迫，已成了大患。东西各地失家失子的人俯拾皆是，地方府衙也拦不住鸣冤之声，你我已有证据在手，还要忍而不发。依大哥高见，何时才行？莫非要曦景白丧一条命，当作无事发生。"

刘承德如若不懂，只问："什么证据？"

净霖看着他，说："曦景的'信'皆在大哥手中，大哥却不知道证据？"

刘承德心中大骇，唯恐自己漏了什么，转念又想左清昼在行刑时并未提及，又怕已被楚纶知道什么，便愁眉不展，说："我若有什么证据，何须叫你等！莫非是曦景告诉你了什么？"

净霖突地一笑，借着楚纶的脸也显出几分妖异。他将那酒尽浇到地上，说："自是曦景告诉我的，我见他身陷囹圄，口口声声唤着大哥，便以为他与大哥说了什么。"

刘承德悚然而起，"哐当"一声后退，面色难看："曦景在诏狱之中，你是如何见得他的？！"

净霖扔了酒杯，抬头时已变作"左清昼"。他冷冷道："老师不也见得我了么？那般重刑落在我身上，老师连眉头也不皱。怎么这师生一场，反倒生分成那个模样。"

刘承德当即欲逃，可那门紧闭不开。他惶恐捶门，唤着外边的妖怪。苍霁蹲在门口，听得身后捶响不止，齿间"嘎嘣"一声咬碎什么，叫阿乙在门上画着玩。

阿乙也不客气，蘸着血龙飞凤舞地写了个"还我命来"，末了觉得气势不足，又在后边画了条鱼不像鱼的怪物。

刘承德回首见"左清昼"已立在灯下，影子笼着他，叫他退无可退。他面装镇定，腿却软成棉花，站也站不直。

"曦景……"刘承德颤声，"曦景！怪不得我！我亦是被逼到绝处，不得不如此啊！"

净霖说："我如今孤魂野鬼，也被逼到了绝处。就着师生情分，向你讨上一命，也不过分。"

"不成！不成！"刘承德面红气促，胡乱舞着手臂，"你尚不知道，你不知道！圣上得了神明指点，是要长命百岁的！你杀了我、你若杀了我！你也逃不出圣上的五指山去！"

净霖眼神孤冷，手覆腰侧，腰间分明空无一物，刘承德却似乎听见了剑刃出鞘的划动声。他肝胆欲裂，见得眼前景物一晃，紧跟着"扑通"一声，脑袋已落在自己的腿上。

那尸体倒地，魂魄亦成无首状，逐渐碎成一摊，连鬼也做不得。

净霖踢开门，跨了过去。

065章 夜现

"这是东边沿海的妖怪。"阿乙甩净腿骨上的血迹，对净霖说，"好生奇怪，东海在宗音的管辖之内，数百年都不曾乱过，他断然不会容许妖怪过境害人。"

净霖用棉帕拭着手，对阿乙袍上溅到的血分外介意，于是移步往苍雾身侧靠了靠，方才开口："不见宗音不知详细，他不能轻易离开东海，待此事结束，你可以前往探望。"

"我为个妖怪专程跑去见宗音！"阿乙丢开腿骨，说，"我不去！他上回与我阿姐才结了梁子，我不要同他讲话。他若是当真出了什么事，我还要拍手称快呢。"

"你可查到什么蛛丝马迹？"苍雾说，"这院子就这么大，藏不下一只魔。"

阿乙说："那邪魔既然肯派遣妖怪来跟着此人，必然是不想让他死。可如

今净霖将人头给砍了，我还不及问！"

"不必问。"净霖拭净手指，说，"刘承德为皇帝物色美人，陶弟肯放任他出入自由，必定有所拿捏。审问费时，反而易给陶弟透露风声。"

"可光凭楚纶的身份，也入不了大内。"阿乙说，"见不到老皇帝，我也辨不清邪魔到底藏在宫中何处。"

"所以刘承德得死。"苍霁接过净霖的帕，说，"他死了，我们的'刘承德'方能肆无忌惮地进去。"

苍霁音落，便见净霖形貌渐改，顷刻间变作了"刘承德"。他今日与刘承德相处甚久，仿个一时半会儿足以以假乱真。

夜至三更，院门外传来叩门声。院内下了栓，半晌才开。门外立着个木脸太监，见门一开，手指直勾勾地点向轿子。"刘承德"出了门，弯腰坐入轿中。轿子一震，倏地飞奔起来。

夜色浓重，抬轿人脚不沾地，转眼便穿过街市，入了宫门。那伴轿的太监步若疾飞，紧紧跟随在轿身之后，将人护得严实。待轿子到了地方，又是一沉，太监打帘盯着昏昏欲睡的刘承德，错开一步，示意他下轿。

净霖掀袍下轿，低头随着太监走。太监搭了拂尘，一侧有人提灯引路，带着往雕梁画栋的殿室去。净霖目光流连在太监的鞋子上，见他脚底不沾尘，便对他的原形有了些猜测。

这太监只顾勾头前行，小半个时辰后才到地方。他一甩拂尘，让出路来。净霖擦身向前，踏阶而上。脚下还未站定，便听里边人说："不必跪了，进来说话。"

净霖认出是老皇帝的声音，便跨槛而入。殿内依旧是灯火昏暗，见得老皇帝斜倚龙椅，脚边跪着个美人，以手捧果，呈在老皇帝手边，裸露的后背如玉削划，正微微发着抖，不知是冷还是怕。

老皇帝鼻间一嗤，拨出个果，丢在净霖袍间，说："来了多久，胆子还不见长，畏畏缩缩怕朕吃了你么？"

"刘承德"捧着果连声"不敢"，老皇帝说："听声儿倒像是病了，等会儿退时叫个太医瞧瞧。"他的垂怜到此为止，紧接着问，"这几日寻着人没有？"

"刘承德"慌不迭地答道："从北边寻了个上等模样的来，您瞧瞧？"

老皇帝手背拍了拍脚边的美人，叫她转过头去对着刘承德，说："若是还不如这个，便无须送来了。"

那美人经他拍得脸颊泛红，垂眸瑟缩，掌间的果子骨碌滚掉一只，她既不敢去捡，也不敢用眼看老皇帝。颊面的手掌下一刻重重扇上来，打得她斜身扑地，瑟瑟发抖。

"捧个果儿也不行。"老皇帝耷拉着眼皮，"留你何用？"

"刘承德"见状悄声："回禀圣上，新寻的那个，不仅模样俏，性子也柔。"

老皇帝似是精神不振，闻言难耐地搓着手背，说："那便速速呈上来！休要叫朕等。"

"刘承德"伏首应了，匆匆转身，对一直跟在后边的侍从挥手。这侍从给太监一个眼神，那太监便疾步下阶，绕出青砖路，从才到的轿子里接了人。

老皇帝目光游走，突然问："拨给你的人怎未用？"

"刘承德"诚惶诚恐地说："整日随着臣跑，今夜便叫他们歇着了。这人是臣从老家调来的，会点功夫，却是个聋子。"

"会点功夫。"老皇帝冷笑，"比得过我给你的那几个？莫不是起了什么心思，不耐烦朕盯着你。"

"刘承德"几欲吓跌，慌声"不敢"，又淌着汗解释许多，方使得老皇帝转阴为晴。老皇帝多看了那侍从几眼，见他呆立在垂帷后边，木讷迟钝，便作罢了。

太监正将新领的美人带进来，老皇帝透着昏光，隐约见得那簪钗闪烁，盈盈拜下个袅娜的人影。他被那微露的后颈勾起点意思，微微坐正了身体，叫人抬起头来。

阿乙强忍着暴跳如雷的欲望，余光掂量着苍雾的拳头，不得不硬挤出个笑来，缓缓抬头老皇帝娇怯一笑。

他这一笑，满室如盈珠玉之芒，就是见惯美色的陶致也一时间没认出他是个男儿郎。陶致架着老皇帝的皮，抬指从阿乙的额发一路摸到脖颈，无有一处不爱惜，无有一处不让他口干舌燥。

"刘承德"不失良机地问："圣上觉得如何？"

这句话实在问阿乙，阿乙与老皇帝目光相对，见他眉心发黑，双目凶恶，通身似笼黑雾，于是更加羞涩地垂下首，便是对净霖的问话额首应了。

"明早朝上你带着北边府衙一并领赏！"陶致合掌叹道，"朕要重重地赏！"

说罢不待净霖谢恩，已握了阿乙的手，眼里被他那侧颜眩了神智，嘴里心肝宝贝儿一并叫着，拉着阿乙便要往里去。

陶致捏着这手，觉得有些大，但修长好看，倒也不像是做苦力的人。他来回摸了几下，手臂挽着阿乙的腰，觉察阿乙腰身倒是细，便嗅着阿乙的脂粉味，对阿乙那一颦一笑都神魂颠倒。

老天爷！

阿乙内心震惊，不料想自己能美到这个地步，往日原来他还低估了自己！

老皇帝带着阿乙入了里边，阿乙扭身掐嗓，娇滴滴地轻推着老皇帝的胸口，嗔了句："圣上也忒心急了些。"

陶致捉了他的手，顺势摸上阿乙的骨腕，亵玩般地揉捏，说："朕待了好些日子，就等你呢。良宵苦短，不可耽搁。"

阿乙欲再周旋，岂料握住他的手突然变得十分有力，几乎是拖着他往床榻摁。陶致即便色欲熏心，也没忘记卡着时辰。他从血海脱身时修为根基不稳，是在群山之城食人固的本，后来来到京都，吞了笙乐女神半具身躯，预想自己该有吞天之能，却不料笙乐本已枯朽，撑不起他如今的身躯。他修炼邪道，便靠着这些美人养着，兴起了便用，尽兴了便吃掉。只是他有一个癖好，便是定要踩着时辰进行，快一分，慢一瞬，那都不行。

阿乙被摁在床褥间，他面一蹭着褥，就一阵火起。因为他本就嫌弃邪魔，这淫贼爱乱来，这床褥上不知已经躺过多少人，竟敢拿来给他睡！

阿乙腕间吃痛，他挣不开手，便一个后脑撞在陶致面门。陶致嘶声松手，阿乙几下撩起裙子，转身一脚跺在陶致胸口，将人"咚"的一声踹翻在桌椅间。

陶致滚地便知不好，他手臂一提，就欲招人。阿乙上去就是一顿猛踩，几道金纹顿砸在陶致后背。这金灿灿的咒术对草精不好用，对邪魔却如同铁烙。

陶致背部竟被烫得消融，他抽气怒喊："梵坛佛文！"

阿乙踩着他手腕，嘴里恨道："吃了熊心豹子胆，占小爷的便宜？！老虎屁股你也敢摸！今天我就打得你灰飞烟灭，不成东西！"

陶致背间皮肉被登时烫开，他抖身一震，如同蜕皮一般从"老皇帝"中脱出来，黑雾大盛，直包阿乙而去。阿乙劈手掐诀，但见那金色梵文绕他周身飞转，震得黑雾退散三尺！

外边的太监拂尘一抖，却不料中途被人搅了个正着。那耳聋的侍从舒展肩臂，眨眼间变得更加高大。那手臂缠了拂尘，不待太监退身，先逼至他身前，将人猛地提拽而起。

净霖已回原貌，一把摁在苍霁手臂，说："此乃东海之鸟，不能吃！"

苍霁以为他忌惮宗音，道："海蛟的鸟便吃不得了？"

净霖听出点委屈，便说："不是。"

苍霁说："那我就吃了？"

净霖道："这鸟素爱食毒物，骨肉皆浸毒已久，很臭。"

他话音才落，便见拂尘寸寸成段。这太监的鸟鸣尚不及溢出来，便被苍霁轻轻地掐断了喉咙。随后净霖便见他轻轻地将鸟放回地上，轻轻地松开手，如释重负地说："幸好没捏碎，味道还成。"

他两人还没能继续，便听殿中"砰"地撞塌了烛架，烛火滚舔垂帷，适才还占据上风的阿乙珠钗跌了一地，他捏着袖从火间跳起来，惊恐道："休再闲话！你二人怎么总是不合时宜？！老子的毛要被烧掉了！"

说罢他一蹦三尺高，捂着屁股疯狂逃窜，嘴里骂道："敢碰我羽毛老子跟你不共戴天！还等什么？打他啊！"

黑雾猛冲而出，苍霁迎面一拳。拳风激荡，却如陷棉花。雾间隐约显出一张脸，贴着苍霁手臂道："来得正好，若是能吞了你，这三界谁还能拿下我！"

苍霁臂间鳞片瞬间覆满，然而阴冷直顺着缝隙擦进皮肉。苍霁半身一沉，竟险些被拽进黑雾。

阿乙愤声道："咬他！"

苍霁下盘稳当，倏地反掼向地面。黑雾间的脸被他一把扣住，直撞在地。青砖石陡然龟裂，那脸已经被揉得难辨全貌。

"他怎么不吞了这邪魔？"阿乙急得拍火，"他连醉山僧都吞得了，还怕邪魔？！"

净霖一掌轻拍在阿乙后肩，阿乙便觉得风力强劲，将他霎时推向黑雾。佛文如同金链一般瞬间涌出，将黑雾包缠笼住。

"不是怕。"净霖说，"嫌臭。"

066章 愚弄

陶致身笼于佛文链中，黑雾陡然如冰释水，化进苍霁臂间。苍霁右臂犹似浇灌铜铁，见得陶致无数张脸环绕席卷而来。净霖当即翻过阿乙，金链紧随着拧转捆紧，使得陶致已经蔓延上的面孔们立刻回涌，重新变作一个人。

苍霁鳞间寒意阵阵，他掌间掼住的陶致面容突变，张臂挥袖，一股恶臭自他袖中冲出，竟是被他吞入腹中的百种妖怪。苍霁一把稳住金链，猛力一震，陶致随即被震起全身，下一瞬便被强力推翻，只见无数妖怪如同倒入深渊逆流，眨眼间便被碾灭于空中。苍霁乘胜追击，臂掀万重滔天灵浪，风呼啸着刮翻新建的殿阁。

陶致逃不得，只能在金链捆绑中生生受了这一下。他畏惧苍霁是因为见得苍霁神似苍帝，那龙口吞四海、气纳百川，是比他更会吞食万物的人。如今他胸口承遭重击，却察觉苍霁似乎不如他想象中的那般可怖。

陶致面白唇红，他反倒笑起来："来得好！若非今日交手，我竟还以为你有化龙吞纳之能，不想只是个冒名顶替的阿物儿！"

苍霁断了陶致的退路，说："化龙便如了你们的愿，我偏偏就喜欢做条鱼！"

"好！"陶致说，"我为刀俎，你为鱼肉，岂不妙哉！"

音落两人一起凌身而起，陶致身如流风，与苍霁交手中承不住便会化风闪避。苍霁虽然不曾受伤，却也伤不到他。眼见就要鏖战不休，却听夜下风波乍起，铜铃声声摇动。

铜铃声现，净霖便觉察灵海骤然涌出无数灵气，胸口空处咽泉紧随旋现。他腰侧剑鞘聚灵而出，净霖拇指抵出剑刃，见咽泉虽然斑驳锈迹，却已能显出实形。

陶致耳朵一动，倏地化作黑雾冲撞金链。阿乙逐渐难以支撑，当即喊道："他要发作了！"

天间阴云翻浪，雷鸣电闪。坍塌间灰尘跌宕，夏虫跳蹿。

苍霁臂擒黑雾，掌间似乎扣住什么，他强力提出，见得陶致冲他勾一勾笑。

"你想做条鱼，你怎能做条鱼？净霖心怀叵测，你知不知晓，他当年可是害过……"黑雾突然暴涨袭面，裹住苍霁。陶致在苍霁耳边悄声说，"他可是害过你的！"

剑芒一闪，净霖已经投身入雾，捉住苍霁后领，撞在他背上。

"邪魔乱心。"净霖一剑钉于脚下，青光自脚底驱暗而亮。他和苍霁背贴背，语气沉稳道，"休要听他多舌。"

陶致笑声围绕，他一时变作净霖的模样，一时变作自己的模样，声音也如同百人交换，时刻都不相同。

"你听。"陶致对苍霁说，"他慌张害怕，你怎能相信他？他兴许待你柔情款款……可他要用人时便是如此，他拿捏着你，他掌控着你，你怎么还信他！"

苍霁臂间被刮烂了道细细的血口，他不以为意，连擦也不擦，只说："我若不信他，莫非还要信你？"

"你我皆为妖物。"陶致落地回首，是张净霖的脸，他说，"你我才为同道中人。"

"你我不同。"苍霁说道。

陶致忧郁笼眉，淡声说："何处不同？你食别人以长修为，我亦食别人以长修为。只是你受净霖教唆已久，竟不记得自己是谁了？"

苍霁察觉背后的净霖已无声息，便明白他们两人皆在这邪魔的雾气缭绕间陷入混沌，被阻隔了耳目。

"如此说来，你也知道我是谁？"

"我不仅知道你是谁。"陶致突地一笑，"我还知道的更多。"

"那便说来听听。"

"说不如看。"陶致声若千里之外，缥缈道，"你且自己看吧。"

　　苍雾臂间的血口微微泛黑，他抬首见周围已被黑雾吞并，滚滚云烟不见天地，正欲喊人，便见头顶人影幢幢，落下个净霖。

　　净霖白袍承风，从细雨中缓步而行。他方至阶下，便见堂中门窗大开，他的诸位兄弟神色各异，皆冷冷地注视着他。他肩头已被雨濡湿，发垂几缕，正随风而飘。

　　座中君父默不作声，净霖便自行跪于阶下。青石板磕着膝，将整个背部与后颈都露在雨中。天公似觉察气氛凝重，竟将雨水越洒越多，牛毛变作珠玉，砸得净霖衣袍渐湿。

　　"你如今行事雷霆，已无须旁人指点。临松君赫赫威名，不日后大可连父兄师门一并抛却。"君父吃口茶，拨着沫，不紧不慢道，"天地间谁也管不得你了。"

　　净霖垂望着地面，发从肩头滑了下去。

　　"父亲开恩，他此次虽犯这等大错，却并非没有苦衷！如今各方具以九天门马首是瞻，门中兄弟一举一动皆备受瞩目。他即便手段狠厉些，也是为九天门着想。只是父亲深恩如海，他不该先斩后奏，自作主张！"黎嵘转身跪地，撑臂求情，"净霖！还不认错！"

　　净霖唇线紧抿，他颊边滚淌着雨水，却仍旧一言不发。天地间暴雨如注，净霖浑身湿透，咽泉剑贴着后背，剑鞘被雨冲洗凡尘，越发寒芒毕露。

　　檐下一人寒声说："自作主张？他岂是自作主张，他根本另有图谋。陶弟再不济也是父亲的儿子，九天门事皆由父亲圣明决断，数百年来无人僭越！他如今胆敢自作主张杀陶弟，来日便能自作主张杀我等一众！一个兄弟，说没便没了，叫旁人看着，我九天门眼下已由他净霖说的算！"

　　"休要胡言！"黎嵘喝止，"净霖即便行事有错，也断然不会另起他意！父亲教养这些年，最了解他不过！"

　　"我胡言？"檐下人冷哼，甩袖快步下阶，站在净霖身前，切齿道，"你自己说！你如何杀的陶弟？是不是一剑穿心，连句话也不许他留！你若心中无鬼，这么着急让他死干什么？将他带回门中交于父亲处置，父亲难道还能不辨黑白轻饶了他！"

　　"你如炮仗一般劈头盖脸地问下去，他也不知该答哪一句。"云生温声，

"净霖,何不将陶弟押送回来?那北地人多口杂,眼下又正值与苍帝交涉之时,万事须得小心为上。"

净霖唇间泛白,他抬手取下腰侧短剑,横在地上,说:"父亲。"

雨声嘈疾,他抬首冷眼盯着座上。

"陶致携此短剑,奉命镇北。此剑乃他临行之时,澜海倾力所铸。我将它带回,只望能归奉于澜海坟前。陶致居北杀人如麻,我杀他——我不该杀他么?"

他此言一出,院中冷寂。惊雷爆响,衬得座中君父阴晴不定。

"你怎可这般冷漠!"净霖面前人退几步,"陶弟即便做了错事,也是兄弟,是数百年来的情谊!你说杀便杀,你连眼睛都不眨……"

净霖冷冷地转移目光,他突然站起身,犹如雨间隆起的巍峨山脊。

"陶致奸杀人女,强掳无辜,凡进言劝诫、意图回禀者皆命丧于此剑之下。我杀他,敢问错在何处?今日他违逆天道,视人命如草芥,作乱一方,死不足惜。来日但凡沦入此道之中的兄弟,不论亲疏,我净霖皆会拔剑相向,绝不姑息。"

满院闻声悚然,不料他竟当真不顾念分毫兄弟情谊,连此等大逆不道之言都能说出。黎嵘心知不好,果见君父面容铁青,拍案而起。

"那我。"君父一字一句,"你也要杀吗?!"

净霖淋雨而望,他似乎总是这般,待在旁人遥不可及的地方,与千万人背道而驰。他明白此话不可再接,心中却突然茫然起来。

他不明白许多事,亦被许多人不明白。

"父亲!"黎嵘头磕于地,"一个目无王法的不孝之子怎可与父亲相提并论!净霖杀陶弟也是大势所趋,正道所指!陶弟居北本兼安抚苍帝一脉之重职,他却枉顾垂训,耽于淫乐!净霖仗剑北行,见万里之地城镇皆废,陶弟所经之处万民苦不堪言,此等行径若是视而不见,他人该如何审视我九天门?"

"父亲在北地设立分界管制,陶弟若当真有此恶行,我等怎会一无所知!只怕是有人暗通苍帝之势,意在谋取北地!"

"净霖与苍帝素不相识。"黎嵘说,"三弟此言牵强附会,不足为信。"

"到底是素不相识还是佯装不识他心里最明白不过。"三弟目光淬毒，"上回你未曾谈拢，他一出去，不过半月，苍帝便转了脾性，有意拉拢我等助力。他这样朝令夕改，不正是因为有人私下使劲？"

"陶弟常居北地，与苍帝比邻而居，若当真有什么，也轮不到净霖！"黎嵘说，"陶弟屠杀城镇，这绝非九天门教养出的东西！"

苍霁正在观察净霖侧颜，便听耳边的陶致说："你可看懂了？从这时起，他们兄弟二人便在联手害你！"

苍霁说："关我什么事？"

"你被净霖花言巧语所蒙蔽，一心以为他当真愿为你着想，才对那黎嵘放下戒备。可笑他两人根本未对你坦诚相待，若不是净霖迷惑，你哪会受那等磨难！"陶致说着化出少年身形，他亦盯着这一场，幽幽道，"净霖杀我为封口，黎嵘最狠毒，因为我不能开口便脏水尽泼！我居北时，虽也玩一玩那些良家子，却不曾做过屠杀之事！"

"所见之景皆为虚幻。"苍霁说，"我不信你。"

陶致仰头大笑，他笑后冷如枯木，说："是了，你不信。你只需记着这一场，记着这一次，待你化龙之后回忆起来，便明白今时今日，谁说的才是真话。"

"化龙。"苍霁轻吹一口气，那景中的净霖便如由风拂，怔怔地望了过来。苍霁玩味着这张年少脸上的神情，口中道，"我近来常听这个词，怎么人人都道我要化龙？可惜我如今认定为鱼更快活。做龙干什么？几百年前已有人当了，我素来不愿屈于他人之下，跟个死人计较不起。"

陶致闻言冷笑，他几步晃化在雨中飘忽道："你必成龙，自见你与他一道，我便窥得一丝天机。咱们皆在因果之中，谁也逃不掉！当日他两人这般污蔑于我，我必不会就此作罢。"

"话尚未完，便想走？"苍霁指尖化爪，在陶致注视下将那被污成漆黑的臂肉自行剜出，眸中邪肆，"这团血肉是留给我当作回念么？"

陶致见他眉间皱也不皱就将自己的肉剜出，任凭鲜血淋漓仍然谈笑自若，不禁忌惮化雾，兜头扑来。

"再新鲜的把戏玩多了，也不成了，叫人烦腻。"

苍霁鳞爪刮雾破开，听得撕裂声犹如惊天，黑雾如百川归海般地被他吞纳下腹。陶致本体化了笙乐的神躯，并不怕他撕裂，只是这一身修为皆是陶致死里脱生偷来的，若是失了，只怕再想拿回来便难如登天。

陶致当即现出邪魔狰狞的兽容，口齿撕咬着吞咽了苍霁适才剜出血肉，紧接着糅身欺来，竟要与苍霁吞个生死出来！

苍霁本相的锦鲤被咬缺了背肉，但见黑雾咀嚼声与鳞片滑动声交杂一处，竟逐渐看不清苍霁在哪里了。

铜铃"嗡"地一振，脚下青芒万丈骤亮，照得黑雾扭动显眼。天间天雷滚滚，暴雨间咽泉含煞出鞘。听得剑锋破风割夜，直削面门，陶致突然收身，对苍霁大笑。

"你看！"陶致披头散发，在净霖的剑风中嘶声，"他要杀人，连你也不管不顾，是狠手！"

苍霁断他一臂，回眸时剑芒已至眼前。他背部一沉，紧接着狂风肆虐，整个后背衣衫被剑风所袭裂成碎片，咽泉剑刃抵在皮肉，一剑削了进去。苍霁不防，猛地痛袭背部，灵海间霎时逆冲，他立刻呛血。陶致趁势重整旗鼓，张口撕得苍霁一臂血淋！

"他害你一回。"陶致嘻嘻笑，"他还要害你一回。"

067章 哄骗

雾色消散殆尽，咽泉斜刃淌血，泡得净霖一袖通红。他双眸一瞬不眨，提刃拔出。苍霁晃了一晃，血水如股窜冒，整个后背潮湿一片，身体倒地。净霖静静甩刃，血溅脚边。他袍不沾色，越过苍霁，走向陶致。

陶致又哭又笑，说："我今日亲眼所见，你这没有心的人。净霖，大道坎坷，不怪父亲对你另眼相待，因为只有你，才能做得这般狠绝。"

"杀人偿命。"净霖面无表情，"我的命皆可给他。但错过此时，便再寻不

到能杀你的良机。"

"于是你便下此毒手！"陶致捂面挡容，他因适才的撕咬已失原貌，当下躲闪着，说，"这天底下的所有人，皆能做你手中剑，具能为你脚下路。你卫道失心，你根本是走火入魔！"

"不错。"净霖立于夜色间，说，"凡阻我卫道者，不论是父子兄弟，还是亲朋故旧，皆可杀之。"

"你疯了。"陶致弯腰退后，他绕着净霖，用面目全非的模样沙哑道，"你这疯子，你才是邪魔，你是天下最大的邪魔！你良知丧尽……不，你早已不是个人。你天生缺情少欲，是杀人如麻的好货色。"

净霖剑刃一翻，寒芒直射浓夜。他眼中无情，手下也无情，那袖陡然卷风而盈，在剑芒间招若流云。陶致霎时拔剑，与净霖相搏交错，听得锋刃碰撞。

"当年是我技不如人，死有余辜！但你与黎嵘屡次三番将屠城之说推卸于我，这便也是你的'道'？"陶致猛力压得净霖退后几步，他隔着锋刃泄恨道，"北地辽阔，九天门插手不得，到底是谁在屠城，你心知肚明！你为保他清名，便将我说得十恶不赦，这是道？这也是道！不过是无耻之尤的诡道而已！"

净霖单手挑击，陶致掌中长剑险些飞出，他面沉如水，不为所动。

"你便凭借此等遮掩之功诳得他视你为心腹，却不料转眼又被你与黎嵘携手斩杀！"陶致掌间血花暴现，他迅速退几步，说，"原来如此，原来如此！你这样赶尽杀绝，是为了什么？那三界共主的位置么！可笑啊净霖，可笑你最终也不承想黎嵘会因此与你反目成仇！枉费你这样心机谋划，最终成全了别人，沦落至此！"他脚踢苍霁一下，冷声，"他如今记不得前尘，便又叫你玩弄一场。妙哉，你净霖何等城府，说我视人为畜，你又何尝不是！"

"听得你一声声为他打抱不平。"净霖逼近，"不如当下杀我为他偿命？不想你在血海走一遭，还对苍帝这般心心念念。"

陶致不断后退，他气息不稳，被苍霁撕开的缺口泄灵不止，不宜久战。只是他废话不停，分明是在拖延战时。

净霖冷眼眺天，说："援兵在天上？谁为你血海引路，谁又赠你画神纸符？不如今夜一并叫下来，与我一见。"

"就怕你如今不敢见人！"

陶致倏引天雷，电蟒随剑掷向净霖。周遭碎石飞旋，天地共夹于净霖一身。雷雨飘泼而至，见得天雷嘶吼扭曲，尽数倾倒向净霖。净霖袍袖皆飞，青芒自脚底勾缠成巨纹之符，浮空猛地接住这震天雷击。

阿乙身化五彩鸟，在净霖接雷的空隙间吟声飞出。长羽惊空，绚烂夺目。只见他穿雷越电，口衔佛文金链绕得陶致上天不能。

陶致面上血色全无，他一脚踏地，就欲遁身。谁知脚踝一紧，那横了许久的苍霁刹那睁眼，一臂击地。地面龟裂立刻现出，惊尘暴荡，整个地面豁然下塌，竟然连石板都碎成粉末。陶致不及反应，已然被拖入地崩坍塌之中。他故伎重施，化烟就跑。

咽泉剑荡狂风，骤地横扫！

陶致痛声滚地，变回人形。苍霁脚下一点，见陶致翻身而起，他爪扣住陶致后脑，将其一掌摁撞回地面。陶致登时口喷污血，脑后如压泰山，叫他动弹不能。

陶致啐声："枉我替你骂一场，你竟与他联手骗我！"

"亲疏有别，内外要分。"苍霁俯身，"你所说之言，我一句不信。"

陶致齿间渗血，他深知此行逃不掉，便低声嘶哑："你不信？五百年前杀你的人正是净霖！你猪油蒙了心！竟还肯信他！"

"这世间千万人来往，我独信他一个人。"苍霁指间收紧，"你算什么东西，也凭口舌欲想挑拨。"

陶致咳声剧烈，他喉间吞咽的皆是血，他说："你怎知他不会骗你？哈哈！你这蠢人！你怎知他不会骗你！你等着，你且等着，来日你必会后悔今日！"他不知哪里来的力气，竟猛然抬起些许脑袋，拼力喊道，"我陶致！杀人不假！屠城却不曾做过！这天地皆是藏污纳垢处，便偏容不得我？！净霖，我待你——我待你下来偿命那……"

陶致声音夏然而止，咽泉剑轰然插在他眼前，头顶金链闻声砸落，烧得四下起火。苍霁于火中松开手，偏头舔舐掉指尖的血迹。

他若有一日骗了我。

苍霁盯着走向自己的净霖，眸光在火舌间模糊不清。

我就杀了他，吃了他，嚼碎他，让他再也骗不了我。

净霖似有所察，俯身探过手来。苍霁不要他的手，反而栽在他怀中。

"你捅我一剑，"苍霁埋头说，"我腰酸背痛，吓得走不动了。"

净霖被他撞得咳嗽，拖着他的臂下，说："说好了不吃，你怎还是吞了他。"

"因为饿，"苍霁索性撩起下摆，"流了这般多的血，啊，净霖，我要一命呜呼了。"

净霖指触到血，湿热一片，他连声应着，欲要收手。可是苍霁偏不给他松，说："这里痛死了！"他察觉到净霖还在抽手，不禁恼怒。

净霖忍无可忍，将人连拖带抱地撑起来，道："邪魔易侵灵海，再不驱干净，你也要沦于魔道。"

苍霁说："那你背我。"

病榻上躺了好多年的净霖立刻咳声不止，仿佛下一刻就会躺倒在地，连带着脚步都虚浮不定。

苍霁："……"

烛火清幽，湿热的帕子擦掉污秽。苍霁趴在榻上，净霖俯身挑开伤口，见得黑气如丝一般紧扣在其中。

苍霁正假寐，后腰上一烫，他立刻撑身嘶叹，说："邪魔烫不死，我却要熟了。"

净霖说："吃！"

苍霁瘫回去，被子仅掩在后腰下，肩背到腰间的线条随着他的一举一动彰显无遗。他说："他贪食活人，又吞笙乐，仅凭佛文也烧不死，到了我肚子里，来日还能做些事情。"

净霖指间卡着小刀，挑着黑丝。酒残余的味道若隐若现，苍霁侧首，说："这么大的榻，随便坐。"

这榻一点也不大，贴着搁置瓶瓶罐罐的小案挤得很，净霖只能站着。故而净霖不理会他，将青符揉碎在酒里，烫在刃上，再挑黑丝时便能听得"刺啦"的消化声。

苍霁舒展双臂，说："谁站着谁傻子。"

“操心多。”净霖手上极稳，想必曾经对自己做过不少次。

“为谁操心。”苍霁明知故问，“阿乙么？”

净霖轻轻拍他后颈，让他老实地趴着。苍霁反而笑不停，他说：“苍帝也能这般，什么都吞得下？”

“嗯。”净霖想到什么，说，“……我未见过他。”

“那你那般待他？”苍霁余光斜睨，“此人在你心里挺有分量。”

净霖不答，只是利落地浇酒烫邪气。苍霁烧得额前出汗，他眼睛盯向前方，说：“既然死了，便不要记得。死人有什么，他既不能……”

净霖轻吹出的气凉飕飕地袭在苍霁伤口，让烫疼感烟消云散。

“今日我刺你一剑。”净霖低声，“你大可还手。”

苍霁汗珠未擦，他动也不动。

净霖抬身，说：“已经尽数挑出，休息一夜便没事了……”

“你刺我一剑，此仇不共戴天。”苍霁冷声，“我还手便完了吗？”

净霖闭了闭眼，说：“对不住。”

068章 再会

净霖曾于落花时节往北行，记得当时叶舟独行于水烟渺茫之间，天地一色，他袍襟沾雨，宽袖袭香，背负的长剑亦笼于两岸缤纷落英下。他照水中看，却见得一方天云八字分化，一尾黑色没进云海。

净霖不禁抬首，见那云烟层叠，龙的影子横过江面，一叶小舟也笼罩其下。江上薄雾由风推化，净霖稍侧一步，目光追随龙影而去。

净霖怔怔，腕间系着的铜铃"叮当"入耳。他抬手相看，见腕间挂着铜铃，系出一条牵入云层的线。

净霖不知这线是什么，他抬臂拉动，听得天间龙吟，那水雾忽散，一双龙眸突至舟前。周遭水花顿时迸溅，见苍龙巨身入水，将这舟子圈在方寸间。

净霖鬓发微湿，他见龙眸直勾，竟生出些许害怕。他欲退步，不料腕间莹

线紧拉，反将他连人待舟拽得更近。冰凉湿腻的鳞片蹭过肩臂，巨身渐收，净霖身陷囚禁，逐渐呼吸不能。他忍不住吃痛吟声，掌心推抚在龙鳞之上，被锋利的硬质险些划破手。

　　净霖陡然睁眼，潮红未退，汗流浃背。他眼前一晃，已不知天至几时，推开乱发时又记起什么，皱眉嗅得指间似乎还残存着什么味道。他环视着手腕，见苍霁的灵线将他拴了个结实，不禁一阵头疼。

　　"听你喘息不定，梦见什么了？"苍霁闭眸不动，却早就醒了。

　　"一点往事。"

　　"梦见谁了？"

　　"……不记得了。"净霖说道。

　　"下回骗人的时候，休要迟疑。"苍霁猛地撑身而起，"不说便不说。"

　　净霖见窗泄明亮，便转身欲起。

　　"什么要紧的人。"一边榻上的苍霁说，"还真不打算给我说？那我偏要听一听。"

　　净霖叹气："梦见北行时的景象，见得苍龙游云。"

　　苍霁闻言直身，说："这龙与你还真是缘分不浅。"

　　净霖说："碰巧。"

　　"世间的巧若这般常见，那我也想和你'碰巧'。"

　　净霖起身说："那么无趣，还是趁早吃了吧。"

　　苍霁见他要出门，便说："你腕间系着我的灵，离不开十步。"

　　净霖回首，说："起身吧，事儿还未完。"

　　阿乙忐忑地咬着包子，对净霖无法视而不见，原地跺脚，说："邪魔已除，小爷也要自己逍遥去了！咱们就此别过吧！"

　　苍霁颇为惊奇地说："门在那头，你怎还在？"

　　阿乙怒目而视："小爷助你长了这么一程修为，你还赶我！"

　　"所以昨夜没将你扔出去。"苍霁眺望王宫，"如今老皇帝死了，后续如何？"

　　"他儿子无数，随便挑一个也能成事。"阿乙擦净手，说，"我昨夜已按照净霖的意思,将信递给了那楚纶。只是他如成了第二个刘承德怎么办?"

"乐言在华裳手中。"净霖说,"楚纶如再鬼迷心窍,哪能活得了。"

"奇怪。"阿乙说,"华裳素来不屑与神仙为伍,此番怎么这样帮你?莫非你还与她有什么前尘?"

"她并非帮我。"净霖目光移动,从苍霁面上划过,只顿了顿,对阿乙说,"你归家之后,不必再为你阿姐担心,云生调她归境,长远而看,绝非坏事。"

"那你还要去哪里?"阿乙说,"陶致认得你,别人也会认得你。"

净霖却说:"事到如今,躲也躲不过。我有诸多事情不解,切须自己一探究竟。况且除非神魂泯灭,否则即便我转入轮回,也有人认得出。"

阿乙闻言无趣,他本也盼着这两人别再与他相近,这几日受的苦已经足够了。尤其是苍霁,堪称阿乙如今最不想见的人。

"青山不改,绿水长流。"阿乙退几步,化作五彩鸟冲天而去,"小爷中渡逍遥,别再遇着你们两人就好! 再会!"

阿乙一走,苍霁便道:"这样急死忙活地让他走,是觉察什么了吗?"

净霖将阿乙留下的金链一扣,丢进袖中,说:"邪魔不易除,上有分界司看管,下有邪气难镇。于是晖桉便来了,分界司自此销声匿迹。而后阿乙也到了,白送着镇邪压魔的佛文金锁——不似偶然,倒像天助。"

苍霁说:"怎么有人一步一个坑,便有人有一步一设桥?冲着临松君来的人,竟还不是一路。"

"胡乱猜的罢了。"净霖拉下袖,掩住手腕,说,"千钰还未回来,想必仍在黄泉。左清昼多年所集的证据皆在他手上,想要趁此根除此案,便需要左清昼的笔墨。我们去见千钰。"

"你诓他下去。"苍霁说,"他不肯给怎么办?"

"精诚所至金石为开。"净霖几步下阶,说,"我兴许没诓他呢?"

"见一见他也好。"苍霁说,"我正好有事问他。"

净霖略为在意:"什么事?"

苍霁抬臂枕后,对净霖哼声:"我偏不说给你。"

净霖:"……"

069章 阎王

黄泉路铺彼岸花，石板蜿蜒于葱郁红浪间。此处天光晦暗，迷雾丛叠，听得见鬼差自中渡各地赶赴回来的锁链"哗啦"声。无数戴着枷锁的亡魂沿路游走，哭声幽咽，似如淅沥湿雨一般缠覆在耳畔。花间叠筑眺望塔，每十步便设一鬼将守卫，锁链重重牵扯成网，让步入此路的亡魂无处可逃。

净霖面若薄纸，气息全无。他一手握棒，一手牵链，锁着苍霁随魂混入。苍霁脸戴面具，步履缓慢，移动间顾盼张望，尽情打量。

"这个地方挑得好。"苍霁微弯上身，在净霖耳边说，"下来之后深陷沟壑，两侧皆是支撑中渡一界的千年坚石，唯有花海一路能够通畅来回。普通人下来了，怕就再也上不去了。"

"生死已于关卡前了结，普通人走到这里，已经死了。再往前走半个时辰，便是离津口。"净霖用手肘向后轻撞他一下，"你阳气外漏了。"

苍霁推了推面具，问："怎么左右亡魂皆要戴面具遮挡？如若抓错了人，岂不是觉察不出。"

"人命谱上记载详细，鬼差拿人之前便先要验明正身。"净霖说，"从前是不戴面具，可先前的阎王爷叫人吃了，新任的这位怕遇见形容凄惨的鬼会昏过去，便叫鬼差引魂时颁送面具。"

苍霁说："天下笑谈，当阎王的竟然怕鬼。他这般，又是怎么当上阎王的？"

"因他爱吃，原本闭关于黄泉壁下，醒时腹中饥火难耐，嗅见离津鬼火炊烟，便一口气吞饮了黄泉千万亡魂，连阎王殿都吃了一半。"净霖转念想起什么，转头对苍霁谆谆告诫，"进食谨慎。"

苍霁奇怪地问："可是能吞天地万物的不是龙吗？怎么他也行。"

"他只是吞下垫腹。"净霖说，"找到能吃之物后再将亡魂与阎王一并吐出来。"

可怜老阎王一直勤勤恳恳，自黄泉分制后便闷头从鬼差做起，一路苦干业绩，做了近千年的差使，终于得了九天境提拔，得以任职阎王。谁知没做几百年，便被人没头没脑地吞入腹中，裹着唾液又呕出来，一时间情难自已，悲愤交加之下弃官而去。九天境中无人肯降尊纡贵，一来二去，便罚这吞人又吐的妖怪坐镇黄泉，成了新阎王。

苍霁摸着喉结思量道："一口气能吞掉离津四万三千只亡魂，这人原身是什么？竟有这般大的胃口。"

净霖说："他原身很凶猛，离津特砌其原身石像以警后人，你见得他也会怕的。"

苍霁问："比我还要凶？"

净霖颔首，苍霁便愈发好奇。他俩随着亡魂长队又走了半晌，听得河水湍急流动的声音，苍霁终于望见离津渡口的全貌。

彼岸花海浪涛摇曳，只见一方城池盘踞迷雾红芒间。河道中通贯彻全城，舟船并列车马，各色灯笼繁复悬挂，笼罩在千万亡魂头顶，犹如星河浩瀚。临河楼阁挂着珠玉小帘，听得琵琶铮铮随水流。街市亡魂如潮涌动，那能渡魂前往阎王殿的小舟窄之又窄，两列鬼差臂盛名帖，叫一个走一个。可是此处已囤积数万亡魂，按照这般的速度，叫上五百年也叫不完。

苍霁转眸，又见城中高耸而立着一只石雕。那石雕前肢垂胸，双爪磨砌锃亮。后腿弯立，挺胸抬头，以一方凶兽的悍然之态眺望远方，想必就是净霖口中的阎王原身。

在其身姿照应之下，苍霁不禁自愧不如。他用胸膛抵着净霖，俯首磨牙。

"就是一只伶鼬？！"

苍霁被净霖诳了一回，不肯再轻信他的随口之说。

"这里这么多人。"苍霁抬手推起面具，"又无气味牵引，我们如何找到千钰？"

"千钰要寻左清昼，只能守在渡口。"净霖带着苍霁前行。

渡口游魂排成长龙，唱名的鬼差嗓子干涩，退下来舀了碗水喝。他方坐下，便嗅得浓郁肉香，转头见不远处的摊上坐着两人，其中一个打开油纸，卤肉油花摊在桌面，引得半条街的亡魂都露了贪吃鬼脸，只是畏惧其中一人鬼差打扮不敢上前讨要。

鬼差被这味道引得肚中咕咕叫，他近些日子值这渡口的班，已经许久不曾去过中渡。当下从袖里摸出几只铜珠，起身到了那两人身后。

"老兄才从上边回来吗？闻这味道，该是京都万福斋的卤牛肉！"他踌躇道，"我愿价出双倍，老兄能否割爱？"

净霖筷一顿，说："一碟牛肉，值得几个钱。兄台若不嫌弃，只管坐下来一道用。"

鬼差连声应允，掀袍坐下。苍霁递了双筷给他，他顺势将这二人看了，说："多谢！看老兄面生，才点的差职吗？"

"是啊。"净霖说，"第一趟差，诸多意外，能带回人来，着实不易。"

鬼差埋头大快朵颐，闻言笑了几声，说："兄弟你才当差，不知这黄泉百种差职，还是引魂好做。"

"哦？"净霖便虚心请教，"此话怎讲？我见兄你渡口唱名才是钦羡，不必累于奔波。"

"引魂虽说来往不断，却少些拘束。唱名有什么值得钦羡的？一整日也渡不过几个人，还要听着离津万魂唉唉不休的抱怨。"鬼差叹一气，说，"九天境疏于问候，阎王爷便越发懒怠，你看这离津，长此以往下去，必生祸患。"

"阎王爷忙什么？"苍霁把玩着筷，说，"我死得晚，还想早点投胎。"

"咦。"鬼差失笑，"你还着急投胎，要知晓一旦过了这忘川河，便记不得这一世了，有什么紧要的人，也俱要忘了。"

净霖面不改色，只问："阎王爷不理案子吗？"

"兄弟你方才回来，故而不知。近几日阎王爷好事将近，哪有时间理会案子。"

苍霁和净霖相对一眼，异口同声："狐狸？"

"不错。"鬼差说，"正是一只断尾白狐。这白狐原先流连渡口，寻着什么人，被阎王知晓后招于殿中，却被他的样貌迷惑了心神，竟大闹着要认人家做干儿。可那白狐宁死不从。"

"阎王失心疯了么？"苍霁说，"这狐狸已有主人了！"

"管他有没有主人，入了阎王殿，除非阎王开口，不然他哪逃得出？"鬼差合筷，起身做了一鞠，笑说，"多谢兄弟招待！我便在这渡口当差，日后若有什么事，大可来找我。我贱名奉春。"

说罢鬼差蹑足转身离去，净霖多望他一眼，见他气度不凡，竟有些不像普通鬼差。

"阎王殿何处？"苍霁早已不耐，起身欲走，"千钰不可丢。"

"阎王殿隔重天堑，要渡忘川越迷山才可到达。"净霖示意他少安毋躁，说，"他既要认人，便须遵循礼数。前夜轿子将停离津一宿，次日由阎王渡船引回才能算数。我们只在离津待轿子送来便是了。"

苍霁与净霖歇于离津，此处无日也无月，约莫两天的工夫，终于见得渡口张灯结彩，城中红绸高悬。

苍霁伏窗而观，问："怎么城中的鬼皆哭个不停？"

"触景生情，触目伤怀。"净霖说，"他们久留此处，前尘旧梦历历在目，忘不掉也回不去。"

"人这一世，不如意的事情据大半。"苍霁说，"有什么值得哭念的。"

"虽说不如意之事十有八九，但仍有一件是满心畅快。为这一件，苦也甘愿。"

苍霁说："太苦了，甜也尝不出来。"

两人言语间，苍霁忽见十余只鬼差扛着大红轿辇腾空踏锁链，正在疾步渡忘川。他陡然精神起来，拉着净霖。

"来了！"

鬼差们喝声落轿，渡口轰然惊起灰土。见那轿辇被一圈灯笼点缀，门窗皆钉得死，里边黑漆漆的，瞧不清千钰的人影。鬼差们一落轿，便齐步退开。地面顿伏起一头健壮巨牛，牛背锁链重落，它便拖着轿辇向前。紧接着河面团腾出龇牙群鸟，如同黑云一般簇拥着轿辇，不许旁人接近一步。轿辇上跨坐一人，头戴斗笠，口衔草枝，扬鞭抽牛。

净霖说："那便是阎王吠罗。"

"便是他。"苍霁撑身，见吠罗斗笠下的脸生得唇红齿白，"看着比我还小。"

"他已一千四百岁了。"净霖说，"看来他待千钰分外重视，竟连这一段路都不肯假借他人之手。"

"可惜他来晚了。"苍霁说，"千钰心里哪有他的位置。"

净霖侧首，说："你这般了解千钰？"

"是啊，见他乖巧柔顺，可爱得很。"苍霁抱肩，"许多事情我都须向他讨教。"

净霖不作声，听下边吠罗已经踩着横木站起身。他一手撑轿辇，一手抬起斗笠，冲四下朗声说："明日爷爷我要认亲！离津万鬼皆来吃酒，宴席摆上十万桌，八方来者皆是客！你们全部都得喝！给我高高兴兴闹一场！"

群鸟齐鸣，巨牛刨蹄，足足在离津城绕了三圈才作罢。末了，吠罗扔鞭下轿，倚着窗边对千钰说："心肝儿，今夜之后，你我便是父子了，前几日答应你的事情，便一概不算数了！没道理再将我拒之门外是不是？"

千钰一拳重捶在窗板，寒声说："我已有主！"

"不是死了么？"吠罗吐着草枝，"人命谱上写得清楚，是个短命鬼。别忧心，我还能活上几千年，可比凡人更有时间。"

"放我出去！"千钰从缝隙中看着他，一遍遍地说，"我已有主。"

吠罗负手踢了踢轿辇，说："我修为不如他高么？他能给你的，我全都能给。休说几张纸，几句诗，就是这黄泉半壁，我也能给你。心肝儿，何苦再受苦楚几百年，你不也能快活许多？"

"你根本不明白这世间情义。"千钰头抵在窗，别开脸，"……我不要别的，我只要左家郎！"

吠罗却偏头对他说："你生得真好看，比之九天境，也只有东君和临松君能压你一色。我爱惜你的颜色，你怎可不要？"

千钰已知他根本不懂，只说："你若真心爱惜好颜色，何不认东君？"

"东君皮囊虽艳，本相却凶。况且他又是血海邪魔出身，与他一道，我心里慌。不过。"吠罗笑一声，"几百年前，临松君曾经于云端垂听凡说，侧颜羞煞天地万灵，连笙乐女神亦要避退。临松君位列君神之后，曾论天地第一色的笙乐便不再见人。不瞒你说，临松君未死时，我便是打定主意要认他的。"

苍霁原先还能听一听，闻到此句，手底下的窗木"砰"声而裂。

070章 忘川

吠罗说罢又叹息，再道："明日大礼，不可愁眉不展。我差人备些酒给你，吃些酒便能痛快了。如若你当真忘不了，我牵你渡一次忘川便能忘了。往事随风，日后与我过罢，我自会待你好。"

千钰霎时抬首，容颜在缝隙间斑驳着泪痕，他说："忘？这世间最忘不得便是他。我情愿往后数百年在苦中熬，也不要忘了他。你既然爱这副皮囊，我便削皮剐面，由你拿去！"

"心肝儿手下留情！"吠罗讪笑，"我岂是那般浅薄之人？这便是你不懂了。我要一张人皮做什么？"

千钰形容憔悴，他发白凌乱，只肯说："阎王不必多言。"

吠罗自讨没趣，只能勉强一笑。他几步走入街市，见左右皆退得老远，不禁大发脾气："瞎了眼！备酒摆桌，今晚便开宴！"

他话音方落，头顶骤然疾风乍起。吠罗敏锐闪避，背后却由人正踹一脚。他一个趔趄前扑，险些当街跪倒，又反应极快地单臂撑地，身轻如燕，借力滑弹而起。不待他回首，便觉耳侧劲风瞬起，刮得一街鬼魂惊呼掩面。吠罗站不稳，手扶一柱。谁料这一扶竟扶坏了，因为他双臂撑身，腰间一松，袍衫顿时被风刮飞，裤子唰地跌到脚踝。

吠罗一愣，紧接着面红怒声："哪个狗娘养的？！"

净霖双臂架着苍霁，拖回窗去。苍霁冷笑不止，阴声道："你瞧他才长了几根毛，也敢跟左清昼抢人？还打定主意要认临松君！"

净霖被苍霁身形压得脚下磕绊，喘着气嗯声，说："晚上待他醉归后，我们便去接千钰。"

苍霁面色不虞："打他就打他，此地上不及分界司，下不着阎王殿，明抢又如何？一只伶鼬反了天！"

"你岂止是要打他。"净霖说，"他怀揣九天封印，回头给你一下，你便要

在忘川河里做条傻鱼。"

"他说他欲认你。"苍霁回身捉住净霖的手，怒道，"他也行？不行！"

净霖见他有些垂头丧气，顿了顿，说："我与他素不相识。"

苍霁不语，净霖沉默片刻。

苍霁说："有贼心没贼胆，谅他也不敢！"

苍霁在室内转了一圈，说："他既然要请人吃酒，那晚上便赏他个脸，算他好眼光。"说着拍了下手，"到时候你来做鬼，戴上面具。"

离津本无白昼与黑夜，但既然阎王发话，鬼差们便掐着中渡时辰。时辰一到，只听满城吹打，将红轿辇又拉了一圈。满城游魂边哭边笑，合着掌念祝词。彼岸花引黄泉路，轿辇碾在乱红之上，千钰垂首坐在其中，一切热闹似是别人的，他不过是个事外客。

狐狸已断了尾，银发铺在红衣上，竟已显出苍苍老态。

苍霁终于如愿以偿，能正大光明地用锁链牵着净霖走。他随着轿辇走几步，说："不好，这狐狸已经万念俱灰。"

净霖面具下的唇动了动，到底没有说话。

酒席已开，城中饮酒醉鬼千奇百怪，仰头能见鬼火催出的烟火阵阵不断，周遭迅速融入一派欢天喜地的恭贺声中。轿辇已停在渡口，那幽幽河面平缓不惊，所有鬼皆在欢呼热闹，偏这狐狸却如囚犯。没有阎王的命令，连杯酒也无人敢递。

净霖见时辰差不多了，便起身环顾，见一众鬼将也喝得醉醺醺，"吠罗明日还要驾船来渡千钰，理应不会逗留太久。"

苍霁持杯饮了最后一口，起身与净霖正欲动手，肩头却突然被人搭住。他皱眉回首，正见吠罗醉眼蒙眬地指着自己的脸，说："这城中鬼魂四万八千，我各个都记得，怎么不认得你是谁？"

净霖手间锁链当即摇响，苍霁随即自然地笑起来，对吠罗说："我乃新差，阎王记不得也是有的。"

吠罗狐疑地撑桌，问左右："他是谁？"

可他左右侍从也早喝得烂醉，都躺去了桌子底下。

苍霁热切地反搭了吠罗的肩，说："听闻阎王识美人，是不是？正巧，我也是！"

吠罗嗝了几声，胡乱挥手，说："你才见过几个？这世间美色皆在天上！"

"不就是那东君？" 苍霁说着松开指间链，净霖不出声响地后退。

吠罗说："东君！东君好看！我若在九天境中当差，天天由他骂也是愿意的。"

苍霁见净霖已抽身，便悄声问："那临松君如何？"

吠罗醉得恍惚，努力抬眼，说："好……好看！"

"净是废话。"苍霁压着嗓音，"自然好看了，我还用问你这个？"

"这是废话我也要说！"吠罗突然一拍案，义正词严道，"真好看！你区区……区区鬼差懂什么！唉……他美在这儿。"吠罗点着自己双目，也压着嗓音，掏心掏肺地说，"你见过几个天不怕地不怕的人？美人嘛，就是各有不同，各有味道。东君艳得妙，临松君那是狂得好。"

苍霁本以为他会说个冷，岂料却是个狂，稍做品尝之后，又觉得不对味，说："你怎知道这般清楚？"

"我爱惜这世间的美人。"吠罗对苍霁真切地说，"你……唉……世人皆不懂我。美人都应好好爱护。"他说着掩面哭泣，醉得痴傻，"何苦来哉？你瞧这傻狐狸，已将一颗心碎成八瓣，疼得我也跟着碎成八瓣。还有那临松君，碎成沙了，我惊闻之下哭得天昏地暗。你不懂，你们皆不懂！"

苍霁拍了拍吠罗的肩，劝道："他们皆不如东君妙！你想他妙语连珠，又有那般神通，背负血海万苦，可不是个更需要你爱护的美人？"

"可他……"吠罗欲言又止，蹙眉说，"他必不要我……"

"缠着他。"苍霁恨铁不成钢，"你怎可这般轻易地退却？尽管用你一腔温情去待他，所谓精诚所至金石为开，总能守得他答应。"

吠罗被诳得点头不止，竟真起了意。

千钰呵手，肩头覆霜。他本阳胎，又受断尾损心的重创，修为难庇，已然受不住这黄泉阴寒。他倚窗外望，见忘川墨色潺缓，竟一时忆起千种前尘。

阴风拂窗，吹得千钰肝肠寸断。他指探缝隙，在这茫茫浓墨间什么也捉不到。千钰身寒神散，倚着壁恍惚入梦，觉得神魂飘然，几乎要撑不住了。

正当此时，突然听得风间有人唤声。

千钰茫然回首，听那声声渐清，唤得正是"千钰"。他蓦然爬身，眼从窗缝向外寻，泪便争先恐后地涌出来。

"左家郎……"千钰哑声，不可置信。

风间的唤声如线易断，不知从何处飘来。千钰砸着窗，哽咽着应声。他十指划破，将窗扒得鲜血淋漓，却唯恐那声音远去。

"放我出去！"千钰急声。

原本醉如烂泥的吠罗突地捂胸，对苍霁纳闷道："我怎这般痛？"说罢又自言自语地回答，"是了，我设封印牵连着心，自是会……不好！"

吠罗酒被痛醒一半，他猛地起身，说："围住轿辇，不能容他逃！"

苍霁一脚蹬在椅腿，倚子顺势挡撞在吠罗腿边。吠罗反脚一撩，将椅子抬扛在臂，向苍霁劈头砸去。

"你是谁？！"

苍霁掀桌上拳，说："是你临松君家的宝贝。"

吠罗酒皆成了汗，他应声退闪，鼻尖险些被砸中。苍霁拳风凌厉，本未将他放在心上，谁知他仓促中竟躲得这样快，眨眼便糅身而来，一腿劲力十足的扫踹向苍霁胸口。苍霁抬臂"砰"声而接，周围桌椅闻声崩碎，碗筷摔了一地。

"了不得。"吠罗一把掀开袍，接着陡然爆发，腿脚"噼啪"地砸在苍霁臂间，被震得吃痛。他啐了口，冷声说，"来了个人物！"

苍霁臂间竟然被他踹得发麻，不料他这般瘦削的身形下力道这般重，远比醉山僧更加强。

吠罗一手抄酒，闷头飞砸，说："今日扒爷爷裤子的人，也是你！"

苍霁掀掌接住，仰头一口饮干净，反抛向后。他神色懒散，一脚踏凳，对吠罗比出小指。

"料想你既然敢夸下海口，该有几分本事。不料扒开裤子瞧一瞧，还是个乳臭未干的小鬼头。"苍霁放肆而笑，眼中却倏地寒冷，"拔了你的舌，免得你再胡言乱语。"

071章 酒桌

　　酒桌残席被卷入疾风般的交锋中，掀翻的酒菜进了桌下众人满头满脸，吠罗却不见一人酒醒。他心思一动，喝道："你竟敢下药！"

　　苍霁抹净唇角，欺身就打，拳拳招呼到肉，道："我打你还需下药么？"

　　吠罗步法绕风，凭得就是一个快字，但纵使如此，也在苍霁拳下颇显吃力。杯盏落地，在两人你来我往间被踩得粉碎。周遭阴风凛冽，与拳脚交加的声音紧密结合，形成荒城中唯一的动静。

　　另一边巨牛仰身化为持斧牛头，斧子砸在轿辇之前化出深深一道刻痕。他瓮声瓮气地捶了捶窗，对千钰道："阎王命令，不可放你出来！安生待在这里，不要自讨苦头。"

　　轿内连撞不休，千钰指端变得尖锐，握得木窗粉屑乱蹦。他面容微变，狐眼吊长，在苍白中化出些许妖相。狐狸本相在躯体内嘶鸣咆哮，致使正与苍霁交手的吠罗胸口刺痛。

　　苍霁机不可失，当胸连踹他几脚。吠罗应接不暇，倒身撞跌在杯盘狼藉中。他痛捂胸口，将今夜喝下去的酒尽数呕了出来，溅了一身腥臭。苍霁用脚翻过吠罗的身，足尖劲风一扫。吠罗猛地抬臂格挡，背擦着地面飞出去，"哐当"地止在桌椅板凳间。

　　吠罗吐干净口中的苦水，撑地挺身而起。苍霁已经突至眼前，他猛然坠身躲过，腿下凌掠苍霁下盘，只听"哗啦"乱响，碎盏杯盘翻掷凌飞，如刀一般削向苍霁面门。苍霁振臂施力，见得灵化如风，豁然抵冲在碎物间。他腿下再与吠罗针锋相对，却见吠罗陡然扑身在地，一条尾向苍霁破空抽来。他尾梢所经之处，听得阴风撕扯，天间群灯簌簌急动。

　　苍霁一把拽了个正着，他沉身不动，轻轻掸开衣袖间的几只毛，说："索性露出本相来，将我吞了试试？"

　　吠罗只作冷笑。

　　牛头松开斧，抬手将轿辇抱起来，在半空中剧烈晃动，摇得千钰在其中苦

33

不堪言，翻滚碰撞。他走几步，又将轿辇轰然放下，说："你且歇声休息，稍等片刻，阎王便会来。"

千钰伏身，听得那声音隐隐欲断，不由得胸口翻涌，猛地垂身呕出血。

牛头好声劝道："你不可寻死觅活，这里是黄泉，只要阎王谱上勾你一笔，你便是死不掉的。"

牛头见他似如未闻，不禁退后，欲持斧相守。可他听见背后有锁链声，不自觉地回过头去，见一白衣人面掩在银面具之下，站在他的大斧之上。

牛头斥责："鬼魂归城，渡口今夜不许人来！"

净霖仅仅才到牛头腰侧，他掌间的锁链呼转起来。牛头预料不好，踏步欲夺。净霖的链倏地绕住牛头一臂，牛头震不脱，却也无妨，因为净霖力气不足，是断然不能像苍霁那般抢人而起。牛头沉喝一声，登时撞向净霖。

净霖顿时凌身腾起，当空一脚，沿着牛头的手臂踩点飞上他头顶。锁链随着净霖猛绕牛头半身，他当即陷入与自己的角力之中，整个上半身难以再动。牛头双腿一开，沉身振臂。锁链紧绷，闻声"啪"裂，竟捆不住他。牛头晃身怒吼，欲将净霖甩下，却被净霖几脚点踏，震得头昏眼花，步伐蹒跚，犹如醉酒。净霖在锁链迸碎前先飞身落地，身后的牛头已脱臂而出，抢起巨斧。

净霖一脚踩在轿辇，背后狂风肆虐，他陡然后仰半身。斧刃贴着发丝扫过，巨声撞在轿辇上。轿辇顿时劈烂，千钰应声坠地。净霖抬腿翻踹在斧刃，借臂翻腾而上，在牛头收力时凌空一掌。

风猊狂逆涌，抵在牛头胸口轰然爆开。牛头连退几步，胸口剧痛，已见血光，不由得怒从心起，凶性大发。他吼声震耳，将斧子抢成旋风，照着那抹白色劈砍。

净霖身似弱柳，脚下步法深不可测，引得牛头直逼城中。牛头巨力砍中街市地面，听得石板突进，裂出长道。

苍霁的身影猛坠而下，与净霖以背向撞。他喘息微促，半臂衣衫已被撕破，竟在短短时间内落于下风。

"如何。"净霖稳声，"可见识了吠罗的厉害之处。"

苍霁撕掉破烂的衣袖，说："呸！"

他们话音未落，便见吠罗猛蹿而出。苍霁着腿一脚，吠罗翻侧滚地，手却勾住了苍霁的腿。苍霁只觉得脚上一沉，紧跟着侧边一凉，吠罗竟在眨眼之前便转瞬移到了这边！

净霖袖纳长风，陡然突扫，将苍霁拽斜开身。吠罗扑手拿空，已经错失良机。苍霁岂能容他再走？只听"砰砰"两声闷击，吠罗腰腹受力，立刻喷出酸水。他却不跑，反将苍霁的拳抱于掌间，痛声收力。

苍霁便觉得一股吸力猛拽，他脚下不稳，险些跌向吠罗张开的口中。腰带被净霖自后一把拽住，方止住前扑。然而净霖背后的巨斧已至，就紧迫在他后脑，牛头的重力砸得地面都在颤动。眼见不好，净霖胸口风扭旋动，咽泉霎时带鞘显形，猛地架挡住净霖脑后的斧刃。局面一时间陷入僵持，令人牙酸的磨砺声碾动，斧子就停在净霖咫尺。

咽泉抖身相抵，原本就不甚清晰的剑鞘发出难耐的裂声。净霖面色发白。齿间紧咬。

斧刃压在豁口，传出一声极其细微的"啪"。咽泉登时碎散，巨斧带风砍下！

苍霁一臂拽过净霖，翻身后仰，抬腿猛踹斧面。斧子惊天动地地砸落在侧，不及他两人喘息，便听风间扭声，二人一齐被突然出现的吸力撕扯。

吠罗张口要人，整个街市灯笼暴跌，桌椅众人全部倒飞向他。见那口中如现深渊，竟然不是普通人的口齿。若是被吠罗吞下去，便难办了！

电光石火间，听得千钰将轿辇凌踹而来。轿辇于众物一并吸向吠罗，吠罗却闭口不要，他面露难色，委屈道："你何苦这样对我！"

千钰身瘦如纸，在阴风中白发飘动，显得不堪一击。他说："你待我不过为了这皮囊，并非是我。事已至此，休要再纠缠了。"

吠罗竟捂耳怒声："不听不听！你不可离去！"

他说着瞬闪而去，劈手牵向千钰。千钰衣袍后扬，眸望别处。吠罗握了他的手，恳切道："今夜便带你渡了忘川。千钰，忘了一切。"

千钰似是一笑，甚是凄凉，他说："你以为忘川便这样无所不能，可我却觉得我即便在这忘川水中走一遭，也忘不得左家郎。"

吠罗察觉他欲挣手，不禁握得更紧，急得抓耳挠腮，只说："你怎么要哭了？你不能哭，因我见得你哭，便也想哭。"

千钰已然寻不到那缥缈不定的唤声，他悲从中来，已于大喜大悲间了无生

趣。他反握住吠罗的手，眼中分明泪涌如雨，自己却毫不觉察。

千钰说："你想我渡忘川河？"

吠罗慌忙应道："我去撑船。"

说罢他松开千钰，几步走向渡口。千钰见他移开，便抬眸又望一次远方，听得风幽长吟，却始终得不到适才的呼唤。

"我于人间走一趟。"千钰喃喃，"一身皆系左家郎。如今他已死，我心便已丧。既然黄泉路上不可见，生入轮回也无趣。不如就此别过，让我哭一场吧。"

说罢那白发飘扬，见他人已跃向忘川河。吠罗慌不迭地冲挡而上，却仍未能捉住千钰的衣摆。那泪溅于吠罗颊面，只欲叹声"何苦来哉"！

苍霁身比声快，已经飞于半空。他猛拽住千钰衣袖，将人用力扯回，扔向岸边。千钰本已绝意，岂料竟被他甩了回去，却见苍霁脚下滑空，反倒坠了下去！

苍霁自己也未料想，他陡然摔坠进忘川。周遭泥沙一瞬包涌，将他一浪盖下去。水中混沌不堪，重力拉扯着，苍霁竟困于人身，无法变回原形。他呛水而陷向更深处，水中无鱼也无草，只有无边无际的人面夹杂着无数亡魂前世的旧忆。

苍霁喉间似如被人锁住，他耳边轰鸣，听得数万人语碎念不止，脑中掀起千百种场景。苍霁神识渐沉，已看不清水面。迷蒙中默念了两个字，却见那人应声而现，扑进水中，向他沉来。

一片混浊间，唯独这抹白醒目亮眼。

苍霁喉中"咕嘟"一声，五指间被净霖握紧，见那发间浮现的脸紧皱眉头。他觉得胸腔间的那颗心几欲跳出，辨不清滋味，只识得净霖的眼近在咫尺。

两人交叠的上身下沉，逐渐被黑色掩盖。

苍霁耳鸣昏沉中，听得久违的铜铃声。他眼渐合，似如永远沉不到底。满心念着的名字缓慢地被抽离出去，变得如隔云烟，模糊不清。

他似是记起什么，又恍若是别人的记忆。只是认得这纷乱混杂的各色场景里，一直立着负剑的净霖。

泥沙涌埋，铜铃在千里之外"叮咚"而晃。

白露

卷 三

072章 酒热

苍霁突地醒来，水声消退，连衣袍都自行烘干了。他记不得身在何方，便凝目向前，听周遭人声鼎沸。

苍霁丈二摸不着头脑，转眼又见华裳正坐一侧吃酒赌骰子。老板娘不似他在京都所见的模样，还戴着镶珠篦子，粉裙白裳，活脱脱的出水芙蓉，正值豆蔻。

"爷专程来一趟，待会可得看对人。"华裳跟人赌得笑靥如花，对苍霁言语熟稔，毫不见外。她说，"他座下那几个皆是不好对付的主儿，黎嵘便罢了，北地咱们见过。那净霖你却是不曾见过，咽泉出鞘可疼着呢！上回要拿我姐姐的便也是他。"

她话音方落，便见有人打帘而入，衣着华贵，形貌典雅娴静，与华裳虽有八分相似，却独添一份从容淡然。她一入内，苍霁便疑心自己认错了人，这才该是京中所见的华裳。此女开口时音色妩媚，与几百年后华裳的慵懒都极为相似。

"说的可是那位'泉咽危石，松冷青衫'的净霖？'"她含笑对苍霁做礼，说，"上回见着，可一刻都不敢忘。"

"有什么不敢忘。"苍霁指压着杯口，向外望去，话犹如早已熟念千百遍似的往外涌，"他兄长各个都是狼虎模样，他又能好到哪里去。"

"生得真好。"琳琅说，"远比那黎嵘看着瘦弱，怪不近人情的。但是年纪小，我瞧着还不大通人情世故。"

"便是这般最讨厌。"苍霁厌弃地后仰，将那高台尽收眼底，口中说，"看着已是成人，心里还犹如稚儿。待人接物黑便是黑，白就是白，既不懂变故，也不知世故。九天门若真想交涉，千万休派他来。"

"少见主子这么喜怒外露，莫非已经见过他了？"琳琅问道。

苍霁立刻说："没见过。"

"是该没见过。"华裳一颗颗数着金珠，都装回自个的绣囊里，笑得眼睛都成月牙，"见过还得了！多半要打得天昏地暗。"

苍霁却垂眸拨开茶杯，说："我长他百岁，跟他有什么可打的。"

"那你还长黎嵘百岁。"华裳纳闷道，"不也打得他落花流水吗？"

琳琅隐约猜得苍霁心思，便出声止了华裳，斥道："就你记得清楚？吃酒少言。"

他三人交谈间，听得台面骤然高升，阔出数倍。四下的议论登时停止，一时间鸦雀无声，皆注视着那汉白玉台。云生与黎嵘联袂登阶而上，向四周拱手示意。

"如今血海压境，东西南北皆遇邪魔骚动。我九天门身先士卒，多年来为筹平定大业奔波往来。早年知己度力，不敢居功占鳌，可眼下形势渐急，已容不得大家谦让推辞，须得推出一方引领鏖战。今日便划下这鸣金台，迎天下英雄挑战，势必要分出个高下。"

"他们帖子呈了八方众势，但凡有头有脸的都来了。"华裳伏窗说，"唯独少了我们北地。"

"九天门野心勃勃，既然定要分个高低，便是打定主意要当这个鳌头。"琳琅揣测苍霁神色，说，"可主子居北多年，苍帝之名谁人不知？群妖归心，岂能俯首于区区凡人之下。"

"众志成城以驱血海不是坏事。"苍霁说，"只是八方众势皆合于九天门下，待血海退后，想要再分出去，便难于上青天。一旦尝过充当龙头的滋味，便戒不掉。如今九天门主九天君广纳贤才，虽说没有亲儿子，却已收了八个义子。他心思已显，旁人尚在筹血海之战，他却已谋想百年之后。"

苍霁说着拿起桌上的折扇把玩，压在指尖一点点推开，盯着台上人，说："况且为龙者，天底下只需一个。"

他话音才落，便遥遥见得九天君坐在高阶之上，两侧白袍儿郎一顺排下。云生与黎嵘皆归其中，苍霁眼尖，见得就连黎嵘也要退下一阶，将九天君身边之位空余出来。占得此位的人正单膝叩于九天君座下，负剑垂首，详听父命。

苍霁一见这人的背影，便鼻间轻嗤。

那人跪了半晌，起身时白袍经风，转身踏上汉白玉台。这顷刻之间，群山氲雾，松涛顿掀，仿佛千万清风皆系于他弹指，万顷松海俱听于他拔剑。他便独自立于台上，眼中漠无杂尘，容色冷冽孤清。任凭风浪阵阵，万众瞩目。他稍抬手，咽泉斜划出鞘。

"此台我一人独担。"他淡声，"列位不服，台上赐教。"

此言一出，四下哗然。要知今日前来者十有八九皆是名驰中渡之人，但凭咽泉剑啸一方，也见不得这般狂妄！

"竖子嚣张！"人群激愤，何曾想到九天门这样拿大，竟只派了这一个人，还要独占鸣金台，不禁张口啐声，一片不服。

苍霁突然笑出声，他明知故问："这是谁。"

琳琅也笑："正是那净霖。"

风潮乍起，松针袭窗。苍霁见净霖面色不改，分明傲气凌人，却只将猖狂尽藏眼底，勉力维持着不冷不热。苍霁不禁骨节磨动，想起什么，薄哼一声。

"装模作样。"

净霖退时已是几日之后，见他一人力挫群雄，兄弟之间间隙更深。待他沐浴后入院，饭食已撤，锅都刷得干干净净。黎嵘等他许久，见状塞了他几颗金珠，叫他出去吃。

净霖掌心几颗珠子转动，他耷拉下眼，说："不吃也罢。"

话音未落，就听得肚中咕咕直叫。

"父亲已歇下，明日该赏你。今夜便好好吃一顿，这几日你皆在台上，铁打的人也受不了。"黎嵘说着起身，见净霖望过来，不由为难道，"我虽也想陪你去，但近日来客众多，晚上还要和云生招待一番。"

净霖颔首，转身向外。他待要跨出门时，又听黎嵘在后叮嘱："鸣金台声势浩大，你压人一头，又言辞狂妄，不将别人放在眼中。等会儿出去，小心为上。"

净霖应声下阶，一人穿松而过，背着剑下山去了。因为鸣金台的缘故，山脚客栈生意兴隆，夜市人潮涌动，各形各色的人皆没其中，连妖怪也有不少。

净霖掌心里攥着金珠，沿路见得吃食繁多，一时间踟蹰犹豫，私心哪个都想吃。他本就因斩妖除魔的名头广为人知，当下站在店铺之前，周遭皆有人指点窥探。净霖不虞，抬步就走。他未出几步，便回首而看。

"你们跟着我。"净霖说，"还要赐教么？"

"听他口气何等狂妄！"背后一人携棍傍身，看着打扮是南下来的。他对左右人嬉笑道，"若非了解，还真当他是个人物呢！"

"人家剑名赫赫，还不算个人物吗？"侧旁破衣烂衫的邋遢和尚摸着光瓢，说，"莫非有什么旁人不知的缘故在其中？"

"这是自然了。"携棍的泼皮提高声音，冲四下抱拳，大声说，"此人乃九天门咽泉剑主，九天君的爱子！素来以除魔卫道为名，可他半年前北地一游，却借除魔之名，调戏那苍帝座下的九尾白狐！好没羞的东西，你可敢认？"

净霖薄唇紧抿，冷眸覆霜。

那头苍霁拨开灯笼，喝得面热，正从窗间望见那抹白色。他撑首静观，见净霖袖间一动，便知要动手。他登时哈哈一笑，对后边的华裳说："人就愁他不动手，他还偏偏中了招。"

"嘴皮子犯贱的东西，抽他耳光都不为过。"华裳气道，"还有人道姐姐是爷宠妾呢！就是他们这帮腌臜东西传得沸沸扬扬！"

"你且看着。"苍霁酒气散在风里，"他该吃亏了。"

"他那般能耐。"华裳奇道，"还能吃亏？"

净霖翻掌擒人，连剑也不欲拔，怕脏怕得厉害。他拿住泼皮，照下一脚，将人顿时踹得倒飞出去，撞翻在地。

"哎呦！"这泼皮滚了几滚，痛苦万分，"九天门势大压人，当街欺辱我吗！亏你有脸自称卫道，连点情谊也不讲！怎么样，恼羞成怒吗！"

净霖不言，白袍一晃，又是一脚。见得这人捂着腹擦滚地面，一头磕在石板上，随即一口血喷溅而出。净霖自持身份，分明没下重手。他却瘫地呻吟，引得四下唰地拉开阵势，一齐动手！

净霖不傻，深知今夜若打死了人，便是有理也成没理了。况且他一心卫道，断然不肯肆意杀人。在群围而攻之中，徒手抄得对面飞摔数人。

一条刺鞭倏地缠绕在净霖腰间，紧接着净霖被扯撩而起。净霖脚一离地，身便霍地一翻，凌点三两下，登立于房顶上。街面众人立刻群跃而起，暴喝攻来。各种兵器招呼而上，狼牙棒呼向净霖鬓边惊风，他一侧身，后方响马砍刀陡然劈下。净霖旋身一跃，抬腿正踹在对方胸口，对方呛声溅血，翻落下去。而后净霖滑身劈手，一把握住刺鞭，掌心锥痛，他连眼睛都不眨，凌空一震。劲风扑打而去，震得对方仓促松手，不待逃开，那悍然灵风已撞得人痛声摔地。

净霖扔开刺鞭，指间滴答热血。他冷眼俯瞰下边一众，逼得众人连连后退。净霖话也不说，转头跳下屋顶就走。他走几步，又停下来，倏忽回首，眼神冷得周遭人群一齐战栗。

金珠掉了！

净霖指尖无声地捏了捏，饿得要命。他平素出门的银钱也不多，一归院中，便被陶弟托词借去赌干净了。眼下连个铜子都掏不出，嗅见侧旁的甜食面点香味扑鼻，越发冷漠。

那赖皮和尚忽然几步上前，靦着脸和稀泥，说："适才唐突，对不住公子！不如随着我们吃些酒，大家一笑泯恩仇嘛！来日皆是九天门中人，都是为了苍生大业奔走，我等一众还要仰仗您呐！"

净霖见他们谄媚堆笑，便微抬下巴，示意带路。

琳琅推门而入，却不见人，只有华裳一个拨着灯芯。她便问道："主子呢？"

华裳说："适才说酒未尽兴，又出去了。"

净霖埋头进食，旁人说什么他都做了耳边风。和尚借故敬酒，说："不敢耽搁公子大事，故而只喝一杯意思意思便罢了。今夜是我等有眼不识泰山，还望公子海涵。"

净霖知眼下不宜抗拒太甚，误了父亲的大计，便接杯饮了。他吃了酒，只觉得不涩反甜，腻在喉中，又吃了许多东西，待到散时也未说几句话。

他人出了店，觉得身上有些发热，余光见得那赖皮和尚给人吩咐了什么，一众人皆立在屋檐下以看好戏的模样瞧着他。

净霖心里咯噔，轰然撩蹿而起的热浪烫得他鬓渗汗珠。他灵海错乱，竟调动不应，任凭这股搔人心尖的热流肆走。他快步擦过行人，鼻息渐重，强压着推开几人，浑噩向前。

岂料脚下忽然被人一绊，猛地栽向前。绊他这人不偏不躲，反而张开手臂，接了个满怀。

"酒好吃么？"他低声问。

净霖欲推人，指间却被他握得紧。净霖哈着气抬头，恍惚中见这人面容平平，不曾见过。他不禁皱眉，挣手后退，却察觉对方异常高大，比黎嵘还要高些许，抄住他简直轻而易举。

"欸。"苍霁一脸正人君子，谦逊有礼地扶稳净霖，抬掌露出几颗金珠，"见你与人去吃酒了，便在此等了等。是你的吧？"

净霖热得淌汗，抑声说了句多谢，便去拿金珠。可是对方忽地抬高手掌，不让他碰，净霖困惑地"嗯"声。

苍霁见他眼已蒙眬，掺着水湿淋淋地望着自己，已是强弩之末。苍霁心知肚明，却俯首对净霖悄声说："见你不大舒服？"

净霖唇间抿得泛红，他对苍霁叹声："热……"

苍霁沉默片刻，说："不如去散热醒酒。"

073章 剑道

净霖咽着清水，凛冽的冰水浇灌在喉头，总算冲下甜腻感。腹间却如火燎蹿，热浪潮涌在四肢百骸。净霖烫得汗滑不宁，指尖都泛了红。

苍霁瞧着他，体贴地问："当下感觉如何？"

净霖颊面已起了红色，他犹自强撑镇定，神色不改，对苍霁颔首说："……尚可。"

苍霁说："我有一宅在巷中，内备仆从三两，是个极为清幽的休憩处。你若

信得过，我便引你去。"

净霖深知药性未除，他素来独行独立，根本不知道这药本是下三流的手段。任凭你修为近臻，只要还是肉体凡胎，一概逃不掉。当下只想着归去自解，便微微摇头。

"多谢好意。"他掐着掌间伤，以痛醒神，"不敢叨扰。"

苍霁笑了笑，抬指示意他可以随意离开。净霖转身几步，忽地滑壁而倒，人不及着地，便被苍霁从后托起来。

苍霁只道："看来毒已流经全身，怕是无法自行驱除了。我好人做到底，捎你一段。"

说罢抬步入了巷。

净霖已烧得指尖发麻，汗浸在衣料。他半阖着眼，见得苍霁面容朦胧，神识已陷入混沌，口中话语皆落呢喃，浑身已软。可他却仍掐着掌心伤处，迟迟不肯埋没于燥热间，徒留一点清明对苍霁含糊着"多谢"。

苍霁抬腿踹开院门，穿廊折路。这院子果真清幽，竟连个鬼影也见不到，什么"仆从三两"，分明是他临时兴起搭的。苍霁抵开一处房门。内设精细，屏风床榻一并周全。苍霁却偏偏要带着净霖绕开屏风，打帘过一洞门，里边竟是一处团腾水雾的热泉池。

苍霁见净霖已热得额间覆细汗，领口半开，只说："此毒我略有耳闻……需我帮忙么？"

净霖本就热得哈气，此时在这蒸腾闷热中汗更渗流不止。

苍霁便放开人，将净霖置于水中。净霖骤然下水，热流酥得他撑臂伏沿，适才喝下的凉水都被搅成了滚烫，喉间齿间甜腻渗参，让他既无力又焦躁。他在水雾中蒸得鬓边湿透，一时间竟辨不清身在何方。

苍霁突兀笑一声，说："我将金珠还于你，还带你来此。我算是好人么？"

净霖抬眸望着他，见他将金珠一颗一颗地推进自己的袖中。那珠子们一溜顺着臂滑进来，被热水舔湿的衣物皆贴在身上，硌着珠子好生难受。

净霖倏地睁眼，见熟悉的屋顶就在眼前。他翻身坐起，正对着自己的松窗。

天还没亮，他于半暗中摸了摸鬓，一片干燥。冥冥中似乎有什么断断续续，他只记得水好烫。

净霖掀被，见自己衣着完整，银冠正置于小案上，连摆放的方向都是他一贯的样子。他皱紧眉，浑身再无异象。

晨时净霖去拜见父亲，在廊下遇着黎嵘。黎嵘见了他，抄了杯热茶递过去，问："唤你出去，怎的还与人喝了酒？"

净霖迟钝地回忆，已然记不清昨晚的那几个泼皮。他喝着热茶，说："打着打着就喝了。"

"没伤着就成。"黎嵘说，"近日父亲便要担任盟首，你万不可松懈。"

净霖嗯声，问："我昨夜如何回来的？"

黎嵘看着他，笑道："好小子！还喝傻了不成？你自个回来的啊。"

净霖毫无知觉："我？"

"你这一觉睡得忘了七八。"黎嵘与他一起下阶，边走边说，"睡了整整一天呢！还当是昨日呢。"

净霖当真一愣，说："睡了一天？"

黎嵘点了点他，说："喝酒误事！"

净霖少见地露出愕然，他又极快地冷下脸，说："那昨日怎不唤我？父亲怕已等急了。"

"父亲体谅你前几日鸣金台上辛苦，不叫人打扰。"黎嵘说，"经此之后，你便更须谨言慎行，别让别的兄弟拿着把柄。父亲既疼你，该罚的时候也比罚别人更重。"

"我无务职。"净霖说，"没有可罚之处。"

"话虽如此。"黎嵘踌躇一下，说，"上回我去北地与那苍帝交涉，草草了事。他昨日反倒先来了帖。"

净霖没见过龙，心里正想着别事，便未接话。

他两人入堂，君父正听陶致手舞足蹈地说着什么，见他二人来了，便指着陶致，说："听听。"

陶致对他二人挺了挺胸，说："四哥、九哥，父亲差我去北边守地呢！"

君父收了八子，净霖该排第七。但他往上与众兄弟不和，背后常被编排往

45

下，让当时牙牙学语的清遥听了，就一直九哥九哥地叫。

黎嵘说："陶弟虽然为人机敏，却不曾历练过。父亲……"

君父拨着茶盖，说："此事已定，无须多谈。净霖，前几日鸣金台上守得漂亮，这几日正寻思着赏你点什么。可有什么稀罕的？"

净霖说："没有。"

君父顿时扶膝而笑，说："傻小子，父亲一年能赏你几回？你平时奔波在外，紧着今日，求个休憩时日也是行的。"

净霖却道："南边诸妖未决，北边苍龙仍立，不必休息的。"

君父端详着他，说："如今修为到了哪个境地？"

净霖略做沉吟，说："差一分入臻境。"

君父颔首称赞："你怀天道，专注一心，确实要比别人更快些。待入了臻境，就有辟谷之能，身脱凡胎。"

"正是如此，还望父亲差他出门。"黎嵘说，"他修降魔剑道，以浩然正气承渡己身，又心化咽泉，越是临近紧要关头，越需身置险地。若让他待在家中，闭关百年也未必能过此境。"

净霖听得他们交谈，却有些游神。他总觉得自己忘了什么紧要事，试探回去又白茫一片。他前夜可遇着什么人？怎连一点也记不起来。谁对他动了手脚？

"净霖。"君父唤回净霖的神识，只说，"如此这般，你便再度南下吧。"

净霖应声，退身而出。

苍霁打着哈欠，靠壁见天色渐暗。华裳拣着对味的菜吃，见状问："爷今夜还出去吗？你若是还宿外边，晚上我便自去觅食了。"

苍霁说："我这样洁身自好，是那般时常夙夜不归的人么。"

华裳夹不住花生，便弃了筷，用手来。她丢着花生米，就着几口酒好不惬意，闻言只问："那你前夜去哪里了？袍子都皱成麻花了。"

苍霁叹道："度人去了。"

华裳岂会轻信，苍霁也不理她，指间拈着一颗平平无奇的金珠，迎着黄昏看了又看，只作冷哼。他近来总是没缘由地哼，也不知道哼谁。

华裳说："帖子也递了，姐姐也去了。回头再在北地见着九天门的人，打还是不打？"

苍霁金珠抵在指腹间滚动，他说："南边盟约已成，一棍子下去惊涛骇浪。你自与琳琅说这句话，她便明白如何做了。"

华裳听出味来，说："你不与我们同归？"

"我自有去处。"苍霁眼眺山间云雾，"我看九天君数年磨一剑，只将这剑磨得锋芒毕露、锐不可当。"

华裳踢着脚，说："若想将这剑使得更久些，藏锋敛锷方为上策。九天君如今让他树敌无数，说是爱子，我看不像。况且这个净霖本为剑，他修的降魔剑道与旁人不同，是孤注一掷，性命皆系于这一道一剑之上，若是来日遇着什么变故，失道则剑折，剑折则身毁，身毁则心死——救都救不得呢。"

"是啊。"苍霁眼中露了点妖物狡诈，"要折此人，攻身为下，攻心为上。他本相为剑，能将一切强击视为磨砺。又因为心与剑相似，绝无杂质，故而能降魔数年不受外侵，始终如一地坚守己道。"

"但他若能抱守一心，岂不是愈挫愈勇，油盐不进？"华裳尾巴倏地冒出来，她思索道，"本相为剑，认真说来，算不得有心。那胸腔里都是利刃，要摧他心志不容易，否则这些年邪魔对他岂会闻风而逃，怕得两股战战。"

"要看他遇见谁。"苍霁玩转着金珠，意味深长地说，"总有一劫。"

074章 毛病

净霖不日后下山，因为白袍银冠的打扮太过招摇，所以他褪了白袍，换作青绿常服。将剑隐于身，并且弃冠系发，除了那面容不改，已与寻常修行之人并无不同。

黎嵘与云生将净霖送至山脚，在山脚亭畔又给了他一只匣子。净霖打开来看，见匣中整齐码列着六个小瓷瓶。

"此乃父亲院中自调的丸子，依着你的口味，净是些豆腐味。"黎嵘见净

47

霖神色不佳，便赶忙说，"知道你一贯自修，不肯借助这些灵丹，但这皆是父亲的一片心意，不可推辞。"

云生在侧笑道："小时候常要着吃，大了还嫌弃上了。带着吧，父亲爱重你，多半是怕你渡境之时遇着什么变故，拣六瓶给你养气固本。你要知道，连大哥那边也只敢紧着一瓶吃。"

"我独修剑道，亦为心道，借助外物反易生魔。虽知父亲爱重，却也不敢多用。"净霖拣出一瓶，又将匣子推给他两人，说，"兄长们在家闭关皆需此物，便替我用了罢。"

说罢净霖稍抬手，言简意赅："我便去了。"

黎嵘和云生一齐回礼，目送净霖消失于晨雾间。

黎嵘摇了摇瓷瓶，叹道："这么多，你我也用不完。偏生金贵难得，扔也扔不掉，这可如何是好？"

云生一拍臂，说："恰好昨夜听澜海说他近来不大得劲，总觉得身神疲惫，不如送他一瓶。你我各分一瓶，最后剩下的，就给清遥做糖豆吃罢。"

九天君院中设有灵通堂，素来以炼丹为名。这九天丹便是助长修为、净污化邪的好物，他们兄弟自入门起便月月在食用。待到修为小成，灵海已固以后，君父便会克制丹量，叫他们自行精进。此物虽然大补，却不能多食，能嚼豆似的吃着玩的，只有清遥与东君。东君乃邪魔归顺，暂且不提，清遥却是体质难得，为防邪祟，须得天天食用。

两人当下一拍即合，归于山中。

净霖南行时不曾乘船，而是策马沿江而行。九天门在南边广设司站接应门人，净霖便在沿途各地的司站中歇脚。

傍晚时分，净霖在街上的面摊铺子坐了，要了两份面，一碗加青菜，一碗加豆腐。他拣了筷用，面才吃了一半，听得背后有人"笃、笃"地敲着木棍走过来，打他桌边一杵，张嘴就是一句："这位公子，见你眉眼带俏，面里透红，近来要走大运啊！"

净霖吃面不答，这人偏俯身凑过来，一顿嗅，嘴里说着："我也饿得紧，看在我为你算一算的面儿上，这碗面就赏我了呗？"

净霖见他是个睁眼瞎，眸子混浊晦暗，怕是瞧不清东西。又见他胡子拉碴，肩挂着一脏褂，脚蹬着一双露趾青布鞋，手里还拽着一根虫啃过的朽木。稍微闻一闻，便能嗅得着一股咸菜混槽水的恶臭。这便罢了，他动作间那虱子就紧着蹦跳。

食客各个反倒胃口，争先恐后地起身离座。摊主不依，几步跑来啐着这要饭似的算卦人。

"赶紧麻溜地滚！"摊主抽着毛巾，"来这儿撒什么野？谁这档里没留神，尿出你这等碍眼的阿物儿！"

算卦的脚下灵巧一晃，让摊主次次抽了个空。他抄手回拽，对着摊主吹了吹指间的金珠，摇在眼前显摆。

"见着了？"他说，"爷爷是个下三烂的阿物儿，你这儿孙子又算什么东西。别杵着当柱，滚一边去候着。爷爷要跟这公子哥玩儿。"

说罢算卦的便踩着一只脚坐净霖对面，挠着虱子说："连口面都不给，你这小气鬼！"

净霖推了没动的那碗给他，他用筷沿着碗边敲得叮当乱响，吵道："不要！谁稀罕一碗面，要的是你吃的那碗！"

净霖说："算卦的还稀罕剩饭。"

"那得看是谁的。"算卦的撑着瞎眼，探手去捉净霖的手，"见你生得好，便只稀罕你的。"

净霖顺势一退，抬脚点在他屁股底下的板凳。算卦的板凳猛退后一步，接着方桌在净霖翻手间倏地一转，那只剩汤底的碗便正对着算卦的面前，再看净霖，已经几口将没动过的面吃完了。

净霖铜珠一拍，起身就走。背后风声一疾，那算卦的深不可测，拍臂向净霖。净霖晃身，两人虚影刹那重叠，又如似鬼魅般地分错开来。净霖一掸衫摆，提步前行，岂料算卦的突然要赖，一把将他从后抱在臂间，直接抱抬起来。

"跑不掉了吧！"

算卦的话音未落，怀中人便"砰"地变作一只石头小人，在地上一个鲤鱼打挺，冲他做着鬼脸。再看净霖，哪还有影！

算卦的冷笑，一脚踢在石头小人屁股上，说："跑得还真快！"

他几步入了人群，竟极快地消失不见了。

净霖闭目似睡，夜间窗口突地被叩响。他推开窗一看，见着一个弱柳扶风般的美人倚着窗，对着他未语泪先流。

"冤家逃哪里去了。"美人拭着香帕，嘤声软语，"将人家丢在桥底下，好生害怕。唤你你也不去，可真是个薄情人儿。你我好歹一夜夫妻，竟连这点情面也不给！"

净霖意觉自己做了梦，又疑心是遇着邪魔来乱神，便欲合窗。这美人一臂探进来，照他胸口轻轻一点，在月下梨花带雨，柔弱地问："你怎板着个脸？可是不想见我？我知你与那贵人千般好，便要弃了我不成？九郎……"她嘤咛着，"好狠的心肠。"

净霖说："我不曾弃你，也不曾与你好过。"

"你这般说！"美人跺脚，"休说我，就是我腹中的骨肉也是不依的！"

净霖说："你身无孕气，并无孩子。"

这美人无法，竟欲攀窗爬进来。见她裙子一掀，细长的腿就往窗上搬。净霖见外边皓月高悬，院明如昼，便突然说："我明白了。"

美人一时捉摸不定："啊？"

净霖顿了顿，说："你怕寻错了窗，找错了人。"

他窗设灵线，若是邪魔，必定跨不进来。若是妖怪，净霖却看不见她本相与灵海，这女子通身都透露着凡人气息，连爬窗都会硌红腿呢！

美人闻言一笑，说："你与我春风一宿，我岂会忘了你的脸！叫我摸一摸，便知认错没认错。"

净霖斩妖除魔皆可当机立断，却不能没由来地杀个凡人。他不禁捉襟见肘，后退几步，见这大胆女子就要爬进来。她裙子已掀至膝上，那雪白的腿就晃在夜色里，净霖非礼勿视，转过眸扯起被，将她照面一堵，硬是从窗户推了出去。

低窗软草本不痛的，可这美人跌得不雅，便抱着被扯了衣，哭哭啼啼地喊起来。

她这一喊，整个司站都亮了灯火。大家皆是修行之人，讲究耳目灵敏，本就在暗中听得清清楚楚，当下一齐探出头来，交头接耳地嘀咕指点。

女子拢着被，哭缠道："这薄情人翻脸不认人，昨个儿还搂一个被窝里心肝儿宝贝儿地叫着，今天便要与别人好! 连门也不许我入!"

净霖不曾与女人打过交道，哪里见得过这般阵势。他当下冷眉紧蹙，几欲要认定这是南下新出来的诓钱法子。

果然听得那女子便边拭泪边说："你说你走生意，要得六十颗金珠。老天爷，那可都是我熬心熬眼一针一线绣出来的血汗，交于你，你便这般待我! 你若执意离开便也罢了，但须将钱还我!"

休说她能不能绣出六十金珠，单是将眼下的净霖倒干净了，他也只有十颗。

净霖捏着钱袋，说："要钱便罢了，话不可以乱讲。我与你素不相识，既没有过什么露水情缘，也不曾借过你一分一珠。"

这女子陡然露出泼辣来，掐腰说："好啊! 你不仅薄情，你还这般冷酷! 竟要与我划得干干净净。欠债还钱，六十颗一颗不能少! 否则我便去那什么九天门里，叫人都看看你们养的什么败类!"

司站间凑热闹的立刻扬声说道："姑娘休要忙，他既然是九天门的弟子，便是最最有钱的! 尽管问他要，今夜我们一众替你看着，谅他也不敢动手!"

"九天门便能仗势欺人? 你且还人家姑娘钱来!"

"负心汉，薄情郎!"

净霖丝毫不为之所动，他只专注于掌间，见自己已剩这些，再多给也是没有的。便倒出金珠，正欲递出去。

半途中忽然挡下一只手，骨节分明，修长有力。

"金珠好说。"这人侧对着净霖，肩背宽阔，"得寸进尺却是不成的。"

"话说得好没由头。"这女子抬声说，"我已这般可怜，哪还敢'得寸进尺'，分明是哭声哀求。"

"我见小娘子你伶牙俐齿，说得我兄弟哑口无言。"苍霁抛去一袋金珠，说，"得了钱，劝你做些正经营生。似他这么傻的，可不多见。今夜已叫你尝了个甜头，还不走么?"

女子见他面色不虞，虽然貌不惊人，却另有威势，便见好就收，拉开袋瞧着是真的金珠，立刻起身抚鬓，欢天喜地地去了。

苍霁回首，对净霖道："几日不见，不记得我了么？"

净霖脑中闪电一晃，隐约记得这张脸。只是当时热得太昏沉，已忆不起太多，便道："多谢。"

苍霁站了会儿，突地问后边立着的伙计："站中可还有房间？"

净霖才见他仍牵着马，风尘仆仆的样子。

伙计赶忙说："对不住，今晚还真没了！"

苍霁略带遗憾地对净霖抬抬手，说："好不容易遇着了，却又该说告辞。既然站中客已满，那我便去别处罢。"

伙计哈着腰愧疚道："劳您白跑一趟！只是这会儿皆已歇业，多半都满啦！"

苍霁便说："这般么……"

净霖适才受了他的仗义，这会儿就该还。于是他对已经抬步的苍霁说："两回皆要多谢你，如不嫌弃，便一道住吧。"

苍霁回首，颇显为难："那岂不是叨扰了？"

净霖看着他："无妨。"

苍霁便扔了缰绳给伙计，里边自有人准备热水和吃食。他掀袍进门时对净霖一笑，说："你可真是个好人。"

那边走了的女子揣着金袋钻入门内，与她男人连声道："发财了！"

她男人守着油灯咬了咬金珠，女人说："这人都是什么怪脾气！原以为他要整治那白面小子，谁知竟是给咱们送钱的！"

"他既叫你去，给了你钱，你便顺着他给的词儿念不就得了。"她男人酸道。

女人抱着这一袋钱，犹自不解："你说这人到底是什么毛病……"

075章 九郎

屋中新添了床榻，并靠在窗边，使得里间颇显拥挤。苍霁见天已三更，便潦草地吃了些东西，漱口之后滚身上榻。

净霖睡意全无，他不曾与人同室而眠，故而侧身望着床沿，心里只将百种咒术念来默去。月色如水淌于席上，净霖浸在这水泊里，逐渐忘了背后还有人，全心都陷在精进二字上。

他的灵海生于本相之后，绕着咽泉形如风雾。一眼望去，难以见底，只能瞧见咽泉寒芒肃杀，屹立在他胸口间不曾倒斜。

苍霁自后瞧着净霖，见净霖颈后光洁，白皙爽净，只无声一笑。他在九天门鸣金台上窥视净霖数日，已将咽泉形貌了然于心，除了那什么降魔剑道，他待净霖更有意思。

鸣金台并不是苍霁头一回见净霖。

一年之前，净霖曾斩西北大妖虎头枭。此枭位居北地偏西的沼泽荒地，本是苍帝座下置西抵抗血海的一员大将，却因些至今未明的糊涂事，掠杀了北地三城的百姓。净霖负剑孤身前往，将虎头枭斩于血海之前，引出邪魔惊天涛浪。苍帝到时，只见那白袍一剑封海，无数巨浪迎面而止，咽泉剑前无魔僭越。

苍帝问左右："此人是谁？"

小妖便缩颈回话："帝君不识他，他便是那九天门纵行中渡剑无敌手的净霖！"

数月之后，苍帝又得梵坛邀约，前往至南古刹听议清谈。他与佛同座相并，粗茶饮就间瞥见一只石头小人盘腿坐在莲池旁，持筷垂钓，在诵经声中昏昏欲睡，点头不止。

苍帝心下一动，余光见它又坐片刻，忽地弃筷跳起来，伏在池边抄杯捞鱼。池中不过几只手指长短的红鲤，初萌梵音才通心性，一个个围着石头的小杯打转，反而逗得它越探越深，最终一个"咕嘟"栽进池中，顶着莲叶晃了一头的水。

苍帝忽问真佛："一点生机，顽石亦能脱胎成人？"

真佛笑而不答，只道："胸中藏剑，道里隐真。"

"何处寻道？"

"道自在神明，道自在天地。凡目所及，凡耳所闻，皆可称道。"真佛抿茶笑语。

苍帝后靠冷笑，说："天下修道，我道何处？"

"破后方立。"真佛说道。

苍帝反问："如此说来，我的劫数将至？"

"帝君已洞察秋毫，心存思量。"真佛颔首。

苍帝眸中杀机一现："是谁？"

真佛却拊掌大笑，将一颗佛珠抛丢入池中，说："南禅八百莲池水，缘定其中不可探。帝君想弄明白，不如踱步自寻。"

苍帝霍然起身，却听真佛正色一劝。

"劫数良缘俱不能料，帝君心思百转莫测，与其寻出来，不如放任自流。"

"他既是我的劫，便是我的命数。"苍帝身隐雾间，"天地之间能称帝者唯我而已。这命我给不了，只能先杀了他以却后事。"

苍帝沿池而行，在袅袅梵音中，见那佛珠沉沦水面，顺流南去。莲池最南处，万花之间停一小舟。舟上对坐两人，一为持经解道的老僧，一为披着天青宽衫的男人。

老僧呶呶不休，枯燥无味。男人散发入定，端坐静听。那天青的袖淌进池中，剪出一方天色，沾了一袭莲香。净霖侧容冷情，既不见不耐，也不见困倦。池面如境，波映苍穹，刹那望去，竟有种他端坐于净空云间之感。

咽泉既是净霖，净霖亦是咽泉。至纯之性铸这天地第一剑，至净之雨融这天地第一色。他心无外物，故而色不流俗。

苍帝拨雾眺望，竟痴了。

池间突然攀上石头小人，它端坐在老僧背后，学着老僧的模样摇头晃脑。

老僧愈念愈慢，忍不住迟咳一声，对净霖说："可是腻了？"

那小人登时"嘭"地变回石子，手里捏着的佛珠滴溜溜地滚到净霖手边。净霖面色如常，对老僧俯身以示歉意。

老僧道："贫僧知经书无味，却也是无法为之。公子心修剑道，最忌浮躁，归去后，亦要日日念念才好。"

净霖指拈佛珠，说："看来我佛缘不浅，大师不必担心。"

老僧说："公子凡俗不近，修为虽长，此心却孤。这世间最叫人断魂的不是邪魔，而是'情'字。心修剑道，看似超脱万物，实则如履薄冰。错一分，断一念，毁一心，便是万劫不复，神魔难论。"

净霖说："父子心，兄弟义，皆是情。"

"就是这般。"老僧看着净霖，"方说公子尚不解世。"

净霖懵懂，却说："若'情'字为劫，自斩了它便可。"

老僧长叹一声，不再应声，对净霖抬手作礼，转身上岸而去。

净霖犹自枯坐，指间拈着的佛珠已干，他忽然生出股凉意。石头"啪"地复原，与净霖并坐。

苍帝看了半晌，无声退了。

苍霁收回思绪，见净霖已转回身，正望着他。他顺势露出歉色，说："吵着你了吗？"

净霖默默地盯着他。

苍霁一头雾水，心道自己既没露形，也没显鳞，却仍在净霖的目光里系上了扣，说："那日别过，还不曾问过你名字。"

净霖说："净霖。"

"久旱逢甘露。"苍霁一本正经地说，"难怪遇着你，我身心都畅快舒坦。"

净霖说："那夜我……"

"你与人吃酒丢了钱，我拾金不昧还给了你。"那金珠还硌在腰侧，苍霁连眼睛都不眨，"随后带你歇了一夜，你自回去了。"

净霖皱眉："我怎一点也想不起来。"

"与人吃酒就是这样。"苍霁说，"你酒量浅，日后除了亲近之人，还是不要轻易饮酒。"

净霖问："敢问尊姓大名。"

"不敢当，鄙姓曹，单字仓。半路出家，在北边学了点咒术，修为不精，未筑灵海，更不曾化出本相。因为天赋不够，便绝了修道的念头。如今走些灵石灵

草的买卖，混口饭吃。"苍霁臂枕脑后，娓娓道来。

"曹兄弟。"净霖唤道。

苍霁险些笑出声，他在暗中维持正色，稳声说："我痴长你几岁，不如叫声哥哥？"

净霖心道自己修为已成，活了许多年了，叫他哥哥岂不是乱了？

苍霁却心道老子苍龙诞世，连你爹都能把我叫爹，让你叫声哥哥那是长辈分。

苍霁叹气，翻过身去，背对着净霖说："不过我修为浅，让你叫声哥哥倒是委屈了。不必客气，你我姓名相称便也行的。"

净霖屡次得他援手，听出他的闷闷不乐，不由张了张口。

苍霁却说："明日一早，我便寻个住处。若是你也南下，倒是能……"

"哥哥。"净霖低声，念完顿了顿。他连家中兄弟也不曾这样叫过，一时间喉中竟像被捏住似的有些吞吐。净霖埋头进被中，闷声说，"一道住着不碍事，睡罢。"

苍霁在这声"哥哥"里意犹未尽，他一边觉得这小子果真里外迥然，一边心想自己怎么没早点教他喊哥哥。

可惜，可惜。

翌日天蒙蒙亮，净霖便在喂马。他这马也非寻常马，顶着青骢外皮，却能踏水凌云，在凡马之间拘了一宿，这会儿正踱着步，绕着净霖小跑。

苍霁抄了一笼热乎乎的薄皮包子，净霖洗了手，与他站在青松盆栽边共用。

净霖见苍霁盯着自己，不由地望回去。他进食无声，即便吮着热汁儿也能不发一声，又安静又快速。

苍霁佯装平静，将这知心大哥的模样维持得滴水不漏。他拣了只包子，送进口中细嚼慢咽，待吃完了，方说："昨夜不曾与贤弟你细说，我带了批草药南下。那南边的槐树城前些日子遭了邪魔作乱，死伤无数，正是急需灵草灵药的时候。我此行便是为此而去，不知你将去何处？"

净霖拭着手，道："我与哥哥同路。"

苍霁便说："你也去槐树城？"

净霖不疑有他，说："槐树城原设于南边凤凰管辖，近日凤凰东迁，南边已势如冰炭，正是要九天门出力之时。"

苍霁当即笑开，说："这倒巧了，你我一起南下，左右也是个照应。"

净霖见苍霁眸中一片赤诚，行事也不孟浪，而且言辞稳重，心系正道，比起黎嵘更见"兄长"之色，不禁缓了容色，颔首说："是。"

苍霁牵马时，净霖从袖中递出瓷瓶。苍霁接过时小指扫过净霖的掌心，不待净霖回神，他反而光明磊落地将瓷瓶轻嗅了嗅。

"此乃何物？"

"家里的丹药。"净霖说，"哥哥既然要南下赠药，平白在昨晚丢了六十金珠，如何也说不过去。这丹药虽不及情谊，却能换些东西。如遇凡人，起死回生也是能的。"

"好生珍贵。"苍霁挑了塞，只在鼻下晃了晃，笑道，"一股豆腐味，灵气充沛，看来是仙家宝贝。这般送了我，岂不是太过浪费？"

净霖翻身上马，说："值当。"

苍霁正笑着，倏地嗅出什么。他五感远超常人，寻常妖怪也比不得。这药确实仙灵盈溢，凑近了细辨，却模糊地捉出一星点血味。

但是苍霁不显颜色，本欲客气的手送回袖中。他笑意不减，上了马，对净霖说："你这般待我，怎叫我不感动？既然成了兄弟，便没什么能隐瞒的。我家住北边，家中无父无母亦无妻儿亲眷，是实打实的孤家寡人。贤弟——"他轻喷，"这么叫反而生分了，不如叫你九郎？"

076章 凶相

九郎这个称呼，往硬里喊，便是兄弟，往软里念，就是爱惜。然而"九"这一字，除了同门兄弟，外人如何知晓？

净霖欲打马的手缓了一分，他轻轻拍在马颈侧，刹那间已心下百转。他停滞片刻，说："还是直称大名吧。"

苍霁几欲咬舌，道："那便罢了。只是九郎不是你的乳名吗？我记得昨夜那

女子便是这么唤的。"

净霖转眸盯着苍霁,说:"我在家中排行第七。"

苍霁适当地露出了然:"江湖不易行,净霖,往后且须更加谨慎。"

"你家居北边。"净霖的马跑起来,他说,"北边形势如何?"

苍霁知他已起了疑,便回答得天衣无缝:"我离时血海已漫妖塔下,苍龙召八方之水以抵血浪,我故处已成一片汪洋。如今北边全由苍龙把控,凡人不便滞留其中,我就策马南行,先到了九天门寻求庇护,正遇着贵门鸣金台。"

净霖年前北行,知道的与苍霁所言一般无二。实际眼下局势更加危急,苍帝独力扛北,纵然修为吞天纳海,却也迟早会陷入四方围夹之中。

苍霁就势转开话锋,道:"北地已成一片泽国,苍龙却迟迟不肯与贵门缔盟。此妖为害一方,何时能除?"

"苍龙万不可除。"净霖见苍霁似有不解,便稍做思索,说,"……哥哥居地被淹,因此浪迹江湖,讨厌他是情理之中。况且正因为苍龙引就八方之水,致使北边数万百姓不得不徒步向南。九天门与苍龙交界之处已有万人流离失所。"

"正是如此。"苍霁说,"难道还不可恶么?"

"可恶。"净霖不假思索,"但功将抵过。"

苍霁一笑:"这我便听不懂了。"

"居北者不明南事,处南者不详北情。"净霖说,"我未曾北行之前,家中兄弟屡次面见苍龙,以求缔盟,皆遭冷遇。我便于年前自行往北走了一趟。"

净霖说着抬指,清风袭叶,在空中卷画成图。他手指引着溪水窜流其中,说:"哥哥且看。苍龙数年布设北端,筑成万丈妖塔鼎立北地,以此为心攀建数道高墙,将其置成齐齐下倾的万道巨口,由它们相互咬衔,形成似如迷城的古怪之地。常人以为他欲设界架城,坐享'帝君'之称,实则不然。因这些巨墙设置巧妙,在我看来,他不是在建'墙',他是在修'渠'。"

苍霁座下之马突然仰蹄,他勒缰正身,笑意稍淡:"他不随人除魔,修渠做什么?"

"血海倒倾,中渡陷乱。世间能以修为抗魔者少之又少,故而九天门纵横天下,以求缔盟。然而血海翻覆犹如天河倒灌,淹没之处无一收复。因为血海生魔,即便修为至臻,也不敢妄入其中。如此一来,所谓的局势稍缓皆是假慰之词。"净霖指尖一划，见得空中的地图霎时间红色弥漫，他喃喃道，"人救得了，却也活不成。将凤凰调往东部，是因为东边陷入绝粮困境，已经饿殍遍野了。想要救中渡芸生脱离苦海，斩妖除魔不过小成，真正的不世之功，是驱退血海。可是血海无涯，天闸已破，堵不及，退无法。天诞苍龙于数百年前，赐他吞天纳海之能，兴许便是要他来日成就这天地间第一功德。"

风散图化，净霖眼中似有光芒。

"引天地血海奔涌北地，凭一人之力吞魔净世。这等滔天之功，非苍龙莫属。"

苍霁喉间咽动，呛出一声笑，他说："你既明白，九天门便不明白？"

净霖不答，心中许多话不曾与任何人谈过。

他能明白，父亲便不明白？苍龙迟迟不肯结缔，是不欲将北地交托于九天门，甚至他麾下大妖所涉之城，一概不许九天门插手。两者勉力维系共同抗魔的情分，却在九天门号令群雄之后越发勉强。东南西三地归属门下，北方却仍然犹如铁壁铜墙，父亲与众兄弟对此势在必得，苍龙已然成为九天门成就大业的绊脚石。

净霖不知该如何作答，他曾屡次进言，父亲全数退回。黎嵘为盟北之事火烧眉毛，东边已起了苍龙暗结邪魔的流言，况且苍龙为修渠道驱人南行，已使得百姓怨声鼎沸，骂声道载。

苍霁见他略显低沉，便说："罢了，此等恶事便交由大人恼去。听你言谈，很仰慕苍龙咯？"

净霖倏地转来目光，硬邦邦地说："不仰慕。听闻他妻妾成群，猖狂成性，狡诈善谈，最爱拿人下酒菜。"

苍霁："……"

两人并驾齐驱，此时已至夏末，南边烈日犹存，万顷荷花却凋零枯竭。许多溪流已经堵塞，碧波难寻，浑浊遍地。沿着开辟而出的马道跑三日，便会陷入崩土裂口，必须绕道才能到达槐树城。

净霖与苍霁勒马驻至裂口，从高处俯瞰，昏茫天色已与血海混沌纠缠不清。此处城镇荒芜，寸草不生，枯骨塞流，即便他二人停于高处，也能清晰地感

受到血海腥风的汹汹恶臭。

"此处邪魔已死，却无人手驻扎，不待半月，还会再生邪魔。"苍霁口中虽感慨万分，眼中却无怜悯之色。他打量此地，说，"九天门驻守此地的人退回了吗？"

净霖面色微沉："没有父亲调令，退不得。"

既然没有退回，那便是凶多吉少。

"槐树城恐怕也已沦陷。"苍霁见得血海翻浪中有庞然魅影晃动，"此地再生的邪魔不可小觑，如不能赶上，往南七镇双城也将被血海淹没。九天门既然不知道，那这些城镇中的凡人便都未经转移。"

话音间，苍茫中陡然立起一物。两人座下的马齐声嘶鸣，霎时奔出，沿着断口疾策向前，势必要在邪魔到达前赶赴城镇。净霖颠簸中见邪魔的形貌若隐若现，猩红独眼遍及浑身，他突然道："是恶相。"

邪魔如风化雾，便是"贪相"，往往随着血海漫延城镇，极其依赖鲜血鲜肉，并且会越食越贪，能够撑得腹肚皆裂再由血肉化回原貌，继续不知疲倦地进食。邪魔如铁生眼，便是"恶相"，有疾奔迅猛的能耐，刀剑难伤，通身的眼能摄震魂识，休说凡人，就是修道者也往往不敢轻易相迎，东君便属此类。

"哥哥。"净霖抬臂扣住苍霁肩头，"换马。"

苍霁"修为不精"，只能与他凌身交错，落于青骢马背。净霖骑上凡马，这马已经四蹄颤颤，难直起身。正时突然地动山摇，见那邪魔眼珠转动，嗅得净霖一身灵气，转奔而来。

净霖勒马调头，对苍霁指向山道："此马非同寻常，八百里也不过眨眼之间。我见混沌之中仍存剑气，七镇双城中必有修道者尚在支撑。你且先行，我稍后便至。"

苍霁看那邪魔挟浪扑至，惊天威势震得裂口扩张不止。他坐于马上，说："既然稍后就至，我便在此看着你。"

净霖发已经风而起，他见苍霁留意已决，便驱马前行。天地已然色变，上方苍穹乌云压低，下边尘土飞扬龟裂爆出。净霖猛策而奔，与邪魔相冲直去。马已经经不住邪魔威压，奔至裂口时立刻软膝瘫倒。邪魔掌心红眼迫至崖前，在马嘶之中腥风大盛。

净霖凌空而起，他的身形比于邪魔不过一指长短而已。苍霁面前狂风倒灌，吹得他衣发翻飞，就是这一刻，他终于近在咫尺地见到了名震天下的咽泉。

邪魔挥臂俯吼，巨口森然地张在净霖面前。马匹被狂风吹袭翻撞向后，万般草木逆飞而去，扑打在净霖身侧。无望血海随着邪魔的吼声掀起巨浪，铺天盖地地扑砸向净霖。

电光石火间，灰蒙中倏然显出一线青芒，紧接着"嗡声"大震，咽泉滑口出鞘，剑身寒芒乍现白光。净霖抬指握剑，下一瞬破声大作。只见巨剑之芒随臂而下，破势如竹无物可挡！

邪魔巨口未合，忽然陷入一片死寂，继而见邪魔头颅滚下地面。浑身红眼立刻争先恐后地发出哀号，血沫残块自断颈处喷溅而涌，犹如瓢泼血雨。净霖轻轻甩掉剑刃血珠，眉间冰凉。邪魔捂颈后退，骤然奔逃，却见剑光霎时笼罩，割裂声、哀叫声、悲恸声一齐剖于天地间，飞沙走石如浪更迭！

血雨未停，净霖已落地。他青绿常服袂飘风间，连鞋面都干干净净不沾血迹。咽泉剑身如雪，"锵"地归于剑鞘。净霖长身玉立，对苍霁缓声。

"走罢。"

他背后的血海轰然掀起波澜，邪魔碎身坠入其中，血雨一并歇止。天地沉于入夜寂静，顷刻间连风声也听不到了。

苍霁颈间发麻，他指间紧攥着缰绳，又一瞬松开，对净霖露出苍白的笑。

"吓坏我了。"

陶致登马下山，他到了山脚不急走，反倒催着兄长们设宴送行。黎嵘依他开了一桌，酒菜俱佳。他又挨个撒娇耍赖，得了好些哥哥们的打赏。待他酒足饭饱出门时，却被一赖头和尚拦了下来。

"八公子。"赖头和尚搓着光头，赖兮兮道，"可叫小的好找！"

陶致一见是他，倒也不忙，与他勾肩搭背到檐下，问："如何？得手了？"

"酒喝了，药也下了。"赖头和尚啧声，"但人却给跑了。"

陶致闻言欲发作，又一想，说："不对啊！这药可是我千辛万苦弄到手的，可我瞧着他，根本不似用过药的样子。你这泼皮，作弄爷爷么？！"

赖头和尚却大骇道："这般厉害的药！你原先可只说叫他开开荤罢了！如是

那夜整废了他，九天君查下来，你且不提，我等皆难逃一死！"

"你怕什么！"陶致冷笑，"这不是无事么。你亲眼见着他用了？"

"那一杯都是我亲手灌下去的，瞧着人离开时已经不大对劲了。"赖头和尚悔不当初，又说，"怪就怪在这里，见他入了巷，便再也找不到了。"

"他倒走运。"陶致低声切齿，"只是他用下去了，必不可能毫发无损！许是那日为了掩人耳目故意强撑无恙，我竟没瞧出来。你且带人在城中看着，这几人谁家死了人，你便将尸身留下来。"

"这是做什么？"

陶致眉间阴冷，说："此药厉害，不仅能毁人修为，还能要人性命。回头我捡着尸体，还能在父亲面前告他一个毁德的罪！"

赖头和尚已心生退意，又听陶致说："找到了尸体，先抽几十鞭！帮谁不成，偏偏要帮他，死也活该！"

说罢将钱袋随手丢给和尚，上马去了。和尚心觉烫手，又得罪不起，顿时焦头烂额。眼见黎嵘和云生出来，也不敢碍眼，匆忙跑了。他跑到半途，被人拽着了后领。

一个持棍的少年郎盯着他，说："便是你教唆我哥哥做坏事，给人一脚踢死的么？"

赖头和尚猛一振臂，将他击退几步，啐道："银钱两清！那夜送回去的时候就跟你娘说明白了，怎还纠缠不休！"

这少年生得浓眉朗目，英气之余还有些虎，他一把拽回赖头和尚："呸！脏钱给你买棺材！今日我就替天行道！打死你这邪魔外道，给我哥哥偿命！"

音落对着赖头和尚劈头一棍！和尚见他面青，原以为是个愣头小子，仗着点修为就不知好歹。谁知他这一杖打下来，竟叫和尚滚身在地，几欲吐血。

和尚慌忙推着金珠，说："少侠有话好说！"

这小子一脚踹翻他，认了死理，今日真的要打死他才肯罢休。只冷冷道："拿命来！"

却听头顶一人拍着手笑声如铃，他一抬头，见窗边趴了个女孩儿。这便算了，他目光一转，又见这女孩儿后面立着个绝色的……女子。这少年没由来地红了脸，竟不敢直视那华服小姐。

琳琅见状，倒不以为意，只笑道："虽虎了点，天资却了不得，竟不输于九天门的那几个。小公子，可拜过师了？"

077章 奔城

净霖的马在窄桥上踏着蹄，被封闭的城门阻碍了前行。双道城墙皆有被击塌的痕迹，为了应急而堆砌的新墙显得不堪一击，净霖认出了石上的血色符咒。

墙上的人探颈见着净霖，随即起了一阵骚动。一个倦色男子扬声问："来的可是临松君？"

净霖早有"泉咽危石，松冷青衫"八字闻名，如今已渐有称他为"临松君"的人。他于马背颔首，说："在下净霖。"

那男子犹自不信，因为邪魔擅惑人心，变作净霖也并非没有可能。于是他问："可有凭证？"

净霖不答，却见咽泉破暗乍亮，周遭血海迷雾立即应光迅退。

"在下净霖。"净霖再次稳声说，"负咽泉而至，为除魔而来。"

上边人当机立断："开门迎临松君！"

青骢马奔入城门，城中笼罩于黑暗下，只有几点火把似如鬼火游光。七镇双城剩余的百姓皆藏聚于此，见净霖策马而来，便无声让出窄道。净霖马过途中，人山观望。他突然勒马，因为马前横着赤脚孤儿。

苍霁无须多看，也知人已死了多日。七镇双城有多少人？如今能站在此处的又有多少人？如若是白昼，定睛一看便能了然，人人的脚底下踩的全是尸体。

适才在墙头上的几人赶下来，其中一个"扑通"跪倒在净霖面前。净霖见他白袍已破，狼狈不堪，跪于地上时突然抑声痛哭。

"槐树、槐树位居南境边线，守城一百三十位九天门弟子，除我之外，尽数葬于血海浪涛！"

净霖下马，平静地说："烽火台为何未燃。"

"烽火一线皆沦血海，邪魔掐断了往北的要枢之道。我策马疾乘传递消息，待赶到七星连镇时，血海已追覆阳城！"他抬头时众人才赫然发觉，他双目已毁，血垢满面，"七星连镇衔接双城要道，阳城已没，城中数万百姓无一逃生。君上！我们于南边布设的千人团守，今夜之前已死了五百二十九个人。"

整个南边只有一千二百人，已经是九天门如能够支援此地的最多人数。因为修道者千金难求，九天门向北设城防备苍龙，往东援凤整顿杂田，接着还有西边众城也需驻守，如今已经是左支右绌，捉襟见肘。

眼下局势危在旦夕，不容犹疑！

净霖说："你叫什么名字。"

此人哑声答道："晖桉！"

"从此地往西北方向直行一千里，有一西途城。城中守将名叫颐宁，下有一百四十位修道高手，你告诉他，不必尽数调来，只取五十人沿途开道，接应此地百姓急转往西。到了西途，速点烽火台，差人立即传递消息回九天门，告诉父亲，众兄弟中我要借一人，便是东君，特叫他一日内必须到达此地。"净霖有条不紊，接着说，"晖桉，你敢不敢去？"

此时已是深夜，此城之外血海正在弥漫，若不留神，必定会陷入血海之中，尸骨无存。晖桉双眼已毁，净霖说的任务简直是强人所难。但是九天门立世之言便是"肝胆"二字，哪怕只有一人活着，身先士卒的也不能是普通凡人。

晖桉叩首："谨遵君上特令，必不负今夜所托！"

"带着咽泉。"净霖抛出佩剑，"见咽泉即如见我，沿途邪魔不敢枉自出手。此马自会识道而行，你只需将话带到。"

晖桉接剑背上，背后便马上被寒意侵蚀。他扶身上马，调头便要走。

苍雾忽然轻拍了把晖桉的后背，说："兄弟，西边妖怪不少。不过咽泉在此，你便放心奔马就是了。"

晖桉应声，猛地奔策而出。他一出城门，便听身后四道轰然重砸声顿时响起。青芒画符，四面高耸巨符将已临于血海边沿的孤城围得水泄不通。

时不待人，今夜每一刻都宝贵万分。

晖桉紧咬牙关，他于漆黑之中全力奔马，朔风呼于颊面，邪魔的号叫响于两侧。他看不见，便只能将一切系于青骢马，除了狂奔再无选择！

净霖实在爱干净，苍霁与他同行几日，已将此性摸得清清楚楚。他又偏冷，故而不喜人近，也不喜人碰。然而此刻他便席地而坐，那光洁的指尖穿过他人被撕咬至腥烂的手臂，还能绕出个又快又细致的结。

苍霁在侧净手，说："城中一半都是伤患，撤离绝非易事。"

净霖嗯声，待人离去后，方才就着水和苍霁一起净手。他洗着指节，口中说："你会画……"他罕见地犹豫，"会画龙吗？"

苍霁立即道："天底下没有比我画得更好的人。"

"有一种咒术叫作画神术，西途城的颐宁精于丹青，最擅长此道。我与他虽然关系平平，却得过他几句点拨，故而对此道也颇有涉及。"净霖顿了少顷，说，"伤患不易撤离，劳烦哥哥画条龙，我自能让它驮人凌空。"

苍霁反问："既然如此，何不自己画更加妥帖？"

净霖却将指节处揉得通红，不答此话。

"画龙不难。"苍霁稍做思量，"只是待他传到口信，血海已漫过此城，周围皆是恶相邪魔。画出的龙招摇过市，反倒不妙。"

净霖说："城中人多，小兽难载。"

"画头巨牛。"苍霁打量那直立的符障，说，"堪比邪魔大小的牛，你以灵为缰，将符咒塞至底下，索性将这整个城都拉走。听闻你那日说，如今中渡粮食告急，我见这城中北角还有完好无损的粮仓，留下来岂不可惜。"

便是净霖也怔了怔："一个城？"

"你在血海救人已是异想天开，何不再想大点。"苍霁说完自顾自地摩挲着鼻尖，又说，"邪魔穷追不舍时会张口示威。它口吐狂风，只要墙壁不破，牛便能跑起来。"

苍霁说罢在袖中摸索一番，掏出净霖所赠的小瓷瓶，说："画出来的假兽吃得了东西么？"

净霖说："我勉力灌灵，它就与真的一般无二。"

"那便喂它一颗。"苍霁说，"灵丹固本，使得它聚灵不化，即便中途遇袭，不慎被邪魔咬了，也能飞奔到底，不会耽搁。"

净霖接过瓷瓶，苍霁却突然捉住他的手腕，俯下首来，目光炯炯道："你万不可偷吃。"

净霖诚实地说："我不偷吃。"

月退雾笼，城中低语窃窃，咳声、叹声、鼾声交杂一起，无人点灯，最后一只火把也熄灭了。血海的腥臭已弥漫入内，不少人掩着口鼻斜身而卧，侧听巨符之外邪魔簇拥的震动声。血色潮浪扑打在巨符外，贪相邪魔已经顺着人味化风地围绕在外。它们既能变作原来的模样，也能化出死人的容貌。

不知是哪个邪魔，竟学出婴孩的啼哭声。它随风靠近，贴着净霖的青芒巨符啼哭不宁，锐指剐着符，发出扎耳的磨动声。

"娘亲开门。"一个赤足女孩儿木着脸趴在城门缝上，对里边念着，"囡囡害怕，四处都是妖怪。囡囡要被捉去……"

门内的少妇被吓得抽泣，抱着孩童不敢应声。

女孩儿盯着她，眸中没有眼白，黑洞洞的一片，口里说着："囡囡被塞进嘴里了……"

说着化成碎末淌到地上，沿着缝就要流进来。它流到青芒内，突地像是被滚烫的热水劈头浇下去，"滋"一声扬起惊天哭嚎，转瞬之间变作捂着面的男人，尖声怨道："你烧我！"

天间漆云沉压，因为邪魔开始囤积雷电，阵阵闪烁间将城中人的面容都照得惨白。血色雨点逐渐掉下来，越来越大，浇在所有人面上身上，将一切都染成红色。

净霖登上墙头，骤地扬出薄纸。见那画纸随风飘卷而出，被雨水打进泥坑，泡出一层墨色。

苍霁不知从哪里摸出把伞，伏墙而观，说："怎的没用。"

他话音未落，只见那墨色陡然膨胀，犹如一团墨染的血肉，从泥坑中霍地涨大。血海的潮浪已卷袭而来，这墨色纹丝不动，一头牛的轮廓舒展而出，不断地变大。不过眨眼，已然变成远超邪魔原身的庞然巨物。这牛喘气时会口喷赤热之气，生一双红眼，头顶锐利双角，浑身不着皮毛，而是覆着类似龙鳞的森然鳞片。它四足蹄下还钉着扒地铁刃，一条蟒蛇般的尾巴抽打中电光碎溅。

苍霁画得哪里是牛，分明是头怪物。

正当此时，天际霎时杀来一道迅疾之芒，扫开血海团雾，环绕净霖三周之后顿隐于他身。

"咽泉已归。"净霖不再等待，"晖桉到了。"

巨牛肩背之上倏地加上青光灵线，不需净霖鞭策，这牛喷出一气，撒腿就跑。万事开头难，牛蹄扒地，呼哧声重。整个城中猛地摇晃，接着见泥土倒拔，竟真的被拖了起来，犹如滑地一般缓慢挣向前方。

贪相邪魔化作人的模样，抱着牛蹄啼哭喊叫："怎可弃我而去！"

血海奔涌，无数人面怨胎声声呼唤。恶相邪魔随着血海奔出，嘶声来捉。那狂风又起，天间巨雷扑砸。净霖翻手拔剑，在万雷击浪中踏城凌出。

血海顿时掀起惊涛骇浪，无数嚎声撕破苍穹。天地血色斩破一芒，甚至连天雨都静声凝滞，接着逆翻而起，青光冲天！

净霖剑毕便收，他从来不拔无用之剑。待他转身下去，后方竟有片刻滞空无物。

巨牛顶穿贪相邪魔的身，贪相便化雾围绕，对着巨牛耳边呢喃惑声。可这牛不过画中牛，齿间嚼着碎丹药，通身都在泛着金芒，恨不得一口气跑到天尽头。

前途已开，随着巨牛疾奔，城墙被颠簸得几欲崩塌。半个时辰后，已经能够瞧见微弱的晨光。前来接应的修道者凌身冲来，眼见便已渡过难关，岂料天间突然翻起巨浪，将中间之地盖了个血花迸溅，生生挡住了最后一步。

巨牛口中的丹药已尽，它喘声震耳，覆鳞之躯也招架不住八方撕咬，竟一蹄融化，轰然摔入血海。周遭的邪魔蜂拥而至，墨色一淡，城便停在原地。

血海已漫涌而上，湿雾将四面巨符蚀得打皱。苍霁见状，掌间红伞一倾，就准备动手。

正时天雷忽然两分，阴云波荡。一人从天而降，一脚踏进血海之中。那乌青宽衫随浪飘荡，一把折扇"啪"地打开。血海猛地收浪褪雾，贪相随着折扇的指点，狞声消散。

血雨立停，天光破晓。

东君以扇掩面，轻打个酒嗝，道："说什么'一日之内'，只消一个时辰，天南海北我都到得了！"

078章 石精

这下便是三方聚首，可巧这三人皆相互厌烦。颐宁和东君也是相看两相厌，于西途城下正面一迎，两人俱是皮笑肉不笑。

"我当是谁，原是东边赫赫威名的颐宁贤者。怎么眨眼叫父亲调到了这里？"东君折扇敲掌，自言了然，"想起来了——办事不力嘛。如今在西边活得如何？下回若知道是你，我便不来了。"

"虽然我力量单薄，但也愿尽绵薄之力以助大业早成，不比游手好闲、无事生非之人。"颐宁看也不看他，说，"四方哀鸿遍野，东君酒中享乐，倒也是特立独行，潇洒得很。"

"那是自然了。"东君凉凉地说，"非我族类，其心必异。我本为邪魔，见着人死，自然要高兴、要饮酒了。"

他两人原本无有交集，只是东君本相素来惹人非议，他又放浪形骸，常饮酒作乐，不理人事，便被颐宁视为好逸恶劳的头号人选，曾多次进言相攻。

颐宁不欲与他相争，转头却发觉适才还在的净霖已经不见了。

"不必找了。"东君说，"清点尸身乃是他的责任。"

净霖与苍霁并肩而行，此时正值旭日东升，昨夜晦暗不清的城池已暴露于日光之下。

净霖说："昨夜幸得哥哥提议，方才保住了这满城的人。"

"我不过顺水推舟，关键还是在于你。"苍霁跨开尸体，道，"这城中尸首要如何处置？"

净霖放眼望去，皆是死人。他说："烧掉。邪魔恶气存留，积久了会催生疫病。"

"清点也不是易事。"苍霁面色微白，似是对这等场面尚不习惯。

净霖递了帕去，苍霁便掩了口鼻。他其实并非害怕，而是因为嗅觉太过敏锐，在这儿反而无法如常使用。这棉帕质地普通，却因随了净霖太久，带了点清凉醒神的味道，也是净霖的味道。苍霁小指微弯，他压着帕，低声咳了一下。

净霖不察异处，只说："确实不易，耗时耗力。"

苍霁指间在帕中硌到了东西，他没动，说："那便从此处开始算吧，孩童不少。"

他两人说着蹲身下去，净霖将伏地而卧的稚儿翻过身。稚儿横在水中泡了多时，只是露出的手脚干瘦，好似枯木构造。净霖本以为他是被邪魔咬死的，谁知身上并不见撕咬的痕迹。

"怎么不见血。"苍霁说着抵开稚儿的头颅，露出了他的脖颈，"原来是让人放干净了。"

"不是被咬死的。"净霖与苍霁对望一眼，他的心忽然沉下，莫名有些不安。他将稚儿手脚处的衣物尽数挽起，见尸体两腕内侧、两足脚踝全部被人割出了口。

"南边没有食人血的妖怪。"苍霁打量着那伤口，说，"见这伤痕，似是极薄的刀刃拉出来的口。你遍行中渡，可认得什么人会用这样的刀？"

"闻所未闻。"净霖说，"薄刃不敌利锋，狭路相逢难以取胜，除非所持薄刃者修为非凡，能刚柔并济，运转自如。"

"我倒知道一个。"苍霁说，"北地有种鸟叫五彩鸟，其羽化刃时便能薄如蝉翅，锐利无阻。只是这种鸟振羽时铺天盖地，这样单独的划伤从未有过。"

净霖退开一步，沿途又寻了几具尸身。奇怪的是，凡成人尸身皆有撕咬痕迹，唯独孩童身上不见咬痕。

"连邪魔也不食。"净霖被无端吹起的风刮动了下摆，他说，"莫非是人干的。"

"普通人即便有这样的好手艺，也没有这样的威慑力。"苍霁松开帕，说，"况且有一事我自昨夜起便不太明白。"

"何事？"

"我听闻九天门外遣的弟子皆是修为稳定，已得小成的高手。"苍霁蹲在净霖面前，一双眼漆黑深沉，"五百人分守七镇三座城池，再危急的情势也能守几日，怎么就会全军覆没了。"

净霖与他相视片刻，说："你对九天门似乎分外了解。"

"这是自然。"苍霁略为遗憾地说，"我曾经也想投报九天门，可惜天赋不够，被拒之门外了。何况如今九天门充当各方之首，一举一动皆备受瞩目，想要了解它的人，还怕无处打听吗？"

净霖听闻此言，却另有想法。他觉得苍霁话中似乎暗含着提醒，叫他茅塞顿开，又似乎这只是苍霁的无心之言，因为他神色太过坦荡，反叫净霖愧于试探。

净霖移开目光："此事疑点重重，须得细问晖桉。"

晖桉双目蒙纱布，拘谨端正地坐在床沿。他半晌未闻净霖的声音，不由地暗自忐忑，唤了声"君上"。

净霖倚窗而坐，苍霁并未跟来，他乃一介"普通商人"，不便过多参与九天门中事，早早寻了个由头躲开了。

净霖心中思绪纷纷，口中却仍做冷淡，只问他："你将这几日的见闻尽数道来。"

"那夜月黑风高，为避邪魔，城中入夜后一概不许点灯，故而四处黑黢黢一片，伸手不见五指。斥候白昼探查血海浪势，直到夜间也不见归来，守将便预料血海将至，因此差我等一众披夜设咒，加强戒备。只是待到深夜，我曾守墙而观，分明见着血海横流向左，恰好避开城镇，逃过一劫。守将警惕，不敢放松，我等便彻夜蹲守城墙，一直不曾有邪魔靠近。这样连续守了三日，一日晨时，忽听北门已破，只见血海翻涌而入，雾气迷蒙间邪魔鱼贯而入，守城的符咒竟也不起作用了，转眼间便死伤无数。"

"九天门持'肝胆'二字以正门风，守将往下所有弟子无一临阵脱逃者，全部抵身为墙，以阻血浪。"晖桉声音渐哑，"死了大半，眼见城已将淹，守将点燃烽火台，却见往北一线尽数被淹，连雾也突破不了，便知百里之外的七星镇与双城也将遭此难，于是派我快马加鞭赶去传讯。不敢欺瞒君上，我眼未瞎之前，百里穿杨不过举手小事，仅凭一双鹰眼分辨秋毫。大雾之中，只剩我能勉力辨清去路。"

"于是我孤身奔马，穿雾赶向七星镇。可是君上，长久以来，邪魔虽然狡诈难除，却习惯独来独往，即便有结伴者，也不过三四只。然而我此次奔马途中，看见血海迷雾间，它们竟汇聚成股，混杂成群。我遭遇贪相追赶，箭尽弓断，双目被雾蚀所伤，幸得七星镇的守备所救。只是他们竟也遭受血海冲击，正准备策马向南，给我们传递消息！"

两头同时遇袭，难怪支力不足，是因为根本没有救兵，又被血海包夹，烽火无处传，快马也赶不及。

"你到七星镇时。"净霖问，"已经死人了吗？"

"我双目已失，看不见。但是听闻七星守备说，此次仓促遇袭，兴许不是偶然。"晖桉垂首静了少顷，说，"君上不似其他几位公子，是时常除魔奔走之人，故而君上该比旁人更明白，此次遇袭怪异非常。往日皆是邪魔入侵，血海再覆，何时有过血海先行的事情。我疑心其中必有缘故，若是城中积着尸聚了怨，血海寻味奔涌而来便不稀奇了。但是好好的城镇，又有我们镇守，怎么会无端死人积尸？"

净霖许久后说："你且歇息，此事交由我来查。"

净霖出了晖桉的房门，正见苍霁与颐宁远远站着攀谈。他心中有事，又与颐宁向来不合，便只对他颔首，两个人连表面寒暄都已欠奉。

苍霁话别颐宁，与净霖同行，说："可问到了你想知道的？"

净霖说："仍是扑朔迷离。"

"我适才在那城中逛了一圈，出来时又遇着贤者，得了些新鲜事。"

净霖侧首："何事？"

苍霁反问："你有妹妹吗？"

"有一个。"净霖说，"年幼多病，常年居在山中，不曾下过尘世。"

"这么说九天君很珍之爱之。"

"自然。"净霖想了想，说，"就连兄弟之间，也没有不疼爱她的。"

"难怪。"苍霁说道。

"难怪？"净霖看向他。

"听闻九天君向各地征召适龄孩童,欲组九天私塾。如此一来,既能与你妹妹做伴,也能为九天门再纳好苗子。"苍霄状若不惊,说,"无父无母无家可归者优先。"

净霖似乎听得什么东西,"啪"地连上了。

夜时,苍霄与净霖就住隔壁。他在灯火间摊开净霖的帕子,见里边压藏着一颗佛珠。不是别的,正是那日南禅论道时的佛珠。不想净霖竟留下了,还收在帕里贴身携带。

苍霄转着佛珠,梵香早已消失,余下的皆是净霖的味道。这味道自半月前便缭绕在苍霄鼻尖,让他迟迟避不开。

窗沿倏地顶开,冒出个狐狸脑袋来。华裳只挤进了头,小声喊道:"主子拉我一把!"

苍霄不动,说:"你话传完便可离开,不必进来了。"

华裳只得前爪扒着窗,尾巴摇晃在外边, 她道:"姐姐问,你何时回去呀!"

"这就要看天意了。"苍霄扣下佛珠,说,"九天门近日派人去了吗?"

"来了个臭小子。"华裳说,"为非作歹,嚣张跋扈!他要我们退让百里,给他做城!"

"你且先问他,"苍霄眸中凌厉,"债偿完了么?"

华裳又说:"还有啊,姐姐近来收了个徒弟,天赋异禀,资质无双,可惜是个凡人,还是个呆头呆脑的傻小子。能养吗?若是行,便留下了。"

"看来你也挺喜欢。"苍霄说道。

"我才不喜欢凡人!"华裳顶着窗晃着耳朵,拼命往里挤,却突然"叽"的一声尖叫。

"有人捉我尾巴!"华裳大惊失色,慌乱地回头看去,接着喊道,"是个石头精!"

苍霄立刻打翻烛火,滚身在地,一动不动,如似昏厥。

079章 捉迷

华裳的后足蹬不上窗沿，扑腾着前爪摔了下去。她心知此地有强手，故而拖着尾巴蹦跳，欲甩掉石头钻草而逃。可是这石头人远比她更快，已经堵了她的逃路。华裳跟它宛如嬉戏一般左扑右滚，就是跑不了。

华裳恼羞成怒，一身雪白的皮毛在地上滚得灰扑扑。她压低前身，甩着尾将石头扑了个翻滚。石头顶着草冠，磕了个闷头，赶忙扶稳冠，又被华裳一爪拍在背上，给踩了下去。

华裳见机"嗖"地撒腿就跑，石头拍着灰起身，将沾了土的草冠重新戴到头上，沿着窗缝爬进去，见苍霁躺在地上不省人事。它溜下窗，跳过苍霁的手，将烛台推正。

苍霁面容苍白，唇隐约泛青，像是被妖物摄住了心神。石头碰了碰他的额心，果然觉察到一股妖邪之气流转其中，难怪方才似乎听得屋里有人说话。

石头思忖片刻，将自己的草冠戴到了苍霁头上。

苍霁封闭五感，却顷刻间遭一股清凉灵气强行推开，腹间灵海险些呼应而啸，差点露出本相。他赶忙咳几声，佯装不堪受力。那灵气一滞，化作细雨融进他五脏六腑。

苍霁若真是凡人，与净霖修为差距悬殊，那么此行并无不妥，反而能替苍霁护一番内脏，免受妖邪入侵。可是他偏偏就是这天地间最大的妖邪，净霖的灵气陡然一入，叫他龙息沸腾，灵海调动，连这"普普通通"的面容都差点掩不住，胸口龙鳞已自行抵抗而现。净霖不是别人，他坚修剑道，妖怪邪魔皆怕他的灵气，因而他的灵气融入苍霁的体内，苍霁不仅手脚冰凉，连角都要顶出来了。

石头见他邪气已除，方才放心而去，盘坐在门外，捉了只蛐蛐笼在掌心，为他守夜。

苍霁待门一合便立刻睁眼，还不能动作，就只能压着不适，缓缓将净霖的灵气抽离内脏，寄于胸口，揉成一团晶莹灵珠。

好险!

苍霁轻轻吁出一口寒气，捉摸不定净霖此举是不是有试探之意。

他手抚胸口，感触得到净霖这股灵珠。本相苍龙依着灵珠环绕，长尾拍着珠侧，与它在胸口虚境中戏闹起来。追逐间，气息渐融，最初的寒凉刺痛一点点融化，变得温柔递热。苍龙衔珠，腾身入灵海，灵浪顿掀，苍霁随即感受到那股纯澈的天灵滋养，竟莫名有种相依为命的念头。

苍霁胸口平复，他抬臂，指间还捏着那枚佛珠。

"……这便是劫数吗。"

苍霁默念，吃不准味道。

翌日，净霖着实费了力气才将苍霁弄上床，见他迟迟不醒，怕是被邪祟摄了神。

东君叩门，净霖便出门去，两人站在不远处交谈。东君哈欠连天，指了指日头，说："时候不早，有什么要紧事赶紧说，我待会儿便走。"

"父亲如何吩咐。"

"你早已了然于心，又何必明知故问？"东君摇扇，用下巴远远地点了点颐宁，"你也知道他是为何被调到西途来，眼下四方告急，哪里都缺人。南边已经守不住了。"

"这里尚有数万流民无处迁置，若是丢掉了南边剩余的土地，中渡便成东西一道。日后纵然九天门再有余力，也无力回天了。"净霖情不自禁逼近一步，说，"东边哀鸿遍野，现今饿死的人远比葬身血海的更多。"

东君的扇抵住净霖的胸口，他阴沉沉地抬眼，说："正是如此，苍帝便该让出北地，容这数万流民借以安身。我等为除魔抗海四处奔走，门下为保护寻常百姓身死血海的弟子无数！苍帝他怎么就不肯合盟一助？我看过你给父亲的信，你道苍帝有心引四方血海，愿一力吞净——你认得他么？你可知道，若他当真引去四方血海，那北方高墙崩塌之时，便是中渡陪葬之日！"

"你自去北地！"净霖声音泛冷，"你们何不亲眼看看北方。苍帝在北数年经营，俯瞰而视，那林立的高墙布设章法有度，本就是为疏纳血海以保四方所造！"

"他不过是猖狂无知,愿以天下苍生赌一番罢了。"东君不与他置气,而是似笑非笑,"何况我问你,九天门全力携手都不能使得血海潮退,他凭什么能吞纳?他如做不到,便是心怀鬼胎,另有图谋。"

"天地间唯此一条龙,吞天纳海便是他的强大之处。若是你我肯放下成见,助他一臂之力。"净霖声渐平静,"血海便能早日根除。"

"弟弟啊。"东君玩世不恭地负手,说,"即便你我能助他一臂之力,即便他当真能凭己力吞掉血海,那么事成之后怎么办?这天下是听他苍帝的,还是听九天君的?若是听苍帝的,那九天门这百年以来,为血海葬身的弟子该怎么算?日后中渡分划又该如何算?绝非我以小人之心度君子之腹,而是过去我们与北边群妖水火不容,你的咽泉剑下也有不少人头。苍帝此人性格猖狂,眼里容不得沙子,你心以为他会放过九天门,放过你我,放过父亲么?"

净霖不答,而是转身就走。东君在后看着他,目光复杂,只叹一声。

净霖走到半途,倏地回首。他胸口起伏,握剑的手紧攥,容色冰凉得吓人。他对东君说:"四海皆葬,天下将亡,眼看血海吞噬,哥哥们尚在思量百年之后。苍帝独力吞海,八方无人响应。无妨,来日他吞血海,我就拔剑相守。"

"说什么孩子话。"东君沉默片刻,说,"你如为他拔剑,便是与父亲为敌。净霖,万人匍匐于门下,父亲独爱你。你便要为了条龙,与父亲反目成仇?"

"我为天道。"净霖一字一句地说道。

净霖携着寒气入门,苍霁伏在枕上半死不活。他见净霖,不由得咳嗽起来。净霖抄杯倒水,递给苍霁。

"与人吵架了么?"苍霁说,"瞧着面色不好。"

"无妨。"净霖神色如常,说,"哥哥如今打算去何方?"

苍霁闷咳几声,说:"尚无去处。"

净霖原本要说什么,突然抬手碰了苍霁额间,触及一片滚烫,又见他咳嗽不断,便料想是昨夜被狐妖摄了心神所致,于是说:"荒山野岭易见妖怪,向来喜以美色示人。哥哥你年纪轻轻,还是不要过于耽于其中,坏了身子反倒不妙。况且日积月累,难免体弱多病。"

苍霁正喝的茶一口喷出来,他反驳的话都含在了口中,又都一概咽下

去，恨不能扒开衣服让他摸摸看，什么"体弱多病"，他分明是健硕有力、雄姿英发！

苍霁搁了杯，"柔弱"地说："……修道之人不敢孟浪，昨夜意觉疲惫，不知怎么在地上睡了一宿，今晨便起了点热。"他更加真挚地对净霖劝道，"我如今受寒染病，怕没几日好不了，你若有事，但去无妨。只是你我气味相投，江湖相逢着实有缘，这一别不知何日再见。"

净霖对着苍霁这双眼，却无端地眼神飘忽起来。昨夜将苍霁晾在地上的人正是他，因为石头分身抬不动，原身也不便夜间来访，于是由着苍霁在地上冷横了一晚。本想着有自己的灵气护体，必无大碍，谁知还是病了。

净霖一边想着，背在身后的手一边捏着自己的指尖，口中说："事倒不急，沿南线巡查血海就成。不如……哥哥你与我一道？"

苍霁推波助澜，道："我病身拖累，这怎好意思呢。"

净霖越发惭愧，便说："……不拖累……"

"那便有劳了。"苍霁握住净霖的手，用力压了压，仿佛将一生重量都要托付给他，"哥哥定会好好照顾你的。"

净霖怔怔，含糊地点头。

苍霁拢被时间："不过有一事我捉摸不透，须得你帮我。"

净霖只得沿床坐了，闻言："嗯？"

苍霁眯着眼犯困，说："这附近有石头精吗？"

净霖顿时指尖一缩，他少见地脱口道："没见过！"

"欤。"苍霁抬手覆额，喃喃道，"不瞒你，昨夜我见只狐狸爬窗唤我，便觉得脑中一沉，记不得答没答话。只是我滚地后浑浑噩噩，似乎见得一只石头行走自如，头戴草冠来绕着我。我行走中渡，还没见过这样的石头精。"

净霖说："南边莲池未淹之前，梵坛有许多这般的石头，各个都头戴草冠，不稀奇的。"

苍霁眸盯着他："不是没见过吗？"

净霖沉着地说："扫过几眼，差点忘了。石头一点也不好玩，也不珍贵，我素来是不在意的。"

净霖一说假话，小拇指便不自主地蜷缩，脸上一派正色冷漠。

"是吗。我倒还挺喜欢,觉得机灵可爱,与净霖你截然不同呢。"

净霖心里蹦的都是石头,袖里还藏了一个,哪顾得着苍霁,只想把满心满脑的石头塞回去,说:"见多了便烦腻了,哥哥你多见几回就不稀奇了。"

说罢不容苍霁继续,将被子掖到他脖子根,说:"你且休息,我去捉它!"

苍霁拽着他,说:"我喜欢得很,若是捉住了,便给哥哥吧?"

净霖一呆,苍霁已经松开手,欣慰地合目。

"那我便等着了。"

080章 夜话

苍霁的病来得快,去得也快。两日后净霖便向颐宁辞行,决意往南,不肯轻易放弃南线。

颐宁面容清癯,他原是东边的守将,眼下调来西边解燃眉之急。此人地位超然,不居于君父八子之下,并且直属于九天君。他手握弹劾监管之权,九天门中无人不怕。

颐宁听了净霖的辞行,只饮茶不语。待半晌之后,才说:"南线唯剩十三城,其中玄阳城镇压着大妖殊冉,你若执意往南,须在血海潮覆玄阳城前将其诛杀。否则封印一破,他必重出人世,祸害一方。"

净霖说:"四城一线,设墙阻碍,又有九天门镇守,还能再挡数年。"

颐宁却稍稍摇头,他说:"即便能挡几年,也不能解决根本。血海从四方灌涌而来,如不能尽快找到驱退血海的法子,中渡迟早沦于邪魔之手。"

"东边已危急至此?"

"若不是情势危急,君上何必将凤凰急调而去?如今内存饥患,外临血海,不论倾力向哪里,都会顾此失彼。"颐宁说道。

两人一齐陷入沉默,他们从前关系不佳,无非是颐宁见不得净霖的孤高。然而如今中渡正值危急存亡之秋,颐宁连日辗转难眠,满腔热忱已凉了一半,思来想去,竟只能对净霖吐露一二。

"君上圣心难测。近来越发捉摸不透，我所呈的抗南之策皆被驳回。门中子弟如今良莠不齐，赤胆忠心之辈皆被派遣守线，死了大半。我于西尽头回撤之时，所经荒城中随处可见为保百姓而以身殉职的弟子。"颐宁说到此处，忽然站起身，急躁地徘徊几步，说，"到底是为何？莫非是要弃卒保帅，将门中主力留于中地，到时与血海背水一战？"

净霖见窗覆白霜，方觉出些许寒意。他说："入海必死，此举无异于以卵击石。"

颐宁窗下一池残荷败落，含霜颓态，他举目而望，悲凉萧瑟之感油然而生。只是他到底不能与净霖把话说得太过，便徒劳地合了窗，说："你此行珍重。"

净霖会意，转身去了。

霜露沾衣，苍霁小病初愈，闷着湿袍浑身不舒坦。他已经连日不曾入水现过形，故而此刻蹲在木桩之上，寻着蚂蚁撒气。蚂蚁倒罢了，只是他小指间还绕着一线，牵着一只石头小人，正闷头蹲在他对面戳蚂蚁。

两只戳得蚂蚁巢塌城崩，四下散开。石头草冠湿润，满手的泥无处擦拭，只能抬头呆呆地请示苍霁。

苍霁搭着手，晃了晃小指。石头便跳过蚂蚁，爬上苍霁的木桩。苍霁摸了遍胸口，没舍得用净霖的那条，而是拽出条不知压了多久的丝帕，也不知是谁给的，显得皱巴巴，上边还绣着双蝶穿花。他用这帕子给石头擦了手，见石头不住地扶草冠，索性把帕子折了几折，绕着石头的小脑袋，压着草冠系了个结。石头戴着帕巾，跟个小贼似的。

苍霁没忍住，放声嘲笑。石头晃着头，见草冠确实不掉了，也不恼，反而挺喜欢。

苍霁抬首见净霖牵马而立，便起身跳下木桩，说："这便动身了吗？"

净霖将一匹马给了他，说："此刻疾策，傍晚时还能赶到青浦城。"说罢又瞥石头一眼，"精怪爱惹事，丢了吧。"

"何必与小孩子见识？"苍霁上马，将石头塞进胸口，只露出脑袋。他说，"我盯着它，必不叫它胡闹。"

净霖皱着眉与石头对视，片刻后翻身上马，似是对石头很不耐烦。

"你怎么招惹他了？"苍霁笑，对着石头吹了吹，"抓稳了，我带你玩儿。"

青浦城与玄阳城相距不远，但其间有三山阻拦，绕过去且须费些时候。净霖本沿马道而行，谁知夜间暴雨，竟然冲垮了道路，阻碍了一日。次日大雨不停，他们只得从山中翻越，直接去往玄阳城。

山路蜿蜒，两人冒雨而行，迤逦向前。山间湿滑难行，这马到底不能生翼飞天，他们便只能下马暂寻个避雨处。

净霖衣衫随时可干，苍霁却不能。他于山洞中拾柴打火，索性背着净霖褪掉了衣衫，赤膊晾着衣物。净霖与他临火而坐，苍霁半身健硕，竟然比净霖结实数倍，平日衣衫一遮，他又有意隐藏，故而不曾显露山水，如今赤坦坦地露出来，很是瞩目。

火上烘着干粮，苍霁照应着火，说："前几日见那东君，手持折扇，不着利器。不知他修的是什么？"

"原先是修罗道。"净霖手指被火烘得温热，他说，"东君原身为血海邪魔，还是凶悍'恶相'。他以红眼摄心泯神，凭借恶意杀佛食人。后来真佛垂坐南禅莲池边，颂以梵音七七四十九天，讲得口干舌燥，方使东君幡然悔悟，从此放下屠刀，由恶相之中悟得慈心，唤春苏灵便是他如今的道。"

"原来如此。"苍霁似是笑了笑，又问，"黎嵘又是什么道？"

"修罗道。"净霖翻着手，说，"黎嵘本性醇厚，沉稳不迫，是修罗道的不二人选。因他斩妖除魔，身处杀欲与好强双念之下，仍然能固守本性。"

"我倒知道你。"苍霁说，"除魔剑道。"

净霖眼眸微垂，双手在火光间略染阴影，他顿了许久，才说："我本相为剑，生来便为除魔。"

他神色寡淡，并不雀跃，也不低落。

苍霁听得洞外大雨倾盆，将净霖的神色尽收眼底。他掰开烘得滚烫的馅饼，递给净霖一半，说："你常年在外，不闻江湖事，故而不晓得。天下修道者无数，最传奇的莫过于你。似我这等没有天赋，不求上进的人，也对你的事迹耳熟能详。"

净霖说："耳听为虚，那皆不是我。"

苍霁几口吃尽馅饼，说："确实不像，但也有相似之处。这般吧，我早已将我的身世告知于你，不如眼下就由我来说说我知道的你。如有不对之处，你便告诉我。这样一来，我知道的，就是真正的你了。"

净霖咬着饼，点了点头。

苍霁拭着手，撑着膝说："听闻你十三岁拜于九天君座下，跪叩时天地间群松浪起，你便在那刹那间成就本相。过去是哪里人？山里的小妖怪么。"

"不是妖怪。"净霖摊开手掌给他瞧，"不记得是哪里人，只是我一直流浪于中渡，无父无母。八岁时与狗争食，误入了南禅古寺，一步跌入莲池间，由禅师所救。十三岁时真佛掸我凡袍尘土，为我指路向北。我便沿着北一路走，最终上山到了九天门，遇见父亲。"

苍霁捏住净霖的指尖，将他掌心拉到眼前，见其中隐约一朵莲花纹，若不是他给自己看，平日必觉察不到。苍霁端详片刻，突然翻掌握住，笑道："掌心生莲，原来净霖曾经是个小和尚！遇见九天君以后呢？听闻你们兄弟分划成派，相斗激烈，很不成体统。只是我们净霖这般呆，倒不像那样的人。"

净霖见苍霁光明正大，反而不好意思收回手，只是觉得掌心相触的地方滚烫一片。他说："兄弟性格各异，难免如此。"

"我欲与你坦诚相待。"苍霁攥着他的手，正经说，"何必再用这种话搪塞我？"

净霖说："不曾搪塞哥哥。"

苍霁说："他们叫你受过委屈吗？"

净霖垂眸微眨，反问道："什么叫作'委屈'呢？父亲传我伦理与正道，许多事情，不伤及性命，便不能算是委屈。"

苍霁一哂，只说："九天君待你有养育之恩，只是他挑儿子的眼光时好时坏，与他这个人一般无二。"

"我身入九天门，便是世间的一把剑。"净霖说，"磨剑数年，一切苦难不过历练而已。父亲虽有与我意见相左之时，却仍待我深恩厚重。"

"可让他占了便宜。"苍霁似是玩笑，"若是早些知道，我便牵了那南边来的小和尚回家去，从此你我便是好兄弟，哪里还会缺上这几年的光阴？"

净霖的小指又不自主地缩起来，但不是说了假话，而是他也道不明的感觉。

苍霁翻过净霖的手掌,将自己的手掌与其并排,给净霖看。净霖定睛一瞧,见自己掌心莲花纹路浮现而出,颤瓣盈盈,滴答露水。又见苍霁掌心涟漪应声一绽,晃出水波,"扑通"跃出一条通体金红的小锦鲤,甩出星点水珠。锦鲤入水,游隐消失。再看两人手掌,又恢复如常,只是苍霁掌心多了条锦鲤印记。

净霖举起苍霁的手掌,忽然一笑,说:"好生厉害,竟从那日的画神术中另寻蹊跷,做成了这等小境。"

"以后你是莲池莒,我便也能做条莲池鱼。"苍霁见他眉间欢喜,这一笑好比冰雪消融。

净霖见他停顿,便唤了一声。

苍霁说:"……这便是好兄弟吧。"

081章 玄阳

"我兄弟众多,却甚少有这样促膝长谈的时候。"净霖望着苍霁,宛如稚儿见着蜜糖。

"我兄弟也多,但是这般亲近的唯有这一个。"苍霁见净霖白皙的指碰着自己的手,那手指细长漂亮,像瓷又像玉。他那一点怜惜便一发不可收拾,再看净霖便更加爱惜,觉得他年纪小。

他确实小。

苍霁想。

他小我许多岁,小我许多倍。

净霖觉得苍霁热得不同寻常,不禁稍敛容色,说:"此刻正值秋雨寒来时,哥哥小病初愈,不易受寒。"

苍霁猿臂狼腰,背身穿衣时露出了后肩的伤痕。净霖目光一动,看那伤痕不是刀剑。

　　"你近几日与人起过争执吗？"净霖问道。

　　苍霁正拉上衣，将痕迹挡了。他系着腰带，回眸看净霖，唇间忽地泄出笑声。

　　"这伤早了，留着的。"

　　净霖直回身，不便再问。

　　苍霁枕臂躺下，闭目休息了。净霖呆了半晌，再看苍霁，已经状如熟睡了。石头从苍霁胸口爬出，盘腿坐在他胸膛上，一只手撑着脑袋，黑豆眼很是忧郁地望着他。

　　净霖枕雨入定，火堆已熄，唯剩苍霁的呼吸声。净霖便渐沉心神，胸口咽泉腾旋虚境，往下灵海浩渺无声。他已经修至臻境门前，再跨一步，便能渡入臻境，从此辟谷驭风、挥袖覆雨皆不在话下。只是这门扉迟迟不启，已将他困在此处许久。

　　正沉思时，灵海下忽翻起一股陌生的气息，流散于灵海之中，连净霖也追寻不到。这股气息隐约带着威势，游动间如听龙吟。净霖细探而去，发现自己灵海不知何时受了损，经这气息调养根固，已平了缺损，他竟丝毫没有察觉。

　　净霖顿时睁眼，灵海平稳无波，好似什么事也不曾发生。净霖越想越不妙，他何时受过别人这样的助力？他竟半点也不记得。那股气息散而又聚，聚而又散，催得咽泉"嗡"声震动。净霖刹那间预感到渡境之时已近，却又无论如何也打不开契机。

　　净霖坐了一宿，直至洞外云消雨霁，照得洞内也微微亮时方才缓舒一气，出定起身。苍霁早醒了，正带着仍在卧眠沉睡的石头从外回来，兜了几个柿子，给净霖吃了。他俩未做停留，随着山道直奔向玄阳城。

　　玄阳城背靠山峦，前临西江，九天门在此设筑三道重闸，将灵符刻在城墙四壁，使得此城坚不可摧，一直不曾受过血海与邪魔的侵扰。七镇双城未破之前，它尚称南下腹地，如今净霖策马而来，见城中百姓已经携家带口迁移向北边。原先的繁华河口尽数作废，鳞萃比栉的行船弃于河面，水路已经被血海阻断，船是万万用不得了。

此城之中还修有一座凌天塔，塔下镇着大妖殊冉。殊冉从前是南边佛兽，常年栖于莲池淤泥中，声能调动天下之水，后来东君跨入梵坛之境，凶气惊动殊冉现世，他在与东君对视之间被红眼摄灭本心，从此摒弃佛音，奔出作恶，惹得南下水灾泛滥。东君归顺正道头一件事，便是将他一脚踹进了玄阳城，砸出高塔镇得他百年不能动弹。

净霖入城后便直奔凌天塔，见塔身坚固，封印完好无损方才松下气。

苍霁于马背上将凌天塔看了一圈，说："这个封印纹路少见，也是东君画的吗？"

"东君不耐笔墨，这是父亲画的。"净霖见那朱砂颜色如新，便道，"其中压塔的铁钩是澜海锻造，轻易断不了。"

"九天君到底什么来头。"苍霁触摸着朱砂，"他的事情众说纷纭，真假难辨。"

"父亲出身南尽海，少时之事已经太过久远，追寻不得。只是父亲修为步入臻境之后，便仗剑中渡，见得许多苦楚，立志专修天道。血海倾灌时，他便创立九天门，随后广纳弟子，建此盛景实为不易。"净霖顿了顿，说，"父亲严厉，但律己宽人，许多事情都是以身作则。当初陶弟拜至门下时，东边正值灾荒，父亲差遣我等连夜送粮，自己于院中禁宴禁席，至今食素。"

"这倒令人钦佩不已。"苍霁接了一声，又问，"近年少见九天君外出，不知身体如何？"

"时有抱恙，多为愁绪所致。"净霖下马，牵着马沿街走，说，"但是父亲数年苦修，如今修为已难知境地。近年来越发厉害，从前我尚能看透些许，眼下是半分也窥探不出。"

苍霁心下略沉，他又笑道："九天君如此修为也奈何不了血海，可见形势已渐入绝境。"

"事情尚未坏到那个地步。"净霖说，"苍龙必成关键。"

"可若是九天君不仅不允，还要诛杀苍龙怎么办？"苍霁说，"北边摩擦

渐深，我看两方皆忍了许久。"

净霖走几步，说："苍龙即便不与我们缔盟，可他到底没做坏事，修渠引海也是心系苍生。父亲不与之为谋便罢了，怎么会杀他。"

苍霁悠然道："说不准。"

净霖说："若真的有那么一日，我必不会让他死。他命系天下，血海之难唯他能破，不论如何，他都不能死。"

"你保他到这个地步，必会引起兄弟猜疑，父亲责难。你与他素不相识，从未谋面，即便有心相助，也要小心谨慎。"苍霁语气凝重，"净霖，这世间坏人好人掺杂身边，同道中人少之又少，为此豁出条命并不值得。况且这个苍帝……此人生性多疑，狡诈坏心，戒备极深。如有一日你见得了他，兴许还讨厌得紧。为此拼上一命，他也未必感恩戴德。何苦来哉？"

净霖的缰绳已被苍霁接走，他将马一起拴在柱上。净霖见状，缓步跟在苍霁后边，踌躇着说："……他倒也没有这么坏……"

"欸。"苍霁就着客栈门前的水坛洗手，头也不抬地说，"不是你说他猖狂得很，还妻妾成群讨人厌。"

净霖亦步亦趋，说："……传闻不可以当真的。"

"那你还讨厌他。"苍霁指间淌水，让石头从他袖中抽出帕来帮他擦拭，口中说，"说来这个人我也不喜欢"。

"为何？"

"因为听闻他生得相当俊朗。"苍霁说道。

净霖说："相当俊朗？"

苍霁摸了把自己的脸，对净霖说："比我还俊朗，那我就忍不得了。"

净霖说："皮囊皆虚幻，他原身是条龙，你们不一样的。"

"既然化形为人便在美丑之中，人人都好美色。就好比我看你。"苍霁微偏头，稍近些端详着净霖，眉间微皱。

净霖说："嗯？"

"我看你，"苍霁忽地专注道，"嗯……我们净霖……"

净霖静静地望着他。

苍霁喉间轻滑，道："……就很要人命。"

"这般可怕吗？过去虽有所察觉，却没有人对我直言。"净霖用手背蹭了蹭颊面，说，"有一回捉妖，我影投水面，露出脸来，对方便啼哭不止，说自己再也不跑了。我疑心她是诈降，岂料她当真就随我走了。如今想来，该是怕的。"

苍霁说："你未照过镜子吗？"

净霖说："天下皮囊皆一样，镜子里的也并非是我。"

苍霁又问："那你觉得谁好看，东君么？"

"东君为人时很好看。"净霖迟了一声，说，"你也很好看。"

说罢挣脱苍霁的手，转身入了帘。苍霁呆在原地，犹自摸着自己的脸，心道这张脸顶多称得上"周正"，哪里比得了他原貌？又心想净霖必是宽慰自己的，净霖连他自己都不觉得美，哪还懂得什么叫美丑？

苍霁站在门口杵了半晌，被他一句话搅得心神不宁，临转身时还对着水坛又照了照，方才跨进门去，挤在净霖后面一道上楼。

净霖夜间要巡城，为四面城墙加固灵符。玄阳城中守备仅仅五十人，但各个都是灵海已成的好手，早在净霖出门前便恭迎在外。净霖离开时见隔壁烛火已熄，料想苍霁该睡了，便下楼自去了。

九天门弟子恭候多时，见那白袍一晃而出，便都喜上眉梢，心下大定。他们熟知临松君的名号，对那把咽泉剑也神往已久，见一次净霖不容易，当下一起迎上来，争着为净霖带路。

其中一个颇显老成，对净霖恭行了礼，便随在净霖身边，说："小君上来此，可是门中有什么吩咐？"

净霖说："我尚未封号，'君上'一称与父亲相撞，到底不合适，还是叫名字吧。门中并无吩咐，我自来看看。"

左右弟子皆不敢应，只说："岂敢在咽泉剑前造次，七少这边请。"

秋夜寒重，又起了些风，城中草木萧瑟，簌簌落叶。地上垫了一层枯黄，踩在脚下细微作响。经过的屋舍有的已人去楼空，门被风吹得左右摇晃，"吱呀

"吱呀"地叫嚷。

净霖问："城中人走了多少。"

弟子答道："已散了大半，自从七镇双城已破的消息传来，城中便人心惶惶，当日就有人拖家带口地走。好些人家不要女孩儿，丢在路上，小姑娘偷偷地摸了回来。城中的养乐堂现下已经住满，我们粮食逐渐吃紧，恐怕也养不起了。好在昨日接到了命令，这些个没人要的孩子，几日后全送到门内去，由君上院里私塾教养。"

净霖离开时不曾听黎嵘提过私塾的事情，当下也不便多谈，只颔首算作知道了。

玄阳城的城墙坚实，净霖掌触墙壁时感受着灵符的完整。灵符渐浮现出来，在夜中泛着幽幽的芒，玄阳城上空立即腾现出交织的灵线，以四方汇聚的方式将凌天塔盖得严实。

在这阒无人声的夜晚，如若耳力好些的人屏气凝神，便能听见塔下缓慢悠长的酣睡声，那就是殊冉。

净霖沿墙而走，青光萤浮在他周身，随着他的脚步将铺出一条顺墙而绕的青光带。净霖单手掐诀，只见青光骤然一沉，没进泥土，紧跟着高墙轰隆而抬，生生往上又长了数寸。

净霖退几步，抬看了一眼，问道："墙上今夜无人守城吗？"

"局势危急，不敢休息。"弟子答完也跟着望去，皱眉不解道，"他们怎的不出声……"

净霖已然凌身而起，他上了城墙，见守备背身面向别处，便走近几步。只是这几步之间，墙上气氛天翻地覆，不待这一个个守备回首，净霖率先拔剑而出。

剑气凛冽直扫，那人头登时滚落在地。却见脖颈断处滴血不冒，爬出张袖珍小脸，长臂如烟般地探出，竟是贪相邪魔。

净霖足下一点，靠墙而置的兵器顿翻而起，他身侧夜风疏狂推送，利刃便"嗖嗖"地破空掷于各处。守备们断头直身，在贪相的咀嚼声中齐扑向净霖。

咽泉如芒环扫，绕着净霖疾旋一圈。净霖翻掌握剑，只见那乌发随身荡起，周遭黑雾狂叫散尽。不知何时，夜下除了风鸣已无声响。

就在这死寂之间，净霖回眸，听见凌天塔下骤然传出"咚"的撞击声。他挽剑踏空，见凌天塔剧烈摇晃起来，四下屋舍闻声崩塌。

"不好！"墙下弟子惊声，"七少！殊冉要破印了！"

他话音未绝，便在风中被撕得粉碎。接着见凌天塔轰然倾斜，那镇压符咒"刺啦"绷断，探出一只骇人之爪。

净霖一脚踏在塔顶，翻掌拍下青芒大符。符咒猛砸向下，殊冉吃痛缩爪，接着暴跳如雷，以背刺拱着塔，嚎声嘶吼。

夜间明月已入云，不知不觉之间已是一片血色缥缈。血海的潮浪声渐覆渐清晰，拍打在净霖耳侧。脚下已经不稳，整个凌天塔都在崩塌。

净霖持剑翻下，血雾霎时暴溅而起。殊冉似是觉察杀机，顶塔探首，巍然巨口冲着净霖嘶鸣咆哮，接着猛扑而来。净霖避身一脚，踹得殊冉翻滚再跃。

耳边风声刮得鬼哭狼嚎，净霖脊背间倏忽蹿起一阵刺痛，他尚未动，便觉得胸口搅动起来，灵海随之巨浪翻滚，一股热血直冲而上，竟让他眼前一黑，五感突然被斩断了。

那一直不得而入的"门"，竟在这千钧一发之时打开了。

净霖定在原处，殊冉狰狞探颈，奔冲撞来，对着他一口咬下——

血雾陡然经风狂转，巨齿"咔"地被人卡住，只见一臂探入殊冉口中，下一刻殊冉忽地腾身而起，接着被这一臂翻撞向巨墙。墙面"砰"地被砸出蛛网裂纹，殊冉滚身不及，腹间便被猛击砸中。他登时哽出白沫，变作人身，谁料眼睛还不曾睁开，发间已经被人提起，他口中白沫来不及吐，跟着被人一把掼撞在地面！

地面崩裂，殊冉被撞得头破血流。他双臂发颤，面容抵在碎石块间，擦得到处都是血。

"帝、帝君……"殊冉声若蚊虫，战栗道，"……饶我……饶我一命！"

苍雾不言不语，将他的头提起来，再次掼撞下去！

082章 佛莲

　　殊冉已如板上鱼肉，任由宰割。苍霁提起他的后颈，那臂膀的力道爆发可怖，使得殊冉满面是血，只能勉强睁开一只眼。他看见苍霁，浑身一颤，涩声道："帝君、帝君！"

　　苍霁眸中阴郁，稍偏头，对后边人说："滚后三丈。"

　　殊冉打了个激灵，才后知后觉地发现苍霁并非跟他讲话，而是对背后奔涌来的九天门弟子。弟子们不识得苍霁，但见他适才一击就拿下了殊冉，只当他是门中高人，听得他的喝声，一时间皆不敢再动。

　　净霖定身静止，浑然不知身前的震天动响。他五感封闭，灵海如搅风云，直灌向胸口的渡境之"门"，那轰然冲开的剧痛贯穿全身，本相在灵气潮涌中寒湛如水，渐沉入灵海浸泡中，旋动着消散，紧接着灵气缭绕，锋刃倏地寸寸重显雪亮，缓慢地再次诞出，犹如重新锻造一般磨砸着。

　　臻境近在眼前，净霖触手可及。这等紧要关头，谁也不能碰他。况且咽泉早已脱手，钉在净霖身侧，划出半丈的圆，守着净霖不许人靠近。

　　弟子放轻脚步，堪称蹑手蹑脚地后退，小声问："前辈，血海已至，眼下便着手引人奔逃吗？"

　　苍霁见头顶阴云遮蔽，月已隐淡，唯有红雾如同梦魇一般伴随着潮浪声涌近。他道："不必跑，叫人关好门窗。"

　　弟子垂手领命，转身嘱咐百姓关好门窗，不可再次外出。

　　殊冉见白袍们走远，方才试着再唤苍霁。他曾蜷于梵坛莲池中，每次受得苍霁龙息震慑，对苍龙怕到了骨子里。他不过能够吞引百水，苍霁却能吞了他。

　　"不知帝君在此。"殊冉撑着身，囹圄地吞咽着血沫，说，"否、否则我岂敢冲撞帝君尊驾！我不、不是冲着帝君……"

　　苍霁漫不经心，只说："那你适才想咬谁。"

　　殊冉眼珠转动，滑向净霖。他舌尖被浸得涩钝，足足缓了片刻，才磕绊道："我不敢……"

话音未落，额头又一次陷进碎石乱板中，这一回震得他脑中一闪，几欲昏厥。

他听见苍霁站起身，拖着他的手臂变得如铁坚硬，便立刻腿软，连忙半跪在地，抱着苍霁的手臂，哭喊道："帝君！帝君饶我一回！咽泉剑在前，我若不以命相搏，如何逃得掉！帝君！我已在此地被镇了许多年，怕、怕得很！"他化成人的样子形容半百，跪在地上哽咽道，"我尚不想死！帝君！我情愿做牛做马、马！求你高抬贵手！"

苍霁看了眼已经坍塌的凌天塔，面沉如水："戴罪立功的机会就在眼前，你还待什么？"

弟子回来时，便见原地只剩苍霁。他左右不见殊冉，不禁心下大骇，以为殊冉已经逃了。血雾已使得十步之外看不清晰，屋舍尽掩于湿腥潮气里，弟子不得不掩面而行。

"前辈！"他急声说，"七少入定渡境在即，留在此处太危险了！血海已将覆涌城内，我等该如何抵抗？"

"阿弥陀佛。"苍霁却突然笑起来，显得分外平易近人，与方才徒手砸妖的煞神样迥然不同。他说，"真佛慈悲，殊冉受得梵音沐浴，虽曾失去慈心，却到底良心未泯。他已被净霖劝服归顺，自去城前抵拦邪魔了。墙壁有净霖的灵符加持，血海也漫不进，来你且带人守好城门便是。"

弟子大喜过望，赶忙双手合十，对这净霖拜了几拜，说："临松君大能！我这便去驻守城门。不过七少渡境不易，前辈可知他何时能醒？"

"看他如何重塑本相了。"苍霁说，"劳驾预备一间独院，无须人来侍奉，保持清水通畅即可。"

弟子即刻应了，又道："可是此刻咽泉不容我等靠近半步，这该如何是好？"

"离他远点便是了。"

苍霁说罢越过弟子，只见他跨进刀痕圈内，咽泉顿时鸣声大作。苍霁屈指轻弹了剑柄，使得咽泉晃了几晃，竟就消声静音了。他沉身抱起净霖，弟子见状也欲上前，谁知咽泉霎时划刀削风，插在他足前，不许他靠近。

弟子目瞪口呆，苍霁抱着人，对他说："你只需将院子指给我，我自去。"

苍霁端着净霖，净霖体内正在风起云涌，若不是耳力了得，连他呼吸声都要捕捉不到。

咽泉滑身归鞘，对苍霁毫不抗拒。

苍霁入内，几步便绕去内室。他将净霖置于床铺上，触摸了掌心，皆是冰凉一片。又见净霖眉间紧锁，鬓边已然浸的都是冷汗。

苍霁抄了椅子，坐在一侧，稳身不动了。净霖的汗水津津，逐渐连身下被褥也浸湿，好似寒冰融化一般。他的呼吸越来越浅，最终竟似如停止。

渡境如闯鬼门关，成与不成，全在自身。净霖多年修道，以往渡境皆顺理成章，具是因为他心如止泓，剑意灌身，故而屡战屡胜，能够势如破竹。但所谓臻境便是要归塑本相、摒弃杂念，净霖如今南下急切，所持的"心如止水"的心境也不能与从前相提并论。

净霖不觉危机，他的神识游于灵海虚境之内，见那"门"已大开，他却入得艰难，是他此刻道义不纯，还是他如今剑意消减？

净霖自省许久也不得要领，他绕门而行，身体被灵气鼓动得阵阵作疼，好似绷于弦上，却又飞掷不出。灵海已经满溢而出，却又生生被卡住了通往更为浩瀚的渠道，使得他仍旧不能踏入臻境。

净霖的身躯凉至冰手，城中血雾未褪，秋夜湿寒，他身下潮湿的被褥竟渐渐覆霜结冰，连发梢都被霜染成斑驳白色。

净霖的神识虽不知寒冷，却开始变得思虑迟钝，难以集中精神。他盘腿而坐于灵海之间，极力寻找着那一点契机。

城外殊冉原本化兽吞吐，将血海湿雾含于齿间再转向别处。他原身巨大，一口吞吸下来能吃进贪相邪魔，可他不比苍霁，转头依然是要吐干净才行。

玄阳城城门紧闭，九天门弟子飞身其上，将先前的尸体处理干净，以免再生邪祟。领头的这位眺望血海，因这夜色深深，所以只能望见贪相与凶相的轮廓，它们起伏在血雾深处，不知为何寂静无声。

弟子睁眼酸胀，他不禁揉了揉，再度望去。这一次见得血海间凌起一影，硕大无朋，竟远超殊冉。弟子眼见那巨影随浪跋涉，晃动着跨向玄阳城。

"好生古怪。"弟子倾身细观，"这是何物？不似贪相，也不似凶相……"

他声音才出，便见那巨影骤然扑身，化作盖天腥臭的海浪，一瞬间便砸至眼前。

"布阵阻——"弟子扭头呼声一滞，整个人身倒凌而出，被血浪裹缠淹没，只听见几下嚼碎骨头的"咯嘣"声，便也融于血海之中。

殊冉霎时张口，却吸风不得。那巨浪已经拍打下来，将殊冉砸了个劈头盖脸。巨兽引天长啸，浑身立即爬满贪相，眨眼间被撕咬得退身而倒，翻撞在墙壁，使得整个墙面灵符抖动。

殊冉背上被撕开皮肉，他吃痛回撤，拽下的贪相化风纠缠而来。他跌滚在墙头，已被咬得奄奄一息，接着腥水漫涌而上，他被迫吞咽了几口，随着血水一齐被冲翻下去。那城门登时被邪魔挤爆飞掷，整个墙面"砰"声坍塌。

殊冉喘息几声，化成人形避魔，扒住墙头嘶声而喊："帝君——"

苍霁一掌贴在净霖后心，浑厚之力如同热潮流窜，烘得净霖发梢滴水，冰霜消退。他灵气探入，谨慎地绕着净霖灵海而察，不能唐突介入，反倒易生变故。

净霖的灵海犹如寒冰腊月天，连团腾飘逸的灵雾都如冰凝结，灵海呈现出涌向"门"的静滞之状。

苍霁的龙息团聚于净霖的灵海之下，稳固着他不会外泄。本相的位置已不见咽泉剑身，而是浮转着净霖掌心那朵佛莲。莲瞬生瞬谢，花瓣凋尽又立刻重生，好似生死缩影，将命途归于刹那之间。它每生一次，便蕴含净霖一悟，生生不息，又象征净霖所悟甚少，永无尽头。

莲心现出襁褓，苍霁目不转睛，见襁褓间的婴孩儿掌心含莲，便知此乃净霖。净霖渐长起来，挂着兜肚，扎着冲天小辫坐在莲中，手持拨浪鼓闻声而笑。接着形貌又变，稍拔了个头，成了五六岁的小孩儿。只见他衣不蔽体，撑坐莲中满目严肃，掌中蝈蝈声声叫唤，净霖握拳犹豫，摊掌放了。蝈蝈一蹦，化作青光萦绕，净霖便在青光之中，成了身着褐色纳衣双手合掌的小和尚。小

和尚眉间稚气未脱，口诵念着经文，目光却追着轻盈扑过的蝴蝶而动。蝴蝶散融成光点，小和尚站起身，一转身便成了身着宽大白袍的少年郎。少年郎银冠束发，从此刻起便不再见其笑颜，他呆立原地，脚边滚出一只石头小人。石头小人学人甩膀跨步，滚在地上捧腹大笑，净霖便只垂眸看着，已将许多东西藏得干干净净。

这些皆是净霖的"悟"，莲中人已长成苍霁遇见他的样貌，莲花开始再次凋零。

苍霁疑心大起，他沉眉上前一步，搞不明白才生到此刻，怎么就会凋零了呢？

他一跨近，便见这莲瓣纷飞而起，其中的净霖不知望向何处，竟似如碎裂一般"啪"地要随瓣而散。苍霁猛然难分真假，劈手捉住净霖一臂。

"净霖……"

苍霁唤声才出，便听一声撕心裂肺的呼唤。他顿时清醒，睁眼已回到椅上。床上的净霖尚不见醒色，外边却血味喷溅，刺得苍霁杀意溢现。

他一把扯开房门，见整个玄阳城已然成了红色。

"帝君！"殊冉撞门入院，"今夜血海古怪，我挡不住了！"

城中百姓尚未离开，血水已淌到阶下。苍霁轻轻合上门，将屋内与外边隔成两界。

"你守这扇门。"苍霁舔了下齿尖，对殊冉轻啐一声，"里边躺着我的宝贝，我不喜欢别人靠近他，劳你看紧门——我说看紧，你明白吗？"

殊冉负伤累累，在他阴郁的眼神中双膝弯曲，半撑于阶面，竟连苍霁的眼也不敢看，埋头心惊胆战地答道："明、明白……它破我亡……"

083章 血雾

苍霁掀袍落地，几步后便看见了殊冉口中的"古怪"。他在北方跟血海打了无数次交道，今夜却是初次见得这样的阿物儿。

那红浪翻滚间波涛进溅，又在席卷时化风成雾，大到掩住天地，已然将玄阳城庇于其阴影之下。高墙崩塌的缺口成为其探身的通道，巨身碾在其余三面墙壁，蠕动时将城中屋舍挤得粉碎。它浪卷之处，人惊号奔逃，它便化出双掌，将人拢于一道，扑下来狼吞虎咽。

苍霁脚下一轻，已凌身而上。他足踩着这物像是后颈的地方，定睛一看，脚下有无数双红眼，正一瞬不眨地盯着他瞧。苍霁闲庭信步，负手而观。他脚底所过之处，皆会印下漆黑烫痕，痛得这物停下吞咽，不用回头，眼睛们只跟着苍霁转。苍霁踢了踢脚，发觉它形如水浪，却坚硬异常。

苍霁竖起手指，对它道："识数么？"

它木着眼神，将口中的血肉嚼尽，似是忌惮苍霁，不欲与他玩，突兀地爬着身，伸出浪去卷人吃。

空中猛地呼起大风，看不见的尾陡然抽在它伸出的浪上，打得它一臂立断，如同流血一般淌出几只贪相。它嘶声退后，臂融进浪里，眼睛齐盯住苍霁，愤怒咆哮，血雾喷涌。

苍霁说："识数么？"

它万口齐张，冲苍霁龇牙而啸，滚身成浪，拍向墙壁，欲撞下苍霁。谁知它浪头还未卷起，便又叫那看不见的巨尾劈头抽下来，这一次打得它从中二分，霍然裂开，又紧跟着哀鸣瑟瑟。

苍霁爱惜尾巴，抽的时候连鳞片都要顺着，以免划坏了，便不好看了。他俯身拾起一只断臂，偏身就着隐约的光分辨伤口。

"我问人话素来是要人回答的。"苍霁转着断处，"你既然身含贪相，想必听得懂。认得我是谁么？在北边你们唤爷爷唤得亲热，怎么转了个向，便成了不肖子孙。"

它聚身成团，贪相们相互吞食，结成诡异的形状，绕着苍霁竖起滔天巨浪。

苍霁说："这不像是贪相的口活儿。"

他话才出口，那巨浪狂袭下来，顷刻间将他的身体淹没。无数口齿撕咬，只消片刻，已将人身吃得连渣也不剩。血雾覆盖，下一瞬浪花暴溅，只见一只龙爪破浪而出，接着苍龙甩尾腾身，撕下邪魔半身，扔出数里。

　　血海登时沸腾，苍龙扑身入雾，犹如狼陷羊圈。谁看不真切，只听恶浪腥涌，邪魔们嘶叫哀求，血雾迅速向南回撤。然而苍龙凶性已起，怎么能放过？

　　墙壁再次遭遇撞击，龙甩首吞食，与那古怪之物共碰墙壁。灵符承受不住，"砰"地破开。它与苍龙纠缠着袭向荒芜的南边，被苍龙咬食尽半，它融化一般淌成血雾，数万贪相邪魔嚎声撤离。苍龙穷追不舍，两者卷进血海中，倏地就涌向迷雾。

　　苍龙身陷血海，见魔便咬，远比邪魔更加凶残。他一直压到了七星镇，逼得腥风再聚，那怪物形容化作马，踏雾欲奔。苍龙一口衔住它后颈，猛地翻卷起惊涛，接着巨尾拍打，荡起大风直冲云霄。

　　怪物脱身不能，便伸颈回首，刹那变作与苍龙相似的模样，咬住苍龙一处。可那鳞片如同铁打，竟让那一排口齿全部崩掉。苍龙爪掏它身，钢一般的爪齿下它登时崩成无数邪魔，竟然彻底散开了。

　　苍龙张口鲸吞，吃得一点儿不剩。龙身盘绕而起，对血海残余泄出龙息。见血海在威压之下不断潮退，仍觉得不妥，回首一望，竟见血雾中顿爬起数道巨影，它们隆起来，一拥而上。

　　此时退路苍茫，苍霁竟一时辨不清方向！

　　净霖端坐垂思，他眼前所见是无尽莲池。露水凝在莲瓣，呈现出将落不落的模样。净霖枯坐许久，时间与灵海如同一起凝固，唯有他存活在这片死寂的天地中。净霖阖目，在静谧间陷入思绪。

　　道在何处？

　　道在天地，如贡泻地，颗颗皆圆。如月映水，处处皆见。泉敲危石，蝉鸣暮风，日升苍际，凡眼所能及之地，凡耳所能闻之处，道既寄于其间，道也遥于其外。剑为己道时，化利刃却无杀心，存锋芒却泯贪欲，其心专注，融剑于天地。

　　天地为剑，剑即天地。

　　净霖霎时睁眼，醍醐灌顶。

　　但见那垂莲露水"滴答"落起涟漪，自净霖座下荡开万千波纹。灵海骤然涌动，在他身后如风如云，数万佛莲一并绽开，眨眼化涌成青光无数，飞速旋动着凝聚成形，咽泉剑身从青光与灵海中重塑而出。

血海已淹于床脚，鞘身开始嗡鸣。殊冉破门而入，眼前却雪光一闪，耳边只听"锵"的一声出鞘，继而屋内清风骤荡，推得殊冉抬袖遮眼。周遭倏忽一静，待他再睁眼时，只见脚下血海已成清水。

天已破晓，玄阳城雾气荡散。

若非背上火辣辣的疼痛，殊冉几乎要疑心适才是梦一场。他身侧白袍一晃，听到一声"多谢"。殊冉再回首，却只见那白影缥缈，一步数里，凌云驭风而去。

净霖袖风鼓动，在他踏出玄阳城时飞掷出几道灵符镇城，接着身投重重血雾，追着苍霁消失的地方而去。他在苍霁身上留下的灵气指引向南，净霖腾身一跃，便入了血海。

血海间雾气迷蒙，净霖飞快地追出百里，见所经之地尽数被碾压成平土，不禁跃得更快，唯恐苍霁已成黄土一抔。

七星镇早已荒废，如今连邪魔也看不见，断壁残垣在雾间沉眠，黄沙刮着袍角，使得净霖眼前更加朦胧。他方破臻境，投身入海仍然倍感不适，黏稠的腥臭几乎要堵塞住口鼻。

净霖在空无一人的城镇间行走，一路追至镇的边沿，见阔地数里，不知被什么荡成平地。他的灵气余散空中，料想苍霁就在此处。

净霖最终停在黄土之上，用手扒开松软的土，逐渐露出苍霁的脸来。净霖不必试探也知他仍活着，但仍被他面色吓到，不禁碰了碰苍霁的鼻息。

苍霁闷哼出声，咳了几下。净霖将他半身刨出来，苍霁气息奄奄地扶住净霖手臂，艰涩地说："……净霖……我……咳咳！"

净霖掌抚在他背上，渡入一股纯净灵气，却见他仍然面色煞白，猜想他昨夜必是险象迭生，还不曾缓过劲来。又将苍霁身上摸了一圈，没寻到伤口才作罢。

"先不必开口。"净霖说着将他撑起来，"我且带你出去。"

苍霁乖巧顺从，十分配合。他适才吃了许多东西，这会儿腹中略胀，也不好表露，只能由着净霖带他向外走。谁知两人绕了一圈，又行回原地。

"邪崇作乱，血海深不可测，恐怕不那么容易出去。"苍霁气息凌乱，微微用力拽过净霖的手，说，"兄弟，哥哥怕是不能……不能行了……这血海茫茫……竟连累你也深陷绝境……"

净霖说："此等诛心之言不必再说，是我修为浅薄，擅自拿大，方才促使玄阳城和你陷入此等境地。"

苍霁叹气："可惜我年纪轻轻，便要葬身于此。"

净霖顿了一会儿，说："哥……哥哥你身强力壮，只是受了些血海侵蚀，待我驱除之后便不要紧了。"

苍霁攥紧他，说："到了这个地步你还在宽慰我。"

净霖说："我不……"

"其实我近来有了一个知己。"苍霁面露遗憾，"……但我做了错事，恐怕他必不会答应我。"

净霖见他神色凝重，那句"你不会死"在喉中上上下下，硬是没说出来，只得咽下去道："做错事便要与其坦诚相待。"

苍霁说："他听后若是一剑戳死我怎么办？"

净霖不假思索："那便是大错。天道轮回，因果报应，哥哥你对别人做了何事？"

苍霁顿时无声凝噎，说："……我此刻心如刀绞，改日再告诉你。"

净霖挥袖，使得他两人周围余出方寸洁净之地。苍霁的鼻子这才舒服些，他腹中隐约酸痛，席地而坐后盘腿定神，若非净霖在侧，定要在灵海中闹腾一番。

净霖说："此地已被血海包围，我一路忧心。哥哥昨夜可遇着什么事？"

苍霁便知他是在询问自己为何毫发无损，凭借"曹仓"如今的修为，跨进血海便该尸骨无存。此事不好蒙混过关，但苍霁早有准备。

"你救我一命。"苍霁从怀中拿出净霖的帕，摊开露出里边的佛珠，说，"昨夜邪魔入侵，殊冉良心未绝，英勇抵魔，使得后方千余百姓未遭劫难。我见你定身不动，便猜你沉于渡境之中，于是守了片刻，只是殊冉不敌，那血海破门而入，眼见你也将陷危机，咽泉自行出了鞘，我便将你背去藏了起来。"

净霖剑鞘寂静，他摸了摸，心中有些狐疑，却到底没有询问出声。

苍霁见净霖的神色，虽未表现出来，却也能猜到这席话太过勉强，不能使人信服。然而他现下确实不大舒服，此地方圆百里的邪魔被吃得一只不剩，全在他肚子里，不能入定，便只能硬磨。

于是他掩着腹部说："而后血海翻覆，邪魔拖住我，全凭这帕中佛珠显灵，方使我陷身却没死。但事到如今，不好再欺瞒你，净霖——"他忽然呛出残血，对净霖沉声说，"我……"

净霖突地一掌贴在苍霁腹间，说，"哥哥，你积食了吗？"

苍霁对着他近在咫尺的脸，顿时忘了方才要说什么。

"黎嵘曾道。"净霖说，"积食揉一揉，便可化了。"

084章 独处

净霖的手称不上"软若无骨"，因为他持剑多年，所以握起来时，只会觉得修长漂亮，蕴含力道。然而他此刻掌心捂着苍霁的肚腹，不曾使力。

净霖对苍霁说："不必紧张，我稍渡些灵化掉邪气。"

苍霁说："昨夜吃多了，又赶着奔逃，这会儿确实有些消化不下，积在肚中实在不舒服。但是，还是不要揉了。"

净霖稍收了收手，说："我不擅长此道。"

苍霁温暾地应了，嘴里义正词严地说："你我是兄弟，何必这样生分？此地邪乎，不留神便尸骨无存，所以你我必须时刻都挨在一起。"

净霖便说："那我背着你，这般不容易丢。"

苍霁伸了伸腿，道："你背我，地上还拖一半。不到出去时，两个人先累死了。你既然说我身强力壮，我必定死不了，又有这佛珠在身，撑个一时半会儿不成问题。"

净霖颔首听了，苍霁这才有了闲暇，能够好好端详他。臻境一遭，犹如黄泉界边逛一趟，净霖却似乎没有变化，容还是那个容，色也仍是那个色。

净霖受着苍霁"慈父"般的注视，满心疑问，反问道："我变样了吗？"

"没有。"

"我长高了吗？"

97

"也没有。"

"……那为何盯着我。"净霖疑惑道。

苍霁深吸一口气,说:"你生得美,还不许人看?"

净霖无防备,不料苍霁这样说。他倏地抬臂挡住脸,只用一双眼看着苍霁。

苍霁摁下他的手臂,口中说:"说你生得美,还立刻藏起来不给我看。那我好吃亏啊。"

净霖说:"吃亏?"

苍霁说:"你天天看着我,我可从没藏起来过。"

净霖鼓足气,说:"我不曾捉弄过你,也不曾哄骗过你。"

苍霁哈哈几声,逗着他说:"这么说我就是捉弄你、哄骗你咯?"

净霖说:"我长得要人命。"

苍霁见他这副懵懵懂懂还佯装镇定的模样,说:"我夸你尚且来不及,哪里会用这种话糟蹋你?莫非我是个坏人?"

净霖摇头,他对苍霁适才的解释只信一半,但笃定苍霁不是坏人。因为这一路皆是下手的机会,若是想要自己的命,岂会留到现在?

"你这么急着摇头,倒也不对。"苍霁说,"我确实是个坏人。"

净霖说:"邪魔往南,不曾祸害玄阳城中的百姓,想必是托了你的福。能以身试险,解救他人之难的人,怎么会是坏人?即便你有难言之隐,也只是你我私交中的时机不对。我想来日,你对我终有坦诚而言的一天。"

苍霁不禁一愣,方才咽下去的话登时如鲠在喉,噎得他好想一吐为快。

净霖却已收回手,将咽泉缚于背上,说:"血海无人深入过,我们占了头一回。我原先猜测血雾食人,不能进入是修为不够,如今看来这不是关键。"

苍霁沉默片刻,说:"你不曾在血海中游荡,故而现在才明白异处。净霖,你且侧耳细听,此地已无邪魔,还有什么声音?"

净霖侧耳,风沙刮动,一片萧瑟之声。他沉心再听,在风涌中,逐渐听见似如呼吸一般的声音。净霖皱眉,越听越清晰,越听越心惊。

苍霁说:"血海形色似雾似水,既能化作浪涛,又能变作血雾。邪魔孕育其中,反反复复生生不息。一直以来,人人都当它是天闸破损,倒倾而下的邪祟之海，却不承想过，它兴许是个'他'。槐树城那场劫难你我了解甚详，血海不仅先阻了烽火台，彻底断绝援兵，还施以声东击西之策，将七星镇也纳入囊中。一只邪魔有此等神智不稀奇，但奇在它们如听军令，群拥而来，却丝毫不乱。"

"血海之中藏着祸乱天下的秘密。"净霖听后顿了片刻，说，"若邪魔皆听凭一人调遣，那么此人就是天下祸源。"

"除此之外，另一种猜测便是'血海'不是海，而是人。"苍霁娓娓而谈，"你曾道苍帝在北方修建渠道欲意吞海，若血海真的是个'人'，那么他此举便不算异想天开。因为吞食万顷浪涛不容易，让他吞掉一个人却轻而易举。"

净霖眉头紧锁，说："可血海若是个人，那么东君该算什么？他本身为血海邪魔，如今心向正道，脱离血海，已不算邪道。"

"这便是血海的奇怪之处。"苍霁吹掉袍上的黄沙，说，"我心觉他是个人，只是形貌不同于常人，以身体为海，孕育着这万千邪魔。"

"如是这般，那么我们此刻就在'他'的身体里。"净霖心思转得很快，他在苍霁音落时便设想诸多，说，"此物如雾又如海，不能捕捉，无法消除，又孕育邪魔万千，我待他束手无策。"

"法子总归会有的，何况眼下只是猜测。"苍霁捻着佛珠，沉思少顷，说，"我有一事不能瞒你。"

"尽可拣你想说的说。"净霖说道。

苍霁叹道："这么说你早察觉到我瞒了你许多事情？"

净霖立刻说："看来哥哥你果真瞒了我许多事情。"

苍霁不由得捂住腹部，痛苦道："……这套下得妙，倒是我一头钻了个准儿，你竟也学会在谈话上下功夫。"

"所见所闻皆成所学。"净霖说，"学海无涯，跟着你方知此话不假。"

苍霁微俯着半身，说："我便知你聪明。"

净霖无端被夸了又夸，小指在沙间划了又划，抬头时已一片冷静，说："要与我讲什么？"

苍霁便说："你的丹药有问题。"

净霖显然没料得是这件事，他下意识地摸向袖中，又想起那瓶丹药给了苍霁，便说："有何问题？"

苍霁抛出瓷瓶给他，说："你们门中弟子，皆食此物吗？"

"别的院子我不知晓。"净霖拔开盖嗅了嗅，说，"但是诸位兄弟皆食此药，自入门起便按月发放，待灵海成形，方才减少用量。此药固本清根，我也用过。"

"我尝它药劲十足，能够化灵催生修为，一颗足顶百年清修。"苍霁说，"这等灵丹，你可查过其用料？"

"九天门有一灵圃，专植珍稀药草，素来由澜海照料，凡所制药，皆从那里寻找用料。"净霖语气微促，"它有什么问题？"

苍霁对着净霖的明净双眸，有片刻犹豫。他说："你下次回去，须将此药好生查一查。它断然不可再用，因其药劲霸道，催灵时搅动灵海，迫使修为冲向渡境关卡，五脏六腑受此碾压，长此以往，必受其祸。"

净霖重复："五脏六腑……"

苍霁沉声："会死的。"

净霖指尖收紧，他脑中"嗡"地一空，竟有片刻无法接话。他颓唐地望着苍霁，一把拽紧了苍霁的衣袖。

"此药……"净霖背上冷汗津津，他说，"此药乃父亲所赠，这些年皆未出事。我等都是他的儿子，不言其他，九天门如今如履薄冰，离不得任何一个人。况且天底下怎会有父亲害儿子？！"

"不错。"苍霁说，"所以才托你好好查。九天门内部各院纷杂，是谁借着药物铲除异己都有可能。九天君在上为父，不论谁死，对他而言都无好处。"

净霖神色稍安，眸中沉沉。

苍霁思量着，到底还是对他说："你们兄弟如何，我不知道。但我如今成了兄长，少不得要叮嘱几句，害人之心不可有，但防人之心不可无。你锋芒毕露，早已惹得许多人暗自不快，明面不敢触你锋芒，暗地里却有百种下作的手段。防不胜防，你小心为上。"

他这般说，已然将自己也划到了"下作"里。他素来狂妄，不肯轻易认错，且向来不知道何为"错"。他算不得君子，也称不上正道，但也不至于装成伪君子，只把自己想成迫不得已的好人。

"我有许多话不能当真，唯独这一句你要记牢。"苍霁想着，对净霖低声说，"我浪荡惯了，坏得很。我兴许不对别人坏，却定会对你坏。"

085章 坏种

净霖不知这个"坏"是什么，他没有草率作答，而是郑重其事地说："自家人，哥哥不必介怀。"

苍霁招架不住似的转开眼，说："人说要欺负你，你怎么也这般轻易地答应了。"

"兄弟齐心方能其利断金。"净霖说着看向苍霁腹间，"消了些吗？"

"本无大碍。"苍霁说，"被血海吓出了心病，见着你，便都痊愈了。"

"可惜我也无法带你出去。"净霖将瓷瓶收回袖中，说，"这里若是某个人的肚子，那我们如何绕得出去？"

"邪祟易生心障，在这里待久了，兴许眼见皆为虚幻，自然辨不清方向。"苍霁捂了捂腹，觉得好些了，继续说，"待会儿我若说了什么胡话，必定是受了邪祟蒙蔽，你只管戳我便是了。"

净霖说："我记下了，但若是我也陷入其中怎么办？"

"你不会。"苍霁起身，"除魔剑道已破臻境，休说邪魔，就是血海也要让你三分。再者你心神坚定，本就不易受心障侵扰。我们在奔城那日，见得城中尸体古怪，眼下趁着在这里，不如也将七星镇查一番，兴许能探出些线索。"

两人便一并绕入镇内，净霖背负咽泉，血雾也避退三尺。苍霁占了便宜，腹中酸痛逐渐散了，他心知是挨着净霖纯澈的灵气的缘故，不禁暗道净霖当真是个宝贝。

南禅

七星镇原本沿江，泊口虽不及玄阳城恢宏，却也小成规模。现下已被黄沙埋没，处处皆是断杆破板。西江水臭不可闻，尸体被撕得好像碎絮，飘零在江面。净霖挑开一间坍塌的屋舍，窥见里边的尸体，全都层层叠叠地挤在门后，应该是血海出现时慌不择路，活生生被踩死、压死的人。

"我在北方时，也见过血海袭城。"苍霁蹲身拨开捂得腐烂的尸体，说，"贪相一出，连牲畜也不会放过。然而在这南边，却屡次见到邪魔弃尸不食，倒与从前很是不同。"

"不仅是北边。"净霖打量着尸体，说，"东边最初沦陷时，我曾赶赴前沿，见血海潮翻，邪魔什么都吃。"

"奔城中的孩童不吃，现下连七星镇压死的人也不吃。"苍霁沉吟，"莫非它们在此只为作乱，而非食人？"

"若是如此。"净霖与他对视，"……邪魔所谋已不再是仅仅为了口腹之欲，而是攻陷围剿。它们不仅成群结队，还悟出了兵法？"

"若他是一个人，许多问题便迎刃而解。"苍霁说，"不能以偏概全，再看看别处。"

他两人又移步向镇中，在废街之上随处观看各种尸体。许多尸体早已分家，能从撕裂处看出邪魔的咬痕，但奇怪的是，被吃掉的少之又少。尸首于血海浸泡中不能久放，更多的已经化作一摊血水。

"我明白了。"苍霁立身在尸骸中，忽然对净霖说，"邪魔袭城除了布设的作用，兴许还是为了喂养血海。你看此地，多数人丧命之后便被抛掷在地，邪魔既不吃，也不要，而是任凭骨肉融化在血海中。他若是人，必不会无缘无故地这般做。"

"可是人入血海，本就难以存活。"净霖环视一圈，说，"血雾瘴气，普通人触及即死。"

"此话是谁说的？"

净霖说："亲眼所见。"

"那么有些修为的人进入如何？"

苍霁说着让出半身，净霖方才看见他身后的一团白袍。九天门葬身此地的弟子不少，这一具已经尸骨无存，连袍子也被侵蚀了半截，唯剩一把断剑插立在侧。剑穗与挂牌飘动在风中，剑身却屹立不倒。

净霖走近，俯身拾起挂牌。这牌是空心，轻得很，上边刻着九天门弟子的姓名与修为。他将牌面的灰尘抹掉，逐渐看清指腹下的字。

"聚灵。"苍霁读出修为，说，"他已修成灵海，再看他残剑雪亮，死了这么久依然屹立，想必本相也不可小觑。这样的人，尽管入了血海瘴气，也有自保之能。九天门为何一直不肯进入血海？"

"血海初现时，门中曾派遣弟子深入，但全部不知所终。"净霖说，"后来血海侵袭城镇，方知其中有数不尽的邪魔。寻常弟子即便扛得住血雾瘴气，也无法在邪魔夹击下支撑太久。久而久之，便有不许进入的禁令。虽然命令这样说，但边线诸城常遇侵袭，守备的弟子不能弃城、弃民而逃，以身抵浪便成了不成文的规矩。凡被血海淹没之处，皆无人生还。"

"比起普通人，血海似乎更喜欢修道者。"苍霁拔出残剑，见剑身上刻着"肝胆"二字，便掸了灰尘，将它与白袍放置一处，压在了石头下边。

净霖将挂牌收了，说："我曾与东君商议入海一事，他也道这里危险万分，人难以存活。"

"东君。"苍霁缓缓念着这个名字，"我观他这些年行事，常游荡于内陆，不肯轻易来到边线再入血海。他是这世间最明白血海的人，便没人生疑吗？"

"相反，他一直备受怀疑。"净霖说，"他在门中……倒与我有些相似。他这人说话时常一针见血，凡是兄弟，没有不被他嘲弄过的人。他深知自己身份不便，故而极少往边线来。父亲很爱重他。"

"这便奇了。"苍霁说，"他是在南禅莲池侧悔悟慈心，没做和尚，怎么偏偏入了九天门？"

"听闻父亲三请他入门，他本不应，只是一次上山时，见得清遥扑蝶玩儿，便与清遥玩笑花丛，其间清遥天真无邪，曾问了他两句话。"

"什么话？"

"清遥问他'家居哪里，留下来做我哥哥好不好'。"净霖说，"东君身为邪魔，在这天地间没有父母，更无兄弟，却沦于稚儿一句话间，想来也是寂寞作祟。他入门后，待谁都亲热，言辞真假难辨，却对清遥是真情实意的好。这一点

即便是父亲，怕也比不了。"

　　"你们兄弟各个都有意思。"苍霁笑了笑，"你说他与你相似，是哪里相似？"

　　净霖静了静，说："不讨人喜欢。"

　　镇中黄风吹袍，刮得净霖侧颜沉静，飘了几丝发。他负气时面上看不出来，手指也不会划动，眼神都不会变化，却能让苍霁清清楚楚地感受到。

　　苍霁突然逼近净霖，抵得净霖仓促后退，险些被绊倒。

　　"让我瞧瞧哪里不讨人喜欢。"苍霁口中说，"眼睛生得亮，沾了雾就像一剪天水，哭起来的时候……哭过么？"

　　净霖犹自惊疑不定，说："没有。"

　　苍霁掀唇一笑，"哭起来的时候便是天水盈池，攒着珠儿一颗颗掉，沿着这豆腐似的……往下滚，跟含了醋似的。"

　　净霖舌尖一顿，觉得他这目光似如鹰捕食、狼盯梢，有点凶。

　　苍霁不说话，觉得头沉。

　　怎么会有这样好看的小东西？不过他巴掌大小，只要他现出原身，对着净霖哼一声，便能吹倒这个人。可是净霖生得这样好看，那眉间压的不是冷漠，是他的劫数。这眼里也映的不是"曹仓"，而是赤裸裸的一只妖物。

　　一只居心叵测、满目贪欲的妖物。

　　"不疼。"苍霁轻声咬着字。

　　他的狡猾已经不够用了，他怎么敢对着这个人狡猾？他分明深陷在净霖不自知的狡猾中！

　　苍霁腰间突地抵上手掌，接着被人一指戳在腰侧。

　　净霖面热，猛地退一步，抵着他，道："邪祟生心障，你说胡话了！"

　　苍霁被这一指戳得倒抽气，他捂着腰嘶声，咬牙道："……是啊！"

　　苍霁悔不当初，他脑子叫驴踢了，才会叮嘱净霖戳他！

　　净霖适才下手没轻重，见他面露忍耐，便立即道："可还认得我是谁？"

　　苍霁被这一戳几欲要戳出尾巴来，当下撑着冷笑说："净霖！"

　　净霖被突然点了名，腰都挺直了。

　　苍霁蹲下去，哑声说："我要死了。"

净霖定了定神，说："不、不会的。"

苍霁声音发抖："血淌了一手！"

"流血了？"净霖一惊，立即蹲身去看，"我看……"

苍霁抬掌摁在净霖后脑，倏地将人吓了一吓。净霖怔了片刻，霎时推开苍霁，反坐在了地上。

净霖满目震惊，迅速红了眼眶。他怔忡地眨着眼，似是不明白，竟然一时间只剩下呼吸声。

"这是心障所扰。"

苍霁却短促地笑了一声。

086章 异状

净霖怎料得苍霁会这样，他一心修道，与兄弟们多不投缘，更何论像这样被人这样戏弄？

苍霁心知这小傻子被搅得晕头晕脑，松了些语气，说："吓唬你的，我没道理这么欺负你。"

净霖唇线紧抿，欲开口。

苍霁见状，最后那点良心也灰飞烟灭了，遂说："好，这就算是亲密兄弟了！"

"这怎么能行！"净霖震惊地说道。

净霖被他逼得语哽，从未想过会有这样黑白颠倒的坏人！

苍霁又放缓了语气，说："逗你玩儿的。"

净霖用力地摇头。

苍霁目光担忧，说："对不住，我再赔个不是。"

净霖见他情真意切，与平素的"曹大哥"一般无二，不禁稍稍移开了遮挡的手，说："此地邪气，你——"

"所谓兵不厌诈。"苍霁说，"都说了我的话休要信，怎还这般轻易地就上

了当。"

净霖也咬牙道:"你诓我!"

"我何时诓过你。"苍霁逼近。

净霖语音急促,有些发抖。

"你不是人!"

苍霁被这一声喊得似如当头棒喝,又见净霖怒色不减,十分严肃,才反应过来他说自己不是凡人,便说:"我确实不是人,是个坏胚种,你才认出来么?"

净霖语一凝,又急道:"没骂你!"

苍霁说:"那还是在夸我?"

净霖已然溃不成军,毫无还手之力,憋足了气,连一贯白皙的颊面都晕开了红色。他练就的清心寡欲都被苍霁坏了七八,只剩下两三分苦苦支撑。

苍霁说:"我平素不爱吃人,遇着你便坏了性。"

"胡说!"净霖说,"又诓我!"

"那你扒开我好好瞧瞧,便知道我有没有说谎。"

净霖指尖瑟缩,他怒声:"你适才还在积食!"

苍霁随即哈哈大笑,他说:"怎么办,日后不与我再做兄弟了?"

净霖沉声:"没有这样的兄弟。"

"好!"苍霁陡然敛笑,"既然如此,那我便挑明了说,净霖。"

净霖见他眉间肃穆,以为他说什么惊天秘密,或是有什么难言之隐。

苍霁说:"我视你为知己。"

净霖先是呆了片刻,紧接着连后颈到耳郭一片都红了起来。才渡的臻境上下颠倒,晕得他一头栽在苍霁下巴上。

苍霁被磕了个后仰,接住人,再垂头一看,净霖已经晕了。

净霖还记得入门时收得的诫言,笺递到他指尖,翻开看写着"断情绝欲"四个字。他当时才从梵坛出来,发新绾了银冠,白袍还大了一圈,袖拖在腕下能垂到地上。

他讲话还带着些南边的口音，少音稚嫩，攥着笺拎着袖，赶在各位兄弟后边跑，喊黎嵘："兄长！"

黎嵘正与云生谈笑风生，听着这又酥又软的口音，便知道是谁，当即停下来，回问道："净，净霖是吗？"

净霖颔首，扶了扶冠，将自己的笺摊给黎嵘瞧，说："这是什么？"

黎嵘端详片刻，苦笑道："最终落在你这里，倒也是意料之中。你将修除魔剑道，父亲给的诫言便是这四个字，你且须记牢。"

净霖问："除魔剑道是什么？"

黎嵘说："就是断情绝欲的道，要杀常人不能杀的魔，要斩常人不能斩的人。不可心存私念，越近大成，越要无私无畏。你本相为剑，修起来比别人容易得多。"

净霖茫然不解，说："为什么我要比别人容易？"

黎嵘看他一眼，心怀怜悯，不曾直言。后边赶来的陶致探首瞧了，脱口而出："因为你没心肝儿啊！哪有灵海未成，先凝本相的。你没心肝儿！没心肝儿！"

院里正叫着用饭，兄弟们一哄而散，净霖站在后边，将那笺折起来，又摊开。他被头顶的烈日晒得热汗津津，宽大的衣袍松垮，套在身上行走也不便，手脚都像束缚在笼里。

净霖拭着汗，睫毛也被汗水浸湿，又酸又涩，他忍不住用手揉了揉，一个人闷着头，过了半晌，又揉了揉。

是个人便有心肝，净霖怎么会没有呢？他不过比别人高些天赋，又有佛缘，真佛为他掸去凡尘时，他心口已存了善恶之念。他们叫他断情绝欲，讲得那般轻易，好似顺理成章的事情，可这一道绝的是他的人欲，取的是他的凡情，他须将这颗心千锤百炼，方能铸成铁血无情。

但他终究是个人。

净霖醒时苍霁正在抱臂旁观，他直愣愣地跟苍霁对视片刻，忽然翻坐起身，说："我睡了多久？"

"三个时辰。"苍霁斜靠着窗，外边已经陷入漆黑，连星芒也看不见。

净霖摸了摸腹间，觉得灵海太过平静，像是被人安抚过。苍霁欺身挤到他一侧，伸长了腿，说："我发现一件事。"

净霖还有些懵，闻言看向他。

苍霁倒没看过来，只是说："七星镇中无稚儿，一个也没有。"

"听颐宁的意思，早在几月前九天门便广招孩童。此镇中的孩子，兴许早就送走了。"净霖说道。

"奔城中还剩了一些，偏偏七星镇的全部都送走了？"苍霁说，"天底下没这么巧的事情。"

净霖理清思路，说："邪魔独独把孩子的尸体拿走干什么？"

"孩童的死相也奇怪。"苍霁指尖敲打着膝头，"这里边迷雾重重，我猜测与九天门分不开干系。"

净霖说："自然，这片皆在九天门管辖之内。"

"九天门要这么多孩子，仅仅做私塾，恐怕也塞不下。"苍霁说，"多余的都去哪儿了？"

净霖想了想，说："近些年门中弟子锐减，急需扩充新人。如若资质不够，也能留下来做个扫洒。"

"不对。"苍霁说，"我也知道九天门正在广纳贤才，但那好歹大一些。这些孩童不过四五岁，更有甚者还要小一点，余出来怕也做不了工。"

"他们。"净霖突然头疼，他皱起眉，说，"……我须回去才能打听明白。"

"我有些问题要问你。"

"但说无妨。"

"乖净霖。"苍霁指尖摩挲着那枚佛珠，直言问，"你是不是从未近过女色？"

净霖记起昏前的事情，立刻警惕地说："不要说给你。"

苍霁肆笑："老天爷，我长这么大，还是头一回把人调戏到昏过去。"

"我臻境不稳，自然会晕。"净霖说道。

"难道不是想到了别处去？"苍霁堵了净霖的道，说，"年纪轻轻，正正经经，直接说给我就好了？"

净霖那种昏沉的感觉又隐约出现了，他微微浸出些汗，说："我没有想。"

苍霁说："我还会更厉害的事情，你一点也不想学？左右这里也没有别人。"

"我不要。"净霖抱住耳朵。

"啊……"苍霁轻声拉长，突地凑到他旁边，"说着不要，脸红什么？"

净霖被他吹得打了个激灵，无力地反驳："我没有。"

苍霁骤然握住他的手，露出他的脸，正色说："我要吓唬你了。"

净霖心口的兔子顿时活了，蹦得老高，跑得飞快。净霖望着他，分明能甩开手、义正词严地斥责他、喝止他，可是脑中却又和成了糨糊，变得不像是自己。

咽泉嗡声大震，净霖咬紧牙关，却猛地呕出酸水。

苍霁面色骇人，他适才看着净霖昏过去便觉不对劲，专程试着一番，果见异状。当下抄抱起人，见净霖面色已然发青，手指紧攥在胸口。

"静气凝神！"苍霁渡着灵，对净霖缓声，"抱守心神，归定灵海。咽泉在此，邪魔不侵。"

净霖迅速镇定，生生将那反恶感压了下去。他胸口渐恢复，方才能够自如喘息。他仰起的脖颈浸着冷汗，苍霁用指一点点抹干净，触到净霖露出的肌肤冰得吓人。

九天君！

苍霁眼中杀气暴涨。

老子要你的命！

　　净霖足足缓了半晌，面上才起了点血色。他颈间鬓边都是汗，眉心怠倦，不过须臾而已，竟然有了些许病态。苍霁拭着那冷汗，看他半阖着眼喘息，比之平常更显得小。

　　"我说的混账话，不该逗你。"苍霁眸中杀意已褪，只余了沉静之色。他觉得净霖又轻又小，便推着净霖的背，在屋中转几圈，毫不费力。

　　净霖胸口才定，背上濡湿，埋着首犹自喘息。

　　苍霁趁着舍内漆黑，净霖瞧不见，捂着他后心渡着龙息。

　　"白日我吓唬了你。"苍霁偏头与他小声说，"你便晚上来吓唬我吗？发作起来这样厉害，路上竟提都不曾与我提。"

　　净霖鬓边湿透，闻言摇头，声音还是哑的："我无心疾，也无隐病，从来不曾有过这样的动静。"

　　"哪里痛？"

　　净霖衣襟被先前发作时攥得泛着褶皱，他此刻也懒得再整理，静了少时，说："胸口、头脑还有腹中。"

　　"三处皆是要害。"苍霁心中沉甸。

　　"灵海也无应对的反应。"净霖说，"好生厉害。"

　　"不会是猛药。"苍霁拨开净霖湿了的发，"药性刚猛的必定瞒不过你，它既然能在你体内隐藏这么久，可见不是一朝一夕，而是经年累月养出来的东西。"

　　净霖静得连喘息声也停了，他十分敏锐，从苍霁一句话中便猜出些什么。能在他体内不声不响地养出这药不是药、毒不是毒的东西，唯独亲近之人才能下手。

　　"你修剑道不易，情动易生变数，想必在门中之时，九天君必定会将'断情绝欲'四个告诫于你，为催你修为，怕是下了不少功夫。"苍霁听小舍之外血海潮声，"我见你眉间清冷，眼中却澈似孩童，便知为得一把至纯剑，须将你教得心无外物，远离风月。"

不仅如此，还要让他陷入无情之地。兄弟之间疏如陌路，嫉恨猜忌却屡见不鲜。九天君冷眼旁观，甚至刻意厚爱，就是要兄弟恨着他、盯着他。净霖在院内时，甚少有机会吃上热饭，若非黎嵘照顾，他连残羹冷饭也轮不上。未至聚灵境界时，净霖的衣冠常服总是不合身，十三岁列于兄弟之末，拖着宽大的衣彻夜不休，方才能够赶上别人的修为进度。

净霖不懂吗？

但凡心智健全的，便都明白何为刁难！可他不能服软，他做不得陶致那样耍赖撒泼的模样，他得立着，因为他只能立着。他自跪叩下去那一刻，咽泉便化作本相，从此这便是他的道，摊在他面前的从来就只有这一条路。

一把剑，想要锋芒毕露，只有数年如一日的锤炼。所有苦楚与刁难都是磨砺，他们加之于他身上的，净霖都当作了历练。兄弟们不喜欢他，净霖便不稀罕。他逐渐走到了最前边，目不斜视，也从不回首，然而这皆不能成为九天君拴着他的理由。

他有心。

他知愁苦，懂善恶。他孤注一掷在这条道上，世间百态皆成过眼云烟，但是无人能擅自为他套上锁链。他的爱，他的恨，这皆是他作为净霖的抉择，即便是承担"父亲"之名的九天君也不能剥夺。

净霖缓出一口气，说："既然能藏得这般深，便不好轻易摘除。须先明白它到底是什么，发作时脑海中昏沉难醒，胸口即似如受锁，唯独腹中余热渐起。"

苍霁手掌一顿，说："现有余暇，便脱了让我看看。"

净霖拢紧衣襟，说："藏在体内，看腹部也无用啊。"

"发作时见你面色发青，我便猜想它是否会浮现些什么。但凡这种咒术，必会在发作时露出端倪。"苍霁说着松开手，稍退一步，神态严穆。

净霖生到今日，没有对任何人宽衣解带过。他院住偏僻，往日来客稀少，受

了什么伤，都是自己闭眼抹了。现在叫他当着苍霁的面脱衣服，袒出小腹来，简直比修剑道还要难！

净霖不禁往后挪了挪，道："我看得见，自己看……"

苍霁面上情绪寡淡，心里已将九天君踩成团饼。他本是诚心诚意要找出端倪，此刻却让净霖的反应激了出些凶性。

苍霁语气低沉："此刻黑灯瞎火，不凑近瞧也看不出什么东西。我这样担心，没丧尽天良作弄你。"

净霖心有余悸："……我会晕。"

苍霁俯身撑臂，说："我自有分寸。"

净霖说："我不信，你先前也这样说。"

"我混账。"苍霁轻轻点了点胸口，"若我等会儿还吓唬你，你便只管照这里踹。"

净霖沉默片刻，说："只脱衣。"

苍霁看他手指渐松，说："如觉得无力，交给我也行。"

净霖无端紧张，在苍霁注视下解扣，指尖沾了汗。

"不脱这里。"苍霁说，"掀了衫露个腰便看见。小祖宗，赶紧。"

净霖闭眸静了静神，抬指撩开衫摆，里衣工整，他几下卷起来，露出腰腹。苍霁目不苟视，倏而探出手，握了净霖的脚踝，将人拉平，整个腰腹都呈在了面前。

净霖睁大眼，盯着黑黢黢的屋顶，呼吸微促。他觉得腰腹间有些凉，但又有些热，用了许久才想明白，热的是苍霁呼出的气。净霖没由来地抬起一臂，横挡在面上。

苍霁见那窄腰两侧削着线条，不多一分赘肉。雪白的里衣卷得凌乱，还掉了一截挡在前边，堪堪遮住了白净的小眼。瓷似的滑腻，没怎么见过光，肌肉却清晰有条理，干干净净地到了腹间。

苍霁耳边听着声儿，顿了一下才反应过来，净霖低声念着经呢！

"这会儿秃头可保不了你，与其念经，不如多叫几声哥哥。"苍霁倾下身，推高衣。

净霖咬着声，悄说："见着了吗？"

"嗯……"苍霁剑眉紧锁，盯着那腹间已消了大半的纹路，说，"勉强算见着了。奇怪，我竟也不识得这什么咒术，倒与寻常蛊惑人心的那些不一样。"

净霖从臂间露出眼，他说："什么样？"

"难窥全貌。"苍霁说，"颜色偏暗。见过龙么？跟他鳞片一个色。"

"鲤鱼的颜色？"

苍霁拍了把他腰侧："龙！"

那腰间可怜见的，被这么拍了一下，竟余出点红色。

"没见过啊！"

"来日就见了！"

净霖郁闷地皱眉："什么形？"

"龙能什么形？"

"我说咒术！"净霖突然挣扎着撑起半身，面上白里透红，他说，"东边有画诡术，就是在身上留下纹路，发作即现。"

"果然延到了腰后，"苍霁不理他，将衣服推上去，露出了净霖大半个背。

那纹路诡异，往上绕着净霖后心的部位，夸张可怖，似如荆棘。但苍霁记得清楚，上回他将净霖翻过来的时候，背上只有余下的伤痕。

果然是要净霖断情绝欲时才会出现么？

苍霁仍觉得不太对劲，莫非不是九天君下的手？那便是他们都猜错了，可除了九天君，谁还要这样对待净霖？而且这东西到底禁的是什么，整理思索根本行不通的。

"不许乱动。"苍霁说，"往哪儿爬？乌龟才爬！"

"背上有什么？"净霖问道。

"不告诉你。"

净霖说："不成！"

"不成？怎么个不成！"苍霁说，"纹路往下都爬去屁股上了，要不了几天，扒开看净霖就是一团黑球了！"

净霖又捂耳朵，说："诓人，它去臀部干什么？它锁的不是那儿。"

苍霁说："锁情锁欲，可不该是那儿吗？"

净霖红着眼转过头。

苍霁撑着臂垂着首，和他对视老久，说："叫几声哥哥，我教你点好玩儿的。日后出门也好不叫人骗，别整日就听那个黎嵘跟你胡诌，他懂个屁。"

"我不学。"净霖觉得他又要"浪荡"了，不禁埋起头，只露着后脑勺给他。

苍霁说："快叫，这可是百年不遇的机会。"

净霖声抖："你适才不是这么讲的。"

"我没吓唬你，"苍霁说，"说话算话。"

净霖闷着说："你要讲什么？不能是混账话。"

"保准儿不混账。"苍霁在他侧边压低声音，"教你明白点事情，让你喊几声哥哥当束脩，也不可以吗？你我困在这里边已经一天一夜了，净霖，要是出不去，你这辈子便都不懂了。"

"若不是混账话，门里自有书读。"

"你回去搜搜你那干兄弟的院，他们铁定有书。若是没有，那我就喊你哥哥。"

净霖露出眼睛盯着他，苍霁垂着眸道貌岸然。

"……哥，"净霖被噎了一下，"哥哥。"

"一声？"

"哥哥！"

苍霁很受用，暂时忍了九天君什么阿物儿搞的这东西。

088章 璞玉

净霖余下的那点礼数教条都"啪"地土崩瓦解，他疑心自己生了病，竟有些记不得过去学的东西。他埋头不成，反倒磕着了脑门，撞得眼冒金星。

114

"别说了。"净霖使劲晃着头,"我不要听!"

"做先生呢,讲究的就是耐性,"苍霁懒洋洋地说,"我讲得不差吧?说得清楚明白。想再听详细点,就多叫两声哥哥。"

"我不要!"净霖竟然有些发颤,他觉得背上压的不是大哥,而是个彻头彻尾的坏胚种浪荡子!

"不想听也得叫。"

"你混账!"净霖声音发哑。

"知道得晚了!"苍霁撑身观察着他背上的纹路。

净霖双手揪着被褥,挣扎道:"曹仓!你我不能做兄弟了!"

"好啊。"苍霁见那纹路不动,净霖被念得面红耳赤,却没再如先前那样发作。他不禁皱起眉,搞不清这咒术到底要锁什么。

真的是他猜错么?

净霖脊背随着呼吸起伏,逐渐蜷起腿,不肯让苍霁压着。

"我确实是大混账。"苍霁声音一顿,接着道,"你就是小混账。"

"我不要……"净霖眉间的清冷都被揉碎了,冰雪化成湿漉漉的生涩和笨拙,对着苍霁又无助又茫然。

寡欲两个字刻在他骨子里,他藏在石头里的稚嫩被剖开,呈在苍霁眼睛底下,像是块未经雕琢的璞玉。

这是世间仅此一个人见过的临松君。

苍霁他缓了缓,说,"这是人之常情,你兄弟也会,就是九天君也逃不出。往日没人说给你,因为他们都不行,他们皆是坏蛋。"

净霖像只不知所措的小野兽。

净霖鬓边渗汗,他的发蹭得凌乱,蹬起的脚也掉了只鞋。

苍霁盯着他,听他喘息渐平,白皙的脸枕在乌发上,望着自己,巴巴的有点可怜。

苍霁深深呼出气,说:"出去了,跟我回家行不行?做兄弟。"

净霖不作答,苍霁也不追问。他们依在这天地寂寥处,靠在这荒废死镇中,苍霁渐渐合了眼,似是睡着。

净霖望着顶，觉得自己丢了什么东西。

血海阴晦，一夜过后，邪气大增，遮得人眼难辨天地。邪魔逐渐游荡而来，声响闹在远处，吵得人不得安眠。

苍霁用脚拨开浮板，说："等他一夜，果真没错。"

净霖凝目而看，河面上的尸身皆消融殆尽，一具都不剩。不仅是河道，镇中的尸体也都一夜间消失了。

"被'他'吃掉了。"净霖握紧剑，"邪魔留下尸体，是为了喂给他。"

"他从前进度缓慢，血海潮覆全凭地势，如今却这样着急地四处吞食，多半是到了渡境期，急需血肉。"

"我觉得他行事有章法。"净霖说着退几步，用剑鞘在黄沙中给苍霁画出图，"他那日先袭槐树城，切断了烽火台，接着赶在消息传递前，涌到七星镇，将两地包夹入怀，吃了个彻底。若非我临时起意去槐树城，南边便始终被堵塞了消息，互不相通，那么玄阳城也危在旦夕。"

"这般推算，他兴许从前不能掌握自己的动向，无法自如操控'血海'这具身体。"苍霁看着沙上画，说，"他只有两个去处，隐在人群中，藏在血海里。东边已经粮食告急，数万百姓停留在凤凰的庇护下，是极易攻击之处，他却偏偏要绕到南方来，要啃九天门设防的硬骨头。为何呢？因为他要渡境，修道者远比普通人对他有吸引。"

"他对九天门的布设这样清楚。"净霖面色深沉，"他隐在人群中。"

"他在人群中，若是混在凡人里，便离九天门很远，许多边线调配都无法知晓，所以他只能藏在九天门。"苍霁长指摩挲着黄沙，说，"他兴许就在你身边。"

这个猜测简直让人不寒而栗。

净霖说："血海邪气滔天，他若在九天门，如何瞒得过千万人的眼睛？"

"连你也会中咒，他能藏起来便不稀奇。"苍霁拍掉沙，"我原先认为他们给你的丹药有问题，是锁情的原因，但又心觉不是，因为你们兄弟众人皆食用此药，随手挑的东西，没道理只有你会发作，而且那药药劲霸道，反倒易让人察觉。而后又猜测是什么人给你下了咒术，但这咒太奇怪了，便又让人摸不清它到底是什么用途。但足以肯定的是，你身边坏人群聚，都不是好东西。"

净霖看他，苍霁说："就我最疼你，还不跟我走？"

净霖说："你惯会诓我。"

苍霁说，"这沙子里掺着血，昨晚有邪魔来过这儿。"

"你我气息未隐，有邪魔经过此地，竟然悄无声息。"净霖和苍霁四目相对，他说，"除非它有意绕开你我。"

"这便有意思了。"苍霁说，"贪相放不下，凶相性嗜杀，血海又正逢渡境关头急需修道血肉，却无声无息地绕开了。难道邪魔也这般体贴，知道不能叨扰我言传身教。"

"它认得你我。"净霖沉吟着，"它知道我是谁，也知道你是谁，"

苍霁心道连你都不知道我是谁，它怎么……不对。

苍霁逐渐摸出线来，他略眯了眼，指腹搓着星点沙砾，想起了玄阳城那一夜。他与净霖一入城便去察看殊冉的封印，当时丹砂清晰，分明牢不可摧，可当夜便生了异象，不仅血海紧随而来，就连殊冉也无故逃出。封印如何破的？偏偏就卡在净霖渡境的紧要关头。血海聚成他不曾见过的样子，将他一步步引到了深处，除了知道他是苍龙有此殊能，否则又怎敢这样做？它们引开他，血海再覆玄阳城，正陷灵海的净霖便插翅难逃。

血海的目的，一直都是净霖！

"他对你穷追不舍，百般卖弄。"苍霁冷笑，"我一路紧随没敢松人，便是防着这等不知天高地厚的东西。"

净霖却对他竖起食指。

苍霁不虞，捉住他的手指捏在掌心，说："我骂他怎么着？"

净霖稍侧首，目光在空荡的沙镇间转了一圈，说："他既然是血海，我们便在他身体里，一举一动，一言一行……"

苍霁顿时冷声："我早想到他是个下流胚种，撑了一宿的界。他也配听老子说话？叫声爷爷也没戏！"

他音方落，便听两人背后的屋里，传来"砰砰"的撞击声，什么人撞在木板

上，从沙里抬出一只骨瘦如柴的手臂。

女孩儿细声幽咽："……救命。"

咽泉剑鞘登时落地，沙风一涌，那声音、那手臂又都刹那消失了。

周围骤然陷入死寂，连风也止了。

089章 霜天

剑穗静垂在净霖的指侧，两人在原地待了一会儿，镇子宛如定住了，连脚底下的沙子也不再磨动。转瞬即逝的呼救像是臆想，空中的潮湿加重，苍霁的袍角都微微皱起。

净霖轻轻提起剑鞘，下一刻反手掷出。只见咽泉破板钉在一壁，被砸中的血雾嘤咛化烟，伏地现出一团肉影，梳着总角孩童被咽泉震得滚身嘶喊。

"哥哥饶我！"他瘦骨嶙峋，咽泉剑鞘砸入他胸口一寸，他便如同被挑了心，受着烈火煎熬似的哭喊。

咽泉倒飞回净霖掌间，他几步踏近，那孩童便爬身就跑。血雾大盛，迷了眼，周遭皆是鬼魅暗影。

"不是邪魔。"苍霁鼻尖微动，"是个游魂。"

"入海身已灭，修道者的神魄尚不能存，怎么还有小孩子的魂魄。"净霖掌间翻剑，看剑鞘尖端残余着黑雾，"怨气冲天，死于非命。"

"是了。"苍霁说，"他便是我们在奔城中见得的那一种。他必定知道些什么，追上他，休要让他跑了！"

两个人凌步跃起，直追孩童而去。那小鬼赤脚狂奔，在大雾间跌跌撞撞，似是也不识得路，全凭感觉逃窜。

鬼面骤然"哈"在面前，净霖目光不转，凛冽剑光破面而过，他身影已跃至小鬼背后。贪相猛地横扑而出，蓄意阻拦，却让苍霁照面一脚，踹得灰飞烟灭。

"且慢。"净霖掌间夹符，青光轻拍在小鬼背后。

小鬼霎时定身，面露挣扎之色，却拔腿不能。他畏惧净霖的剑气，转动着眼睛，齿间发出"呵"的唬人声。

"你从奔城中跟来的么？"苍霁落地绕到小鬼面前，掂量着语气，软些不好，硬些也不妙，便恰似温和地问道。

谁知这小鬼见着他，浑身战栗，怕得哽咽哭泣，嘴里只喊道："妖大爷法力无边，不要吃我！我不过死人一个，还待寻个出路，去投胎转世！"

"你也认得他是妖怪？"净霖也转到他身前，"他隐藏得这般好，寻常修道之人都难以察觉。"

就连净霖自己，也不过是入了血海这一遭才窥到了端倪。

小鬼面上已经涕泗横流，他比一同的孩子们要大些，又常年在市井上混，不仅口齿伶俐，还异常机灵。

"不敢瞒哥哥！容我慢慢说，且不要杀我！我本家在槐树城，数日前的一个夜晚，我死得莫名，又逢血海覆城，故而耽搁了去黄泉的时辰，只能困在城中等着魂飞魄散！恰逢当时驻城守备奔出报信，他背着把很是了得的弓，能容我栖身其上，我便覆着弓被他带到了七星镇！谁曾想他个奶奶腿！七星镇也叫血海被包了，守备瞎了双眼，眼见不成了，你们便来了！我怕得很，处处都是满身眼儿的邪魔，那味臭得像是蜷在腌臜鬼的裤裆里，我受不得，便要继续逃。正好哥哥你差遣守备前去西途，我就又随着他走，途中飞沙走石邪魔肆虐，好不容易到了西边地界，却又遇着几只有能耐的大妖怪拦路。"小鬼说到此处，吸了吸鼻涕，眼珠子转向苍霁，"妖怪本欲吃了守备，又喊着守备身上有龙……"

苍霁正看着他，眸中幽深。

小鬼语声一结，磕磕绊绊地说："……有、有大妖怪的庇护……我便猜得是这位大爷……"

"晖桉离城时你曾拍过他一掌。"净霖细思那夜，转眸看向苍霁，"原来是为他开道。"

"举手之劳，不必挂怀。"苍霁见这小鬼很懂眼色，放下心来。他的身份对净霖此刻而言绝无帮助，反而易惹来门中猜忌，所以迟迟不肯讲明白。

"你到了西途，为何不去投胎。"净霖问道。

"黄泉不要!"小鬼说到此处,悲从中来,哭得断续,"那鬼差说什么人命谱上干干净净,没有我这号人!又道黄泉如今也无人主持,早就塌了一半,没工夫仔细考究,便将我原丢回西途城中自生自灭。"

"那你怎的跟上了我们?"苍霁打量他,"见你身无长物,竟能瞒得过我们的眼睛。"

"我见你们在奔城中搜寻尸体。"小鬼鼓着鼻涕泡,说,"我本想找个野鬼做伴,可随着你们走了一圈,却一个都找不见。哥哥你身携纯灵之气,跟着你我方能聚而不散。"

净霖问:"你先前藏在哪里?"

小鬼说:"我贴在你鞋底上,不敢造次。昨夜你们入了小舍,我无端被隔在外边,又惊又怕,专程守在这破屋里守了一宿。"

这便是苍霁的功劳了,他疑心"血海"会偷听偷看,不欲将净霖露给别人瞧,便撑了灵界放了个严实。

"既然昨夜你在外边,可曾见过什么?"苍霁回首,见血雾已形如垂帷。

"什么也不敢瞧,怕遇着不干净的东西,或叫邪魔给吃了。"小鬼苦着相,"我不是有意要缠着哥哥!只是我死得不明不白,如不能弄明白,就要变成怨气厉鬼了!"

"现下各处告急,黄泉也难逃魔爪。但是人命谱至关重要,有生则有死,不该凭空消失命迹。"净霖收了灵符,照小鬼后心掸去怨晦之气,使得小鬼身上一轻,面色也恢复了些人样。

"不仅肉身喂海,魂魄也不见踪迹,能做得这样干净,寻常人是办不到的。"苍霁缓踱几步,"不要孩子的身,唯独拿走了血,妖怪也没有这样的怪癖,倒像是邪魔外道的祭品。"

净霖问小鬼:"你是如何被人暗害的?"

小鬼依在净霖身侧,说:"回哥哥话,我是夜里与人玩儿,听得城中老庙有人施粥施布,为什么富贵人家挑选仆从。我家穷无双亲,全靠跟着大赖子撒泼要账得几口饭吃,听闻此事很高兴,便随着去了。"

他说到此时忽然面露痛苦,变得吞吐迟疑。

"我们入了庙,里边专备了房……房里暗得很,乌压压的都是小子姑娘……我还寻人问怎的不点灯。待了会儿便将我们排了排，清点了人数……好多人啊……都是素日街头要饭耍杂的……"

小鬼说着卡着自己的喉咙，吐了吐舌。

"给了我们饭吃，庙后边是空院……味道臭，像血海里的邪魔……点着人头唤我们进屋。我……我约是进去了……后来、后来便挤在旮旯角里……"

他面容随着语音渐变，突地狰狞可怖，自握着喉咙，哀声喊。

他喉中发出"咕咕"的呜咽声。

"……我见着……一把折扇……带着……香味……"

苍霁捉着小鬼后领，将他提离地面。小鬼已经翻起了白眼，拼命拽着喉咙。

苍霁说："我在此处，你怕什么？"

音落脚下沙石震荡，一股热气从上而下地浇在小鬼身上，烫得他浑身一颤，脑海中的百般恶景一瞬变得飞快，魂魄像是寻着什么依靠，畏惧退却，他晃着双腿，从怨气中陡然清醒。

"一把折扇。"苍霁稳声问，"带着什么香？"

小鬼瑟瑟发抖："祀佛、佛的那种……"

"檀香。"净霖心中立刻现出一人。

不待净霖细想，一直浓若浪涛的血雾刹那变幻，镇中飞沙扑刮鞋面，幽声从四面包夹而来。他冷眸一侧，见血浪之中猛地撞出一兽，却是通身流疮已沦血海的殊冉！

殊冉双目赤红，背上连生数眼，贪相绕他而生，依他为体。他已然分辨不清净霖是谁，前腿压塌屋舍，后足还陷在河泥，随着拔出带起恶臭尸骨。他张口流涎，齿间垢痕斑斑，冲着苍霁两人啸声而来。

净霖抬腿撩起咽泉，劲风一扫，掀得殊冉仰身哀嚎。殊冉一仰身，胸口密密麻麻的血眼便一齐眨动，邪魔尖声刺耳。净霖已旋身拔剑，咽泉雪芒吟啸，然而苍霁却比净霖更快，咽泉剑锋未到，殊冉已被击撞凌飞，重摔进河泥之中，惊起腥臭巨浪！

"留他有用。"

苍霁反手摁在净霖剑柄，剑刃随之归鞘，他已凌步飞上，不待殊冉爬身，

照顶一拳砸得巨兽凹陷泥水。

泥花尸骸一并飞溅，苍霁砸得邪魔挤身挣扎，要从那血眼之中爬出。后方净霖青芒一甩，腾空灵符倏地化作无数光线，将殊冉捆身放倒。接着上方血浪张出血盆大口，化作凤凰巨影要吞掉苍霁，却见苍霁足下一定，拖着殊冉巨身一抡而起，将巨影撞成满天血雨。

苍霁从腥臭的雨中拖出殊冉，净霖目光紧随血浪而去。

"他受惊回巢，门必在相反之处。"

净霖乾坤袖纳小鬼魂，在苍霁跃身而来时翻脚踹在殊冉后侧，狂风猛烈地扯开蔽天阴晦，天光陡现于几里之外。苍霁话不多说，一臂揽了净霖腰身，凌空破雾而出！

鼻息间终于变得清冽寒爽，外边霜覆数里，苍霁扔出殊冉，与净霖滚身落水，摔进秋水凉池中。净霖本欲踏空稳身，怎料被苍霁拽了个倾倒，一齐撞破碧波，陡然浑身湿透。

水间衣衫漂浮，净霖发掩鬓边。不消片刻，便被苍霁推抱着破水而出。

苍霁还站在水中，仰头抵着他，笑道："这个法子怎么样？咒术也锁不了我下水救人。"

净霖湿发贴颊，眺望血雾已隐于苍茫之中。

说什么血海诡异邪乎，难以出来，分明是被苍霁牵着转了几圈，在里边住了一宿！

净霖胸口浮动，他说："你无赖！轻易便能出来的……"

"地方邪乎，绕不出去是真的。"苍霁涉水上岸。

净霖闻言冷笑。

苍霁唬道："再冷笑就扔出去了！"

净霖说："咬死你！"

"谁咬死谁。"苍霁颠了颠他，"我一口能吞八个你。"

净霖趴在苍霁耳边，大声地"呸"了一下。呸得苍霁莫名大笑，扛着人一阵疯跑，绕到殊冉身边，踢了踢兽。

"这小子死期没到，他有功德要做，给我怎么样？偷偷地，别跟你老爹兄弟们说。"

090章 梦魇

净霖说:"邪魔未除尽,他尚不能醒。你此刻要他是为了什么?"

"最后一句方为要紧事,怎么不挑着问。"苍霁蹲身,端详着殊冉的血眼,"玄阳城的血海已退,一晚上的工夫,他就变成了这副模样。我寻思他破封古怪,想再问他几句话。"

"你疑心他也是棋子。"净霖说道。

"也这个字用得好。"苍霁说,"想必你心中还有人。"

"我听小鬼阐述割喉一事,只想到了一个人。"净霖指间一晃,化出把折扇,他挥扇掸去殊冉伤口间的贪相污秽,说,"天地间用扇的人太少了。"

"太过明白的特征,反倒让人模棱两可。"苍霁向净霖摊开手掌。

净霖看他掌心还留着鲤鱼纹,不禁一愣,问:"嗯?"

苍霁晃了晃手指,说:"哥哥我没你神通,不能凭空化物。给把匕首,我替殊冉剖伤剔魔。"

净霖负手,说:"只怕不是不能,而是不想。化物易露形,我若见了你的本相,便知道你是什么妖怪。"

"睡了一宿,怎的变聪明了?"苍霁冲他龇牙,"我本相是中渡第一凶悍之物,不到洞房花烛夜,必不会现。"

净霖奇怪:"为什么要到洞房花烛夜?"

苍霁说:"提前露了形,吓跑了人怎么办。待入了洞房,就是叫天天不应叫地地不灵了。"

"东君既为邪魔,自该避嫌。这等折损寿命的事情,谁都要怀疑他。"苍霁匕首陷进殊冉伤口,沿着边缘剖开一口,污血夹着黑雾登时冒涌,他口吹一气,黑雾立刻消融不见。他说,"要么是九天门中有人祸水东引,要么是九天门外有人蓄意诬陷。你作何感想?"

净霖说："父亲已坐拥龙头之势，号令天下除苍龙之外无敢不从。这个关头，蓄意诬陷也难成气候，只有本门门内有人在祸水东引。"

"血海也在九天门，如今又出了割喉一事。"苍霁对殊冉的痛声哀鸣充耳不闻，只说，"九天门眼下可谓是危急存亡之秋。"

"九天门……"净霖微顿。

"暗箭难防，一旦处理不好，便是内外交困，腹背受敌。"苍霁脚踩住殊冉想要翻滚的身体，刀口剖得不带留情，说，"与我回家方为上策。他们要做窝里斗，便由着他们做，你持剑北上，又有名声在外，筹集人手坐守一城未尝不可。待有人在手，就去叫板苍龙，与他合谋除魔，好过留在家中备受牵制。"

"我无差职，自守一城便是脱离九天门。"净霖说，"况且我为剑，百锻所造，锋芒难收，离苍龙太近，只怕会耽误他除魔大计。"

这话讲得含蓄，实则就是在说他已为九天门的剑，斩妖除魔尚且不算，重头戏一直未上。苍龙在北威迫九天门，九天君忍而不发，就等着净霖剑道渡境，跨入臻境与苍龙有一战之资。他与苍帝情势所逼，靠得太近绝无益处，况且净霖对苍帝的除魔计策深表赞同，门中却迟迟无人响应，只怕就等着他参与其中，好顺理成章地搅了苍帝的计策。

"你为苍帝这样着想，他也不知晓。"苍霁掌间匕首翻花，他甩掉血珠，说，"你受九天君养育之恩，必不会轻易离开，也断然不会坐视不理。可是净霖，如今血海隐藏于九天门中，你们兄弟食用的丹药皆为夺命之物，你又身中咒术，下边还有孩童割喉一事瞒而不报，九天君难道就没察觉？他若已有所察，又为何一言不发？门中谁都可疑，但在我看来，最可疑的是他自己。如有一日。"

苍霁没看净霖，擦了匕首。

"如有一日，血海就是九天君，你该怎么办？"

"……此言不可信。"净霖握紧剑，"父亲如为血海，这些年的布设便是在为难自己。且不论我如何，单是黎嵘、云生，以及澜海都会是他心腹大患。我们同出一门，虽有小隙，却共读正道，必不会为邪魔奔波。"

苍霁侧头，说："我这些年眼看九天门高楼渐起，却始终摸不清九天君的用意。他到底想要抗魔救人，还是想要问鼎八方？净霖，你扪心自问，他如今的决策命令，是不是越来越含糊不清。"

"血海一倾，中渡便覆。黄泉也分崩离析，鬼魅人妖混杂一处，天地之间章法不存。父亲既想救人，也想划分三界主持大义。"净霖说，"若非如此，待混沌除尽，天地该如何划分？"

"上设一界，封天下修道大能神明之称。中监中渡，驱散妖凡人安生栖息。下修黄泉，重引忘川筑迷津。如此一来，所谓的三界不过是九天门一界指掌，从上到下唯九天门中弟子听命。从此九天君不是九天君，而是三界共主。"苍霁目光如炬，"他倒是没称帝，却成了天地君父。此景你可敢想？这等野心之下，血海之难不过是踏脚石罢了。到时候苍龙凤凰皆沦他门派之下，待局势一定，谁也无力回天。等他神笔一勾，著书成传，今天为血海葬身的万千性命，便皆成了他一人功德。"

净霖猛进一步，险些撞在苍霁胸口。他面色青白，问："你从何处知晓的？"

"你知道黎嵘往北面见苍帝时提的什么吗？"苍霁不躲不闪，沉声说，"他提的就是共分三界之谈——此话谁信？如今血海紧逼，九天门却不疾不徐。东南两境死伤无数，九天君却仍然能坐视不理，只要逼着苍帝拜在他麾下便能万事大吉。"

"我不信。"净霖极快地说，"黎嵘往北，父亲躬亲垂训，我听得明明白白……"

"你也去过东边。"苍霁垂看他，"东边还有九天门多少人？颐宁都被调离了，余下的人还有谁能守得住？"

"凤凰连夜东行。"净霖强撑，"参离树随之根延，为的就是东边固土守地。"

"凤凰是九天门的人吗？"苍霁反逼一步，抵住净霖，"剩下的还有谁，你回答我。"

净霖眼中震色，他岂敢深想？苍霁捉住他握剑的手腕，重拉向自己。

"你回答我。"苍霁握得狠，"你清楚明白，何不说出来？"

净霖呼吸微促，他咬牙："还有九天门的弟子……和数万百姓。"

"这数万条性命递到了血海嘴边。"苍霁步步紧逼,"你父亲什么打算?"

净霖说:"我自可赶往东边!"

"你去了东边,南边的问题就能迎刃而解吗?"苍霁握住他冰凉的手,"临松君不过一剑一身,你能撑多久?"

净霖齿冷,眼前的苍霁何其陌生。苍霁搓着他颊面,对他说:"你不会与我走,你必还会回去。我不知是谁在你身上下了咒,许是你父亲,许是你兄弟,但一定是你极其熟悉之人。他们拴着你,净霖,他们害怕你。"

净霖喘息凝滞,他说:"我知道门中疑我,我知道兄弟防备我,我知道……但我不知谁能这样丧尽天良!"

"我是谁。"苍霁忽地问他。

净霖已面色苍白,他用力摇着头。苍霁又问一次,"我是谁?"

"曹、曹仓……"净霖齿间压抑,"这名字是假的,我不知道你是谁!"

"不对。"苍霁盯着他,"我是谁?"

净霖忽然挣扎起来,苍霁紧紧箍着他,他脑中混乱,从九天门到苍霁,无一不是假的,各个都像是蒙着一层皮囊的鬼魅。苍霁越握越紧,紧到净霖发疼。

"我不知道!"净霖哑声喊道。

苍霁不放开他,净霖呼吸愈渐紧张,他踹也踹不开,被苍霁摁在怀中,埋头在苍霁胸口激烈喘息。

"我是谁?"

净霖几欲陷在他臂弯中,闻声突然被掐起下巴,迎着苍霁的目光,他喉间哽咽一声,说:"哥、哥哥!"

"只有我可以相信。"苍霁说,"出来了四处都是恶鬼,只有我可以相信,你记住了吗?"

净霖唇泛白,他欲要摇头,却被苍霁捏得紧。

"除了我之外,谁的话都不要信。"苍霁梦魇一般地在他耳边低语,"你父亲、你兄弟,黎嵘,云生,澜海,颐宁,东君!他们都会对你说假话,我不会。"

净霖寒冷一般地颤抖，苍霁侵占着他的脆弱，一遍遍重复。

"你会……"净霖闭眸，"你们都会！"

"我不会。"苍霁说，"我不会。"

净霖感觉到一阵砭骨的冷。他四周的牵连似乎正在逐渐被割开，绷断后的每张脸都是陌生的。苍霁握着他，以一种刻骨铭心的冷将他与别人扯开，只能牵着苍霁的手，只能与苍霁并肩。他仿佛被推出了九天门的笼，却又在另一个看不见的笼子里。这笼子里没人别人，只有苍霁。

这是妖怪的贪婪，也是妖怪的狡诈。

"深秋风重，添衣加餐。半月后我在九天门的鸣金台寻你，净霖。"苍霁面容渐化，眉间的邪气越渐深刻。

音落，强风猛袭，净霖劈手一搠，却只能摸过苍霁一截指尖，听得大笑声，人已消失不见，殊冉也消失无影。

净霖如梦方醒，猛跨一步，嘶声恨道："你这……"

霜雾散开，空空如也。唯有耳上热气犹存，净霖心下无端一空，他抬臂划开强风，听马蹄声疾奔，一人已出现在天际。破狰枪划在长风中，黎嵘已勒马眼前。

"我得知殊冉封印已破，便知你渡境了。赶去玄阳城却不见人影，若非适才剑意暴露，只怕还在绕圈子找你。"黎嵘披星戴月赶赴而来，肩上还盛着露水，他说，"这半月去了何处？竟没有一点消息！"

"半月？"净霖神色一冷，"我在血海之中耽搁了这般久！"

"你入了血海？！"黎嵘错愕，"何其鲁莽！可有受伤？"

净霖捂腹，说："……不曾。"

"渡境危险，昏迷时长，你可是遇着什么高人了？"黎嵘问道。

"天机难测，命数而已，没有别人。"净霖抬眸，"东边仍然没有援兵吗？这半月如何，凤凰可还撑得住？我在玄阳城留下天谴符咒，血海必然翻不过去，但是一线数城，别的地方可还好？"

黎嵘面露悲恸，说："先不提这些……"

"何事？"净霖定神。

黎嵘看着净霖,逐渐红了眼眶,他低声说。

"澜海去了。"

净霖指尖一抖,心里某一处石头哐当砸下来,砸塌了曾经长年累月的依赖。他耳边轰鸣,喉间干涩,刹那之间,竟一个字也吐不出来。

091章 欲来

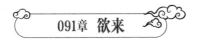

寒霜铺地,秋风落叶。九天门坐拥群山万壑,隐于氤雾袅绕间。身着白袍者齐身而立,回荡的钟声余韵萧索。秋雨正瓢泼,雨中却无人撑伞。

黎嵘疾策赶回,与净霖同时滚身下马。两人快步上阶,穿过一众白袍,跨入院内,却见枯叶袭袍,堂中陈列着的棺材已无影无踪。

"人呢?"黎嵘沉声喝问。

里侧的云生掀帘而出,见了他两人,立刻说:"怎的才回来,晚了!聚灵之身不宜久置,父亲已经下令入葬,前夜便绕了梵文金链,沉进了八角玄墓!"

净霖上前说:"门中正气凛然,多放几日也不会生出邪祟,何故这样仓促。"

"澜海身染恶疾,门中已有多人突发病症,再留着,只怕就要生变了。"云生面容憔悴,已经多日不曾休息。他接过一侧弟子递来的茶水,却不喝,说,"清遥也病了,发热不退,所有丹药一概不管用,父亲与东君已经在她榻前守了数日。"

"清遥也病了?"黎嵘大骇,"还有谁?"

"收于门内的凡人弟子病了大半。"云生这才喝着茶水润嗓,咽下去后立即道,"全部都在发热,院中的大夫也瞧不出究竟。眼下束手无策,可怜父亲才白发人送黑发人,又要为这病忙得焦头烂额。我看着不像是普通风寒,像瘟疫。"

"我们是天地纳灵之处,在这里暴发瘟疫不亚于血海危机。"黎嵘失声,

"断然不能任由它发作起来！"

"此事迫在眉睫，非常之时必行非常手段。"云生看向净霖，"我知你心里难过，兄弟一场，谁能不难过。只是当务之急在于瘟疫，父亲那边已经连日未曾合眼，你好歹去劝一劝。"

"家中药师也无能为力，恐怕不是普通瘟疫。"净霖说道。

"岂止是药师。"云生苦笑，"就连父亲也无计可施。这病何时潜入门中的我们都不知晓，如今来势凶猛，不得不让人怀疑。"

云生说着出门引路，带着他两人冒雨往九天君的院子里去。沿途净霖侧目，见许多人正移往东山。

"这是做什么？"

"那是已出现症状的人。"云生说，"门中还有凡人，不能叫他们混杂一处，否则后果不堪设想。"

净霖见大雨帘布中埋头而行的皆为成人，他问："与清遥一道上课的孩童在哪里？"

云生回头看他，说："稚儿脆弱，父亲自有安排。"

"自有安排是什么安排。"净霖眸子倏地冷凝，"在哪里？"

"你亲自问父亲不就知道了？"云生说罢在廊下站定，先抬手阻了弟子的通报，而是对净霖说，"我给你透个气。澜海临终前苦撑许久，当时药已灌不进去，他什么话也没留，却在每个人掌心里写了你的名字。他是在等你。这本无大过，只是眼下瘟疫将起，你便需要给家里一个交代。"

"交代？"黎嵘挺身，"他久不在家，他要给什么交代？"

"正因为久不在家！"云生低声急切，"他久不归家，这半月去了哪里？音信全无！澜海谁的名字都不写，唯独写了他的，他此刻一回来便起了瘟疫，落在别人嘴里，可不该要个交代？然而你看看他，神色之间毫无悲痛，这个关头仍然在咄咄逼人，一会儿到了父亲面前，连点样子也不做吗？"

净霖与云生擦肩而过，人已入了室内。云生气得跌足，又待他没奈何，只得与黎嵘赶忙跟上，一齐跪了下去。

九天君倦色颇重，自窗边回首，说："在廊下吵什么？眼下正是要你们兄弟几人齐心协力的时候，还要再起纷争不成！"他说着声音略显哽咽，顿了半晌，

才恢复些许,说,"澜海才走,你们便要继续这样糟蹋为父的用心。"

兄弟三人俯首,云生说:"儿子知错,往后定当严于律己,不再与兄弟置气。父亲劳累多日,万不要因此再难过。"

九天君似是平复些,却不理会云生,而是望向净霖,说:"算着你也该回来了。"

那头立了许久的陶致说:"九哥去哪儿了?我们找也找不到呢!"

"净霖临行前便将渡臻境,此劫不比其他,至关重要,自然要寻个僻静处。"黎嵘说道。

"我心觉奇怪。"陶致负手,"九哥既不喜欢食用丹药,也不愿意同人双修,怎么就精进得这样快?莫非有什么法子,从来没与兄弟们提及过?"

净霖撑膝,说:"有一法。"

"何法?"

净霖漠声:"断情绝欲,专注己道。"

陶致不以为然:"那得先摘了心肝儿才行,不是人人都能如哥哥你一样,天资过人,能够化心为剑嘛。"

"如此。"净霖说,"为兄可以帮你一程。"

陶致目光一动,在净霖的眼中神色几变,笑说:"九哥,渡了臻境就是不同,话说得这样凶。"

"你且住口。"九天君声如洪钟,震得几人耳鸣,"净霖素来脚踏实地,剑道贯心,与旁人不同,又无杂念,修为自然不可与你们一概而论。"

陶致没敢反驳,暂且忍下声。他瞧着净霖,心里却自有一番作践。他那药确定下了,净霖却毫发无损,他原本百思不得其解,直到去了北边方知其中的蹊跷。那苍龙不知犯了什么毛病,差使小妖一连药了他半月!他如今灵海虚浮,不敢在兄弟面前露形,心里只把净霖与苍帝当作一对仇人,恨得咬牙切齿,又愁无发作之机。

"你回来得急,还不曾见过澜海。"九天君对净霖说,"八角玄墓阴气足,你修剑道,雨天不便深入,坏了他的气脉便不妙了。待明日天晴再去,他九泉之下也不会怪罪。清遥念了你多日,正在后边躺着,东君在侧,你去见见她吧。"

九天君绝口不提澜海临终之事，既不责怪净霖，却也没容净霖留下来。东君为何在后不出？因为他不能插手门中太多事务，净霖一直以来奔走在外，归家也是这般。他们兄弟虽看似列为一道，却实则处处不同。备受重用的是黎嵘，他既能带人出山，也能分管内务，有参与策划之权。云生虽不能擅自离山，却是九天君的座下智囊，就连陶致，也有外放职称。

　　唯独净霖是特例，他外出自由，却不曾授过一城守备。他盛名在外，却仅仅是在外而已，否则凭借"临松君净霖"五个字归于家中，岂有连饭食都供不上的道理？

　　九天门内外分明，但皆以九天君马首是瞻。他内部的筹谋之士，外放骁勇之辈，这些身兼大任或是担以盛名的人，全部都是他的儿子。他们唤他一声父亲，君父之称便由此而来。

　　净霖在这顷刻间想起了曹仓说的话，往后血海一除，天地会变成什么样子？他往日从来不曾细想，如今看过去，却觉得鞭辟入里。

　　"我有一事欲问父亲。"净霖脚下不动。

　　九天君临桌"嗯"声。

　　净霖说："我在南边听闻家中开设私塾，挑了许多孩童来。适才在路上，怎一个也未看见。"

　　九天君提笔在桌上写了什么，闻声长"嗯"着，说："小孩子易入邪气，这个关头，怎好使他们再乱跑？拘在一个院里呢，你若惦记，改日去看看。不过。"九天君回眸，"你过去素来不关心这些事，怎么如今也记着了？"

　　"许是开了窍。"陶致说，"或是听人说多了。九哥的心思我们也猜不透，平日里交了什么朋友，大家也尽数不认得。若是有那么一个两个特别的，倒也挺有趣。九哥，若真有，可要给家里引见啊。"

　　净霖不理他，只对九天君行了礼，转身退出去了。落帘时听得陶致抱怨："爹！你瞧他这什么臭脾气？我可是真心实意地想与他修好，次次都热脸贴他冷屁股！让人心凉！你看哥哥才去，他连问都没问……"

　　帘子晃了几晃，净霖已经走了。

净霖入后边洞门时，沿路花都凋谢败尽。往下的弟子们还立在大雨中，这叫送行，是为澜海送最后一段路。净霖侧身在雨中立了半晌，天色渐暗，他方抬步入了后院。

一进院，廊下门窗皆开。东君扇敲木地板，拔空攀出一枝月季，绕着身着绒衣的清遥转了一圈，开出一串雪似的花。

东君盘腿而坐，晃着折扇说："哥哥能变天底下的任何东西！你欲玩儿什么、看什么，便说给我听。"

清遥躺在椅上，脸小得不像话。她其实已经十七八岁了，但是身子不长，智力也不长，永远一副小孩儿样。当下面色还发青，染了层愁苦，对东君小声说："我想要澜哥。"

东君顿了顿，正欲说话，便见净霖立在雨里。他哼一声，说："澜海是变不出来，但你九哥可来了。"

清遥当即撑身，眼巴巴地望过来，哽咽着喊："九哥。"

净霖入了廊下，清遥伏在把手边，拉着他的衣袖，哭得气喘无力："九哥！"

净霖俯身摸她头，她还沉在澜海的事情上，两只眼早已经哭得发肿。净霖摸到她的额，果真烫得惊人。

"何时开始起的热。"净霖蹲身。

东君抱肩："澜海将……加重的时候。"

"药师怎么说？"

"不知道。"东君打开折扇，吹得头发乱飞，他似笑非笑，"这等事情，我岂能知道？如今瘟疫闹得人心惶惶，改日我一觉醒来，说不定还要住进笼子里去一表清白。"

他话尚未完，咽泉骤然擦颊而过，嗡声钉在他鬓边柱子上。廊下突然陷入死寂，两个人谁也没看谁，东君的一缕乌丝随风垂入雨中。檐下垂着一只铜铃，忽地叮当作响。

东君颊边血线下淌，他偏头探出舌尖，依着唇沿舔了。眼中冷了八分，口中哑着血味说："渡了臻境，便以为自己上天下地无所不能？你心里压着火，便能撒在我身上？瞎了你的眼，净霖，忘了我是谁？"

廊下清风乍起，但见白袍翻袂，东君仰身后滑。咽泉旋转入掌，净霖反手归鞘，"噼啪"的交手声中踹直东君的腰身。东君抖扇一晃，竟宛如醉酒一般滑不留手，他"啪"地拍掉净霖一臂，却不防净霖欺身而来，一掌卡着他脖颈猛撞在柱上！

"药师怎么说？"净霖拽着他，眼神锐利，声音起伏，"怎么说！"

雨珠疯狂地敲打着铜铃，错乱的摇动声急切乱心。清遥吓得不敢声张，掩着唇小声哭起来，那廊下游来一缕雪花。净霖凌厉侧眸，见得是只雪魅，衣袖便被东君用力拽住。

"此物知心，不必灭口！"东君推开他，"药师呈了帖给父亲，只有父亲一人看过——澜海不是急病，仅此一言！你疑心谁？如今人已下葬，都算不得数了！"

净霖霎时转身，步入雨中。东君扯着领口，几步追上，说："你要干什么？你想扒坟不成！"

净霖发已湿透，他眸中亮得惊人，逼得东君退后几步。他说："他不能不明不白，我要亲眼看。"

092章 心肝

淙淙大雨疾砸如豆，净霖沿阶直下。八角玄墓位置九天环山下方，是九天门吸纳天地灵气的风水宝地，用以镇压已至聚灵境界的弟子。为防邪祟不仅设立层层把守，还林立数道朱砂铁符。

净霖一足踏入，周遭符火闪烁而亮。他面白如玉，冷似寒铁。前方巍峨铁符不许直入，应声落下一员彪悍大将，对着净霖拱手示意。

"临松君留步！"大将身薄如纸，套着盔甲也似纸片人一般。他原本是黄泉鬼差，因为血海侵入而游离在外，所以被九天门收入麾下以镇墓。他此时面色隐约发青，在幽火与大雨中显得形如厉鬼。他对净霖说，"若无君上铁令，谁也不得入内。"

"我身为君父义子，在门中素有行走之权。"净霖眼前滴落雨水，他说，"让开。"

大将掌中铁链"哗啦"抖开，半分面子也不给，只说："若无君上铁令，临松君也不得擅自入内！"

净霖陡然更进一步，脚底踏风猛起，却遭东君一扇相阻。

"有话好说，自家人何必动气！"东君止住净霖，对大将道，"你既知他是临松君，便必定对他的脾性有所耳闻，该明白他绝不是胡闹之人，也该明白父亲最疼爱的便是他了！今夜他闯墓不对，来日算账也由他一人担了，你卖他个人情，他日有的是机会要回来，何必犯这个冲！"

"我知临松君的为人。"大将说，"然而我身为守备，不见铁令绝不让行！"

"我死了兄弟。"净霖眼眸黑亮，一字一字地说，"我要见他，你也敢拦！"

"君上痛失爱子依然要按规矩办事！况且临松君常年行走在外，不见与谁亲密无间。既已晚了，又何必为难我等无能之人。"大将猛绷起铁链，斥道，"退下！"

群山松浪顿起波涛，大雨夜中掀起惊雷。大将不防被当胸一脚，立即退几步，接着勃然大怒，却跟着见剑鞘直破面门而来。他不敢在净霖面前拿大，铁链腾抽呼去，雨珠倏然被横击飞溅，在空中化作锐利雨针向净霖蜂拥掷去！

咽泉剑鞘翻转扑扫，雨针"砰"地齐撞在上。下一瞬但见剑鞘反挑而起，雨花登时暴在两人中间。大将飞链击破水花，净霖已错身逼上，听得闷哼响起，继而大将身体被重撞在铁符之上。他反掌拍击铁符，喝道："临松君蓄意杀我！"

此声惊破雨夜，铁符幽光大盛，无数鬼影破符而出，千军万马奔腾冲下，对着净霖挥刀操戈。暴雷炸响，闪电破夜，天水滚滚犹如怒龙翻腾，急促又嘈杂地砸在净霖面上心头。

净霖怒火攻心，反手握柄，听着"哗"声大震，咽泉寒湛出鞘。松浪在暴雨中激烈摇晃，整片九天群山都在战栗。他剑划鬼魅，黑影如遭明光驱散，被当中剖开,万千魂魄狞声怨念,撕成碎絮顿时散开。

净霖逼近,大将铁链绕住咽泉,却在拉扯之下纹丝不动。暗影之中的净霖灵海沸腾,大将在这辽阔无边的浩瀚间隐约听得宛如龙啸一般的呼声,下一刻猛然被震飞,背后的铁符"吱呀"大响,顷刻间轰然倒塌。

大将滚地喷血,见后方门户大开,净霖跨了进去。东君折扇插在后领,甩开袍角,从大将背上跳了过去。

净霖疾步穿行,终止于一座新墓之前。雨声愈大,只见石泥分滑,坟墓迅速平陷,露出一方缠绕梵文金链的铜铸大棺。

净霖几步靠近,就要抬出棺材。后方却猛地跃来一人,抬手三道匕首直取净霖命门。净霖回首震袖,见陶致错步后退。

陶致说:"你疯了不成?竟要挖他的墓!人已死了,什么仇怨这般的恨!"

雨空霎时凝滞,黎嵘纵身落下,说:"净霖!"

净霖手掌擒住梵文金链,一把拽起。棺材"砰"声上掀,被拖得哐当作响。

黎嵘回掌拍下,将棺材钉在原地,对净霖喊:"你这是做什么!"

净霖说:"我要见他的尸身。"

黎嵘已动了真怒,他说:"胡闹!"

"你让开。"净霖寒声。

"我是你师兄!"黎嵘一步不退,"怎能眼见你犯错!澜海已经入土为安,棺镇金纹,贸然打开惹起邪祟你担当不起!"

"其中若是邪祟恶物,我剑不留情!"净霖抵近一步,声音微抬,"你让开!"

"你今日发疯,我不会让。你来日再做这样的事情,我也不会让!临松君剑已渡境,无所顾忌,现下要与我打一场才肯听劝不成!"

净霖声染怒火:"我今夜定要见他!"

破狰枪突然砸立在侧,黎嵘稳身如山,他说:"那先请教你的咽泉剑!"

头顶电闪雷鸣,周遭已陷入剑拔弩张的紧张之中。如注的大雨浇在他们肩头发间,所有人都湿透覆寒。陶致向来行为乖张,此刻也在这巨大的压力之下不敢大声喘气,他目光游动在两人之间,竟已经起了息事宁人的心思。

“九、九哥……”

陶致声音才出，东君便当头一扇，挡住他的脸。陶致惴惴不安，却也不敢动。

净霖手指一松，咽泉随着雨珠斜掷在脚边。黎嵘登时心下微松，缓和些语气：“有什么事，先同我……”

谁料净霖拇指抵鞘，咽泉寒光乍亮，怒风暴雷随着长剑狂吼而出。黎嵘提枪猛挡，双颊被磅礴剑气削得几欲破口。

他既怒气冲天又痛心疾首，沉声说：“好！便请临松君赐教！”

陶致身已不稳，若非东君这一扇早有防备，他此刻必定翻飞而出。陶致拽紧东君的衣袖，东君却面迎长风，发飘雨中，姿态闲适。

“你九哥哥心怀怒气，黎嵘竟以为几句话就能打发了。”他眸中深思，说，“可当真不懂净霖。”

泥石滚地，黎嵘翻枪沉砸。他枪重千斤，寻常人连抬都抬不动，砸下来时雨水都被压飞向两侧。净霖衣衫激荡，咽泉正面挡下这惊世一枪，剑锋与枪身交错时拉出“刺啦”的星火。雨水凝长睫，将净霖的脸洗刷得越发不近人情。他撑剑掀腿，黎嵘闷声相迎，在交手之中好似不知疼痛。

破狰枪旋动如扇，激撞得咽泉连声嗡鸣。黎嵘身披黑夜，犹如擎天峻峭，在剑刃飞袭中毫不示弱。他既能稳如泰山，也能击如顽石，在这等震怒之下也没有破绽可寻。修罗道将其心锤炼得坚定不移，一旦认准一路，便会猛扎其中，奋力向前。在专注一事上，黎嵘与净霖可谓是真正的师兄弟！

净霖转剑时手背破口，血花当即溅出。他衫已裂口，剑势凌厉，激得黎嵘也当仁不让。

眼见两人动了真格，陶致脚软，扒着东君说：“哥哥！”

东君颤身一抖，收扇拔腿就要走。

陶致连忙拖抱着东君的手臂，双脚擦着地面喊道：“你不能走！他两人再这么打下去，八角玄墓便毁了，父亲问责下来，我们谁也逃不了！”

“关我什么事？”东君挣着手臂，“我闲人一个，陪着清遥逗乐而已，算账也轮不到我！"

"兄长！"陶致拖着他，"拦下他两人！"

"我拦不住。"东君说，"破扇子一戳就破，你自个儿上。"

"不成！"陶致哪敢，拿出撒泼打滚的架势不叫东君走，说，"我知你修为深不可测，无须多做，折了净霖的腿或手便是了！黎嵘必不会再动。"

"你怎的这般恨他？"东君扇敲下巴，"折了手脚，他可就废了。"

说着那两人的罡风碾地逼来，东君一扇挥出，见那猛烈罡风一瞬扭曲，倒逆回撞而去，撕得他两人同时退后。

"你们俩深夜发什么疯！"云生快步介入，说，"父亲在前，还不跪下！"

九天君不知何时立在了雨中，面上阴云密布。

黎嵘说："兄弟切磋，算不得什么事。怎的连父亲也惊动了！"

"切磋？"九天君笑了一声，在雨中越发寒冽，"壮了你们俩的狗胆，这个关头还要糊弄我！混账东西，此地也是你们撒野的地方？！"

八角玄墓铁符已破，幽火乱飞，四面狼藉。黎嵘提枪跪地，说："……儿子照看不周。"

"你呢！"九天君怒不可遏。

净霖胸口微伏，他手背涨得殷红，在暴雷声中突然反手猛震。众人不防他此刻还敢造次！那铜棺被轰然拖出墓土，接着被净霖一脚跺开棺盖。

"净霖！"

四下怒声哗然。

棺盖翻砸在地，大雨倾灌。净霖的眼从棺中移开，将每个人都扫了一遍。

"澜海在哪里。"他冷漠地问。

雷电划空，荡开黑暗，每个人的脸上都是错愕，因为那棺中空无一物。

九天君忽然胸口锥痛，他面色顿白，跟跄晃了几步，被云生扶住。他死死地盯着棺，齿间挤出字。

"人呢？！"

陶致扑通坐在雨中，他望着兄弟们，不可置信地再擦了把脸上的雨水。黎嵘已经惊身而起，将棺中端详片刻，面上也是愕然。唯独东君敛目不看，负手掂

了掭折扇，一言不发。

净霖立身淋雨，缓闭起眼。

净霖与黎嵘跪在雨中，药师出入九天君的房内，其余兄弟皆立廊下。九天君不唤，他们俩便只能跪着。

净霖埋首不动，手边突然滚来一只小瓶。他目光微侧，见黎嵘垂眸静待的样子。

"破狰锋利。"黎嵘说，"划破的口不易止血，尽快包扎。"

净霖手探入袖中，方记起帕子给了曹仓。他便作罢，只"嗯"一声。

黎嵘抹了把脸，说："你如何发现他不在棺中。"

"我只想看尸体。"净霖目视前方，大雨隔开了别人的耳目，余出他两人的空地。

"我亲自盖的棺。"黎嵘说，"此事非同小可，门中危机重重，能瞒过我们带走尸身的人不可小觑。"

净霖说："他在我们之中。"

黎嵘沉默片刻，说："兄弟相互猜忌，反而易中圈套。"

"装傻充愣能活多久。"净霖说，"澜海已经死了。"

"……你疑心是谁。"

净霖不语，而是看向黎嵘。

所谓兄弟，实际也不过如此。到了这个地步，他们已然不能再坦然自若。谁都有可能，却又谁都看起来不像。今夜他们打得那般激烈，若非净霖最后一刻执意开棺，此事何时才能被察觉还要两说。

"竟将我算得这样明白。"黎嵘望着雨幕后的兄弟们，各个都面容模糊。他说，"若非熟悉，不能如此。"

他俩又跪了一个时辰，云生方持着药碗出来。他步入雨中，对他二人恨铁不成钢地说："禀报一句的事情，非要动手，你们两个……父亲怒火未消，你们两人皆回自己院子闭门思过。"

黎嵘领命，与净霖起身退下。净霖经过兄弟们时，谁也没看，夹着一丝寒风，消失在回廊。

陶致烦躁地抱怨："他惹的祸，偏叫我们在这儿受罪！"

净霖与黎嵘被罚了闭门思过，但门中正逢用人之际，黎嵘不过三日便出去了。唯独净霖在院中，只与树为伴，一直没有等到赦令。外边的一切都仿佛与他无关，他如今已不需要进食，倒也免了吃冷饭的尴尬。

他是真的面壁思过，能枯坐于墙壁之前一日不动。破狰划破的地方迟迟不见好，净霖草草裹了布条，挡住了手背上醒目的疤痕。

他到底还是没下重手，只是受伤，却没叫黎嵘见血。

净霖抵着墙壁，目光随着破窗投射的光影移动。外边晴时少，秋雨多，他屋内陈设简陋，越发地寒冷。他算着日子，一日一日，终于熬过了半月，到了约定之日。

夜里寒风夹雨，净霖撑了把伞，临出门时记着自己还在闭门思过，便从墙走，翻了出去。他沿着院墙，错开巡夜的弟子，脚边滚出石头，撑着一只肥叶，跟在他后边蹦蹦跳跳。

鸣金台早已封闭，四下望阁都停了生意。夜里冷得人发颤，净霖却有一点热，他从败落的池边来，伞上泄着珠玉敲打般的雨声。他踏上鸣金台，踱了一圈，站在了栏边。

石头倚在净霖脚边，将肥叶晾起来，趴在石栏的缝隙里张望。

净霖一心一意等着人。他从前没有这样等过人，故而不知道焦急，只是无端地热，注视着雨中的栏杆，将上边的纹理都数得清清楚楚。

他等得袍角微湿，等得石头趴在缝隙里发呆。

人怎么还不来？

净霖将日子重新码了一遍，一个个颠来倒去地数。半月之约就是今夜，今夜就是半月之约，他没记错，他记性向来很好。台面的水溅在净霖的鞋面，他怔怔出神。

伞面忽地一掀，净霖抬起头。见面前风雨扑打，一只臂掀着他的伞沿，倏地

抵来一人。

苍霁气息不匀,发丝湿透,兜着袍上的果,背上与腿上皆是泥泞。他也不管伞,揉了把兜着的袍,不知名的果子滚了一地。

"绕得我栽了八回泥坑,可算找着了。远远看见伞底下腰背挺直,立得跟个松似的。"苍霁喘着气,说,"果然是你!"

093章 逆鳞

伞磕在石栏,雨刹那间变得更大。

苍霁略后仰了头,说:"昏不昏?痛不痛?怎的瘦了这么多,硌得……"

净霖认真地逐句回答:"不昏,不痛,没瘦。"

苍霁被他神情逗笑了,放声笑,说:"山里出王八,回家几天跟人学坏了。"

"我才不是王八。"

"你是小混账啊,"苍霁微偏头。

苍霁背上早湿透了,却一点也不冷,肩背和臂膀都充斥着强力。他用脚尖挑了伞,撑起来拉过净霖就往台下走。

"我有一日,就在此处看着你,"伞太小,苍霁体格却很大。他撑着伞,还有一大半露在外边,由着雨水浇,方才缓了热。他在下阶时停下,指向不远处的一座望阁,"我见你携剑登台,白袍如鸟,傲得要命。心道这小子不知天高地厚,来日我必要给他些苦头吃。"

净霖扶剑说:"台上赐教。"

苍霁说:"怎么,适才还不算切磋?"

净霖小指匆忙地划动几下,说:"你孟浪!"

"在下曹仓,草字孟浪。"苍霁肆意一笑,"临松君真不孟浪。"

净霖脚下磕绊,闷头撞他后背,说:"不是临松君。"

苍霁说:"不是临松君,就只能是我的兄弟。"

两个人钻进望阁的廊下，沿柱攀生的丝萝皆枯萎，只剩干枝勾挂着还在顽强不屈。苍霁将唯剩的果子擦干净，靠柱边看着净霖吃。

　　"北边积着水，果子也不如往年好吃。但到底是家里种的东西，还是想紧着给你尝。"苍霁说着看了一下净霖的手背，"刀剑都动了，这门里又出了什么事情。"

　　净霖口里咽下酸甜汁水，抿紧唇线，说："没见着澜海最后一面，尸身下葬下得太快，让我心里不踏实。"

　　"撬开之后呢？"

　　"什么也没有。"净霖说，"尸身不见了。"

　　苍霁微仰头，靠在柱上想了想，说："我对澜海知之甚少，你有什么想法？"

　　净霖擦净指，说："澜海本相为撼天锤，门中能说得上名的兵器皆出自他的手，咽泉偶有摩擦，也会交给他料理。他名声不显，锻造的兵刃却天下闻名。黎嵘的破狰枪、东君的山河扇，还有父亲的溯时刀皆是出自他的手。"

　　"若是图修为，不该盯着他。"苍霁说，"换作是我，在渡境的紧要关头冒险，不如选择你与黎嵘其中之一。"

　　"兴许'他'其实不欲冒险，"净霖侧容微冷，他说，"我们在血海中，他已知你我是谁，必定对我有所警惕。这个关头，本不该多此一举，惹人怀疑。"

　　"可他还是下手了。"

　　"澜海还掌管门中灵圃。"

　　"丹药。"苍霁说，"澜海觉察出丹药的问题，他也许还找到了至关重要的线索，让血海不得不痛下杀手。澜海临终前有什么异状？"

　　"他在每个人的掌心里都写了我的名字。"净霖摊开另一只手，凝视着自己的掌心，"这是何意？"

　　苍霁倒身，索性横在净霖腿上。他拉着净霖的手掌，在那莲纹上擦了擦，沉思半晌，说："他有话给你。为何是你？线索必然与你有关，他这样兴师动众地写名字，显然已是被逼到了绝路，认定周围不可信，或是已经知道'血海'是谁。"

"可是，"净霖垂头，"只是名字，便能算定他有话留给我吗？我们平日见面少，话也少。"

"因为他写了你的名字。"苍霁说，"将死之人不做无用之功，他有话留给你，只能托付别人，可这个人他也不能全然信任，便要在所有人掌心留下名字，这样一来，不论这个人有没有告诉你，你都将对此有所疑问。"

净霖默了少顷，说："这个人并未告诉我。"

"这便是关键处。"苍霁说，"他没有告诉你，他如果不是血海，便是心怀鬼胎，蓄意谋事。虽然此事扑朔迷离，却有一事可以明白。"

净霖与他对视，缓缓说："兄弟阋墙，狼在室内。"

"不止一匹，"苍霁说，"还记得我与你说过什么吗。"

净霖说："……他们都会与我说假话。"

"不错，"苍霁盯着他，重复道，"他们都会与你说假话。"

乱雨纷落，深夜寂寞。净霖渐渐后靠住身，寒凉是从心底蹿起来的蛇，绕着他的脖颈游转。净霖抬手压住眉心，喉结在空中不安分地滑动。

是谁？

除了血海，兄弟中还藏着谁也在野心勃勃？他要做什么，他想做什么？

"啪"的一声，净霖的头猛地被拢向下，他倏地清醒，定定地看着苍霁。

苍霁说："心乱则神涣，惊疑不定最易中招。你修剑道，不论来日发生何时，都要抱守元心，坚定不移，记下了吗？"

净霖说："我心觉迷茫，已入疑境。"

"万事皆有水落石出的那一天。"苍霁碰了碰净霖的额，说，"哪怕天地颠倒、血海崩流，只要你仍筑剑道，便不会有事。"

"你呢。"净霖忽地问道。

"我身为妖物，放浪无羁，鬼神都不惧怕。"苍霁说，"你听闻过龙的逆鳞吗？"

净霖说："苍龙喉下生月牙，色如白玉，虽其有吞天纳海、叱咤风云之能，却系要害在此一点。听闻轻易不现人前，因为他称帝君，与真佛平起平坐，现世时

142

万众匍匐，无人胆敢细看。"

"不错。"苍霁睁眼，"此为要害，触之便怒，谁也碰不得。"

净霖颔首，莫名地眨了下眼，说："我与他无仇，不会去碰。"

苍霁无端地笑起来，他的眼里却冷静一片。

"我与他们不同，"苍霁的眼睛既深又黑，他说，"你就好比是我的逆鳞。所以往后不论事有多艰、命有多难，我都要你活着。"

净霖闻声悚然，正逢雷声一震，他不由得攥紧苍霁的衣，说："我不要这般！"

"不要便不要，衣裳都要给你搓烂了。"苍霁坐起身，说，"待会儿叫我光着屁股走吗？"

净霖忽地逼近，眼眸清明，问："你在北边出了什么事？"

苍霁不躲闪，反而更进一步，说："你想知道？"

净霖不禁退了退，觉得自己又中了套。可是苍霁面上的笑一敛，就端正得不行。

"话说得没羞没臊，可是事情都是头等大事。全天下都认得你临松君，却不一定认得我。"

净霖听得云里雾里，闻言还有点迷惑。

"北边无事。"苍霁说，"即便有事，那也有苍帝顶着。我说那番话，不是叫你害怕，而是想说明白一点。"

"我从不知害怕，"净霖说，"但我不要你死。"

"祸害遗千年。"苍霁眉间桀骜，"我死不得，我还有许多事情不曾教你，便只能一心一意好好地活。"

他说着带着净霖手把手地在空中画雨为鱼。

"怎么不回话？"苍霁问。

净霖他看那鱼在眼前跃动成活，蹦在半空中游弋甩尾，想要闭眼，却觉得雨声更大了，于是他微张开口，看着苍霁。

"我……"

净霖像只新出闸的小兽，却带着破釜沉舟的勇气。

094章 水波

翌日雨歇，积云阴霾。

檐下滴点着水珠，水泊里溅着涟漪。寒霜铺墙沿，湿冷迎门面，黎嵘拾级而上，敲开了净霖的院门。

净霖衣冠整齐，开门看着黎嵘。黎嵘左右环视，说："昨夜北边道翻了泥，压塌了底下的林木，虽然没什么痕迹，我却直觉有人来访。你这边可有什么动静？"

"面壁思过。"净霖说，"不闻外事。"

黎嵘迟疑少顷，说："父亲怒气已消，不日便会许你出去。我今日来看看你，进去说话。"

净霖让身，黎嵘便跨了进去。他见树底下的石桌置着杯，颇为意外："这般冷的天，还打外边吃茶，留心冻着。"

说着越过去，正欲踏入室内，鼻子却灵得像狗，从那杯里嗅出点酒味。他的目光迅速扫向净霖，净霖自桌上拿了酒坛掷向黎嵘。

"掺了一半的白水，带出去顺手扔了。"

黎嵘说："你打什么时候开始喝酒了？"

净霖说："院里关半月，什么都学得会。"

黎嵘闻言一笑，掌椅坐了，对净霖说："心里还怪父亲关得久？那都是为你好。眼下家里乱得不成样子，牛鬼蛇神分不清，拘着你，也算护着你。我在前边跑了半月，事情总算有些眉目了。"

"瘟疫？"

"没发起来。"黎嵘稍缓口气，说，"这功劳要算东君！染病的人尽数调去了东山，寻常弟子一概不得进入，唯独他仗着原身不必避退，连夜渡去梵坛，请了真佛。"

"清遥如何了？"

"也无碍了。"黎嵘说,"只是她身子本就羸弱,澜海去后,悲痛欲绝,如今不敢再轻易挪动。"

"家里的丹药药劲霸道,趁此机会,换作汤药煎熬。"净霖说,"丹药就不必再吃了。"

"云生也是这个意思,特意请了父亲,也允了,往后专程有人煎药,说什么也要给养回来。你上次急匆匆,吓着她了,后边发了几天热,梦里念的都是胡话,醒来还对我说,你没回来时,她还梦着你呢。"黎嵘说着偏开目光,看着门沿的昏光,说,"澜海的遗体仍未找到。"

净霖披上宽衫,说:"你和我都不在院中,守着澜海的人是谁?"

"兄弟们轮番守夜。"黎嵘说,"除你我之外,谁都在。"

净霖立在窗边,说:"他走的那日,是谁?"

"东君。"黎嵘身陷椅间,"东君闲职在家,守着澜海的时间最长。不仅是那一日,就是往前推几个月,也都是他在照料。"

"这般说,除了我寻他那一次,东君一直在家中?"

"自然。"黎嵘搭着指说,"他身份特别,哪能乱跑?"

净霖眉间微皱。黎嵘不知,他却自有思量。东君一直在家中,那么前几月出入南边城镇杀人的是谁?

"云生近来在做什么?"

"你连他也怀疑。"黎嵘抬头,"他素来跟着我一起行事,生性喜洁,爱修饰,不愿往外跑。几月前澜海病倒,他一边料理门中事务,一边着手主持凛冬盟议。北边汪汪泽国,被苍帝搞得不像话,大妖皆以苍帝马首是瞻,一点面子也不买。门下弟子在北边行事备受掣肘,他为此焦头烂额,与陶弟两头跑。"

"我有许多事情烂在心里,唯独一件事情要再呈父亲。"净霖回身,"北边渠道已经建成,苍帝数年辛苦促成此等成效,他的用意我已明白,也愿鼎力相助。门中与我意见相驳,却还是希望父亲允我往北助他一臂之力。"

"你待此事太过执著,已惹得猜疑漫天。"黎嵘坐直身,一筹莫展道,"净霖,何必管他做什么?你未见过苍帝,故而对他多有润色,你不晓得,这龙猖狂成性,简直是目中无人!"

"他什么脾性与我无关。"净霖说,"但他所做之事确实能解当下危急。"

黎嵘略显烦躁地起身,说:"他能解?那我们数年来在做什么?你眼见一批批的弟子送了出去,结果能活着回来有几个?九天门为血海抛头洒血,为此死伤无数!他不仅嗤之以鼻,而且打定主意要与我们打擂台,闹得天下似如两分!饥民挤在中地,北边他就是不许人进!不叫我们进便罢了,九天门也不稀罕,但已经饿死了多少人,他怎么就不能让出些地来?这样无情无义之人,你能指望他有什么救世之心!"

"北边修渠。"净霖也动了肝火,"如不覆以汪洋之水,任凭饥民涌入,他怎么修,他哪里还有地修?今日你们皆盯着他这一亩三分地,光凭此事就认定他是个卑鄙小人!可他若不这般行事,那渠道何时能成?血海已成了三方围势,我们一退再退,九天门如今还有什么法子?颐宁已经自东调离,东边现下剩下的都是老弱病残,你们将凤凰推在万民之前,是要他以死抵挡!父亲到底如何打算,我已不欲再探。"

黎嵘陡然转头,说:"你疯魔了!连父亲也怀疑?!"

净霖一滞,说:"我没有。"

"这样大逆不道的事情不要再提。"黎嵘踏出几步,"父亲已经大成,九天门与血海必有一战。"

净霖又是一愣,迟疑地说:"父亲已经步入大成之境?"

"若非如此,南下危急关头,我们哪里能坐得住!父亲渡境不易,又逢澜海的事情,近来多凭靠丹药维持,但确实成了。"黎嵘说到此处也忍不住有些雀跃,"还盯着那苍帝做什么?父亲此后便是君父了,位列神首人心所向。净霖,好生听话,行不行?"

净霖却恍若未闻,只说:"可我见着父亲,并非如此……"

"你也才渡臻境,差些火候也是情理之中。"黎嵘说着看向净霖的手,说,"用了药了?幸好没落下痕迹。"

净霖抬手,见手背上的疤痕也消失得干净。他记起昨夜苍霁的摩挲,只稍点头,算作应答。

千里之外。

苍霁立在塔梢，俯瞰北方万顷水浪，无数高墙臣服脚下，长风舞衣袍，他叼了一粟，连籽一道吞了。

"主子多年经营，如今渠道已成，眼见冬雪将至，我们要撤水净道吗？"琳琅身披白绒，立在苍霁身后。

"原本不急。"苍霁迎风，"冬日凡人受寒，不便转移，血海一引，容易节外生枝。"

"可是什么事情叫主子改了主意？"华裳从沿边探出头，说，"姐姐，我不想与那小子玩儿，好没意思！"

"你不是稀罕人家么。"苍霁侧眸，朔风间露出的眉眼俊中带煞，凌厉得叫人不敢直视，却又能在转瞬之间变得濯濯舒朗。

"呸！"华裳说，"谁稀罕他？我才不稀罕！姐姐稀罕他！说他是千年一遇的好苗子！"

"是么？"苍霁稍显兴趣，问琳琅，"比之临松君如何。"

琳琅知世故，摸得些苍霁的心思，故而婉转道："主子休听她吹捧。阿朔入门晚，过去拜得都是些江湖术士，哪里比得了临松君。"

"叫阿朔？"苍霁不在意，"净霖本相天赐，纯心难得，修为精进之快，我至今不曾见有能够与之相比者。你直言无妨，这个小子本相谓何？"

琳琅沉吟未几，说："不敢欺瞒主子，阿朔确实千年难遇。他天资聪颖，凡所入耳的道理都能化进心里，虽然年纪不大，却很明事理。但是古怪，他到今日都不曾化出本相。"

"聚灵生相。"苍霁说，"许是机缘未到，能得大成者，向来与常人不同。你既然得了这样的徒弟，也算是缘分，好生教引。"

"他见着姐姐，不是撞木头就是栽河沟，存的什么心思？"华裳哼声，"我一看便知！主子适才说，要立即撤水，为的什么缘故？我见那新来的什么陶致烦腻得很，也想早点打发他走。"

"原本不该这么快。"苍霁眸眺南边，"但是九天君已将出关，再不动手，必逢阻挠。"

"他多年不出，此刻出山，必是修为有所精进。"琳琅说，"老奸巨猾，分

外棘手。况且深秋将尽,雪要来了,仓促撤水只怕困难重重。"

"让你去撤自然难办。"苍霁笑了笑,却称不上多高兴,"殊冉活过来了么?这一番该是他的功德。"

华裳说:"有主子在,他自然死不了。只是听闻他被镇压于玄阳城中,主子怎么捉回来的?"

苍霁略微挑眉,说:"哄回来的。好生喂着他,他贵重。"

三人正说着,听得下边禀报,说司月监来了,苍霁便提步下去了。

琳琅不由得叹一声,看万里波涛风浪起,水雾渐濛群山壑,说:"大业将成,不知结果。我见主子心动神随,已然陷得深。若是他人不知便罢了,可一旦叫人拿捏住,便是万劫不复。龙之逆鳞,虽触之即怒,可也……"

琳琅戛然而止。

可也破之即亡啊。

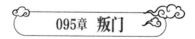

095章 叛门

净霖如同苍霁所说,八日后便出来了。他先在九天君门外听训,稍后就去了清遥的住处。东君怕他再疯,脚底抹油先行遁了。

清遥枕在廊下的椅上,铃铛"叮叮当当"地响,她乏倦地听着雪魅细语,却连笑也勉强。

"我有许多哥哥。"清遥对雪魅细声说,"你大我很多,也算哥哥。"

雪魅倚着椅,他面容虚幻,一举一动间都夹杂着雪花片片,与这霜天倒不相违。他闻声爬动,轻轻将头抵在椅把手,望着清遥。

清遥微微笑,说:"我何时能长大?我从来不曾出去过,外边是什么景,我也好想看一看。"

雪魅说:"待你病好,我带你出去瞧。"

"好啊……"清遥怔怔地淌出泪来,说,"澜哥也这般说。"

雪魅跪地去接清遥的眼泪，但他修为浅薄，那泪穿过虚虚的手掌溅在把手。他缩回指，有些不知所措。

净霖缓步入廊，雪魅畏惧他的剑气，伏着地退到了角落。清遥扭首望过去，只看着净霖不作声。

净霖知道那夜吓着她了，便不强求，而是蹲身，说："九哥来道歉了。"

清遥怯怯地瞧着他："九哥生我的气吗？"

净霖语气低缓："我怎会生你的气。"

清遥侧枕着手，说："九哥。"

净霖俯首："在这里。"

清遥红着眼说："我梦着你……我时常梦见你。你下回出门，早些回来，好吗？"

净霖"嗯"声，清遥探出小指，与净霖勾了一勾。净霖见她疲色深重，一直陪到了入眠。廊下铜铃随风晃动，雪魅悄悄抬起头，窥探着这位无人不晓的临松君。净霖眼眸倏地看过来，雪魅慌忙垂首，心里惊得不敢再探。

净霖却不曾为难他，只是又坐了半晌，方才离去。

几日后北边起了纷争，陶致被琳琅扣押起来，原因尚且不明，九天门弟子救人心切，与苍帝的人动了手。消息是云生呈上来的，由黎嵘接了，九天君派遣净霖相随。

"你不是存了北上的心思吗？"九天君茶盏轻拨，"这便去瞧瞧吧，总拘着你也不像样子。门内事务你从未经手，许多门道不如云生清楚，贸然下令，也怕你措手不及，不如与黎嵘一道过去，有他盯着你，我放心。"

净霖颔首，九天君又说："臻境与大成不过一线之隔，你修为如此，该为天下苍生尽心尽力。我虽入大成，但来日终有殚精竭虑的时候，到时候你便是兄弟榜样，万不要再由着性子胡来。"

他此言循循善诱，却听得儿子们神色各异。净霖修为不假，却从来不得人心，为人处世比之黎嵘云生更是不如，九天君忽出此言，搅得人心惶惶，竟听出点让净霖继位的意思。一时间各个面面相觑，皆不作声。

净霖本该感激淋涕地回表一番，然而他仅仅接了命，便退身出去了。在外

边立了半个时辰，方才等到黎嵘和云生。

云生夏衫尚未换，外边风冷，他忍不住哆嗦一下，立在树边对净霖说："父亲可算消了气，澜海尚未找到，知道你心里挂念，我这边会再仔细盘查。虽不知盗走尸身的人有何用意，却万不能纵容此事。一旦查到，必定立刻知会你俩。"

"有你坐镇后方，多半无碍。"黎嵘说，"我与净霖这次去，算不准时日。凛冬盟会将到，苍帝若是再整出什么幺蛾子，只怕要耗到明年去了。"

"冬日各方行动不便，他再狂也翻不过天。"云生细搓着手掌，看向净霖的剑鞘，"这鞘还是澜海造的，现下看来真让人伤怀。"

黎嵘说："当日赠剑鞘时，兄弟们难得融洽，我记得他这剑穗还是你送的。"

云生一笑："本以为净霖必会丢了，岂料他一佩就是许多年。"

净霖手扶剑鞘，那红穗轻轻摆动在风中，与白袖一并扬在身侧。

"所谓一笑泯恩仇。"云生说，"望你此番回来，能与兄弟们泯了那些个龌龊。自家人，到了这个关头，不该再离心而行。话不多说，你两位请吧。"

净霖与黎嵘一齐拜行，转身备马下山。

　

路上天越发寒冷，只是雪迟迟不下。黎嵘与净霖快马加鞭，不过三日便赶到了北边。黎嵘滚鞍下马，与九天门弟子碰了头，连休憩也不需要，便着手处理正事。

净霖招人注意，他行在后边，弟子们争相要看那咽泉剑。然而净霖面不带笑，旁人又不敢造次，只能目送着他过去了。

"我先去琳琅那头见见人，你在此处等我。"黎嵘对净霖嘱咐，"此处皆是苍帝的人马，轻易不要与人动手，他护短得很，寻常人在他地盘讨不到便宜。"

净霖见窗外路已被饥民堵得水泄不通，他留心观看，却没见着几个孩童，便只对黎嵘"嗯"了一声。

黎嵘便急匆匆地去了。

"琳琅拿人向来有章程，不会不问缘由。陶弟做了什么事？你等不要欺瞒，如实道来。"黎嵘用帕擦着手，问随行的弟子。

弟子面色青白，被黎嵘的目光扫了几回，已不敢再瞒，说："八公子……八公子先前从丽城相中一女孩儿，已经许了亲的，弟子们百般劝阻，可公子就是执意要人……"

"惯出来的臭毛病！"黎嵘手中帕子猛地甩开，他说，"后来呢？"

"进言的一概被八公子扔去喂了狗，那女孩儿被强掳回来，滴水不进，已存了死志，眼见活不久。"弟子喘着气，说，"与她许亲的儿郎从丽城追到咱们门前，被八公子给、给……"

"给什么？"黎嵘面色铁青。

弟子愤然跺脚："给一道弄死了！家里人也受不住，这女孩儿的老母亲徒步跑了整整几百里来讨尸身，就因为往八公子鞋上啐了痰，叫八公子骑着马活生生拖死了！"

黎嵘齿间"咯嘣"作响，竟连骂都骂不出来，他咬牙说："门里一点消息也没有！便没人通报吗？这畜生做了这样的事，谁也容不得他！"

弟子立即跪身，含泪道："谁敢递！八公子拿人喂狗，哪还有人敢递！若非此次激怒了琳琅，怕我等还是没奈何！"

"他怎么惹怒了琳琅？"

"八公子又看中了那九尾狐的妹妹，这姐妹儿哪是好相与的？都是苍帝座下说一不二的人！八公子动了些手段，药都下到人碗里，被琳琅的徒弟捉了个现行，一顿打得天翻地覆，这事传过去，琳琅就直接拿人了！"

黎嵘已经听不下去，他几步入了琳琅的监行司。看守的妖怪显然是得了信儿，也不拦，他便直入其中，老远隔着栏，就听见陶致在骂人。

陶致关了数日，衣袍泛了酸，皱皱巴巴地贴身上。他显然是被教训得狠，横在地上嘴巴里不饶人。

"狐狸披了人皮，掀了衣裙还是臭！关老子，待我出去，有你好看！"陶致寒声阴冷，"你们里边的腌臜不比我玩得多？琳琅！你敢用鞭子抽我，来日我定要扒你狐狸一层皮！九尾难寻，白皮狐狸还不好找？到时候哭着喊着求我，我就啐你一脸痰！"

他骂声未落，听得"哐当"一声巨响，回头一看，见着黎嵘带着煞气跨了

进来。

陶致神色一变，积着眼泪连滚带爬地靠过去，喊道："兄长救我！苍帝蓄意搞我，做了局专程给我跳！那狐狸好不死地引诱我，我、我一时被迷了心窍……兄长救我！"

"你不是迷了心窍。"黎嵘勃然大怒，一脚跺在陶致心窝，抄起木棍劈头盖脸地打，"你良知叫狗吃了？！"

陶致心知瞒不住，便抱住黎嵘的腿，痛哭流涕地喊："我错了！兄长！我知错了！我本意不是害她，我是、我是真心想要她！我是想待她好好的，偏生太着急了！"

黎嵘一棍子抽得陶致滚身哀唤，他说："事到如今，你还敢满口搪塞！"

陶致哪里受得住黎嵘的力道，身上被抽得血痕暴现，他抱头哽咽，哭喊道："我错了！我错了！我真的错了！兄长不要打我……我认错！"

他面青，哭起来泪痕条条，还是个年轻样，与过去在门里捣蛋犯错时的模样一般无二。他比净霖还小，又惯会对兄长们撒娇，远比净霖更讨人喜欢，如今这般嘶声哭喊，竟让黎嵘忆起从前，他也是这样手把手带着弟弟修道。

黎嵘悲从中来，也红了眼眶，手上抽得更重："你怎么长成了这般？你天性爱玩，本无过错，但却不该泯尽天良！你强掳民女，辱人儿郎，杀人老母，你哪里还是正道？你这孽畜！你分明落了魔道！"

陶致呛了血，他躬身蜷缩，呜咽着："我错了……我改！我必然改……兄长不要再打了……"他怆然悲声，"哥哥难道要我死吗！"

黎嵘的棍抽得断开，他说："你做了这种事，你还能活吗？门中兄弟，不能容你！你与净霖年纪相差无几，你偏生要沦在这恶道上！你让父亲情何以堪！"

陶致浑身抽搐，他说："父亲……我归门中……听凭父亲发落……哥哥……我错了！"他忍着痛，忽然奋力爬身，"可是不止我错了！净霖……净霖又有什么能耐！我为色欲耽搁，他也绕不开！"

"胡言乱语！"黎嵘抬手欲打，"净霖专修剑道，岂会如你一般！你根本不知错，还要攀咬他人以图混淆视听！"

"我说的是实话！"陶致猛然狞声，他含着血泪哽咽。

"他与那苍帝有苟且!"陶致失控地喊,"自我到了此地,苍帝处处与我为难!兄长!我是做了错事,可净霖……净霖又如何?他可曾与你说?他瞒得这样紧,他已经叛了门,他早就跟苍帝暗通款曲!"

黎嵘哑然失声,他不能预想,他甚至不能想!陶致说的人是谁?是净霖!那是九天门的门面,是他多年来最省心弟弟!苍帝又是什么人?是盘踞北方祸乱大业的妖怪!净霖怎么能沦至如此?净霖怎么能?!

"你住口……"黎嵘眼中杀意沸腾,他手指在墙壁生生划出指痕,"你住口!"

陶致撞在黎嵘腿上,拽着黎嵘的衣,报复的快感一瞬翻覆。他哑声咯出笑,刺耳地说:"他跟妖物苟且!他哪里孤高?兄长……兄长!净霖他早就已经叛门叛道了!"

096章 恶性

天际水云浩渺,万丈高台拔地而起,屹立于群墙簇拥中,犹如北方的定海神针。净霖于风中眺望少顷,侧身给饥民让路。

城中已经涌满饥民,道路两侧横卧着面黄肌瘦的尸身。沿途不好走,许多尸体腹部鼓胀,已经到了拾土而食的地步。老弱病残撑着墙壁蹒跚而行,各个佝偻蜷身,连发间的虱子也捉食得干净,饿到看人眼红。

净霖从乾坤袖中放出了小鬼,他牵着净霖的衣,步步紧随。净霖摸向袖中,却什么也没拿出来。

"戏本里说的人间炼狱,便是这样。饿死鬼满街跑,中渡已是黄泉界。"小鬼拭着泪,"大家都要死啦。"

净霖不作声。他的眼能看尽世间苦,他的剑能斩尽天下魔,但他对此也无可奈何。血海浪涛侵覆了万里土地,盖住了中渡生灵的口粮,逼得所有人越簇越挤,如今退无可退,已经到了绝地。

九天门救不了,"肝胆"便是妄谈。

净霖看向周围，这一众行尸走肉都盯着他，眼神令人不寒而栗。死人活人盯着他的白袍与银冠，盯得小鬼都躲去了净霖背后。净霖脚底沾了黏液，他垂眸一看，竟然是血。

脏石板的缝隙里淌着腥臭的污血，沿街伏地的人呕吐不止，酸水冒着股向外涌。腹部胀得发肿，四肢都似如泡开，顶得露出来的肌肤发紫发红。这高墙之下累叠着尸体，却不见野狗与蝇虫。净霖迈出几步，再次确认，此处没有孩童，像是被刻意清除一般，甚至连尸体也没有。

孩子呢？

一位老妇忽然撞在净霖身上，发疯般地厮打。她蓬首垢面，瘸着条腿，捉着净霖一臂，尖声喊："我儿何在？我儿何在！你将他带去了何处？你将他还于我！"

净霖纹丝不动，这老妇面目狰狞，愤而撕扯着净霖的衣袖，哭道："这身白衣！你们这身白衣……九天门！你将他……"她滑身跪倒，哭喊着，"还给我！"

"你儿子。"净霖喉间发涩，"你儿子在九天门吗？"

"你将他带走。"老妇疯声扒着净霖的袖，紧紧攥着，"你们将他带走！你说给他饭吃，可我不信！你们便明抢！"她指尖积垢，指甲剥得污红，在净霖袖口攥出条条漆痕，"人在哪里？！你还于我！"

她疯癫狂声，哀号穿破阴沉的天，扎在人间炼狱的景象里分外刺耳。乌压压的云滚在苍穹，随着哭喊炸在耳际，四下蜡黄无神的脸形如泥塑木雕。

净霖却似如看见了豁口，他紧声问："谁带走的他？此地的守备？"

老妇浑浑噩噩，她哆嗦着手指点着净霖："是你！是你！"

净霖被老妇推搡着，他定定地握着人，霍然回身。

弟子方送走黎嵘，正坐在阶下打牙祭。三五成群，围着一只鸡垂涎三尺。他们还不到辟谷之时，口粮赈出去，如今也过得紧巴。这鸡还是黎嵘打九天门里出来时，后边追赶而来的随从捎带的东西。

净霖一跨入门内，弟子们登时"哗啦"地站起身。那鸡烘在火上烤得发焦，油水滴得他们喉结随声滑动，却无人敢动。

"君、君上。"为首机灵的那个赶忙跑近，"您这是……"

"北线的孩子都去了何处？"净霖开门见山。

"孩子？"弟子面面相觑，"上月门里下的令，说冬日将至，苍帝不安分，便将稚儿聚集送往门内啊！"

"谁传的令？"净霖问。

"八公子。"弟子心里不安生，忐忑道，"这命令来得莫名！虽早些时候听说了南边在筹办，但门里就那么些地方，孩子集多了也没处放！我们这头一直以为早办完了，谁知八公子接了令，报上明明白白地写着要人，做不得假。门里几次三番来信，催得急，八公子不叫我等插手，特在饥民里边差选了一批人，给的现粮，用了小半月便办完了。这差事有什么不对劲的地方吗？"

"这批人在哪儿？"

"打发到北边庙里去了，现下城里挤得哪儿有地搁脚？而且库里的存粮实在养不起人，八公子没给人折对粮，待在门前闹过几次。"弟子被净霖盯得冷汗直冒，他以袖拭汗，越发谨慎地答，"君上也别因此事责怪我等，实在是没法了！您待用饭时看看兄弟们的口粮，都是扒的野草根，饭已经减成了汤汤水水，多余的全部赈济出去了！人来要粮，我们就是心里想给，也着实没东西能给……"

"前边带路。"净霖突然说道。

弟子不敢耽搁，慌忙掀袍，跨出门引着人就走。净霖紧跟在后，路上弟子不住地擦汗，硬是没敢再看净霖一眼。他已觉察出些风雨欲来，净霖几乎溢着寒气，刀锋似的抵在他后边，让他不敢停，越走越急。

地方有些远，原先的商铺倒了一片，门窗洞开，里边能吃的东西被翻得一点不剩，就是缝里的老鼠窝都已经被掏空了。越靠近北边越显荒凉，杂草丛生，见不到一丝生气。

弟子踩开半人高的蔓草，沿着那破庙门叩了半晌，里边却静悄悄地没动静。他汗流浃背地喊了几声，后边的净霖一脚踹开了门。门板"砰"地垮塌，簌簌地抖下一片灰尘。

弟子被呛得挥袖，净霖已经弯腰进去了。他紧跟着下了阶，咳着声说："就是这儿……怎的没人？"

净霖环视一圈，这破庙里还积着生火的燃灰。佛像斑驳掉漆，已经半身倾

塌，慈悲面容垮了一半，留下一个阴郁的微笑，在残破垂帷的昏暗间透露出一股诡异的恶感。

佛像与净霖对视，外边滴落了几点寒雨。转瞬雨点铺地，淅淅沥沥地下了起来。庙中奇异地安静，净霖盯着这佛像，似是欣赏着什么玩物。

弟子冷得搓臂，四顾张望："兴许是走了，这会儿到处都是找吃的的人，还有些力气的必然不会坐以待毙……"

他话音未落，不承想净霖竟陡然抵开咽泉！

只听空中"嗡"地一振，接着那佛像应声震出巨大魅影，鬼脸嘶吼，张口吞向净霖。咽泉如泓，弟子只觉得眼前白光一瞬，下一刻耳边传来"噼啪"的爆裂声，面前一层形如水波的灵界刹那碎开，鬼脸狰狞绷散。那佛像轰然坍塌，整个破庙换作它景。弟子再一看，脚边皆是尸体！他们扯喉怒目，死相惨烈。

弟子顿时大惊失色，连退几步，愕然道："竟都死了！"

净霖俯身，掀开挡住尸体面目的脏帘，露出一张瞠目错愕的脸。他看见死人各个都撕扯着喉咙，指甲在脖颈上剐出血痕数道。他们侧颈被开了口，匕首异常锋利，剖断这里只需要一下，既快速又便捷。

这样的刀口。

净霖呼吸加重，他接连翻过几具尸体，心里的猜测越来越明显。

这样的刀口，正是陶致！陶致生性讨巧，剑道太难，修罗太重，皆不适宜他。于是澜海便铸成轻便匕首，他修习钻刺行之术，曾经为求招式，让净霖化繁为简，从剑式中教过他一手。见血封喉，净霖再熟悉不过。

陶致为办差事，特意挑了这一批饥民。可是净霖在门中半月，不曾听闻有新人入门，那这群孩子去哪儿了？还有南边神秘消失的那一批，中渡的稚儿都去哪儿了？！

陶致这样杀人灭口，以绝后患，为的是隐藏恶行。那他要孩子干什么？

陶致被黎嵘拖了出来，他套上了枷锁，浑身被抽得血迹斑斑，人也红肿着双眼，黎嵘说什么他便乖乖做什么。畏畏缩缩地跟在后边，大气都不敢出。

人不能随便提走，黎嵘便求见了琳琅。陶致得了空，被拘在空院里听候发落。他往日虽然在此地作恶多端，却有的是钱财，金珠一把一把也能捧出几个心腹来。当下趁着黎嵘不在，有个谄媚奉承的赶紧来替陶致松枷锁，又是奉茶又是揉捏，哄得陶致阴云转晴。

"我屋里暗格藏着瓶上好的伤药，你差人赶紧给拿来。"陶致伏在榻上，晾着赤裸的后背，口中抽着气说，"黎嵘是真的想下死手！回头我到了家里，定要与父亲说！"

"八公子大难不死必有后福啊！"侍从为他擦拭着血迹，心疼得直跺脚，"好歹是兄弟，何至于为了个狐狸就这么作践您！"

陶致面上冷笑："他素来偏爱净霖，这会儿可实打实地戳了一刀子！我就看着他怎么办！他要是回去胆敢包庇，我就寻个法子捅到父亲那里，横竖不能让他们舒坦！苍帝躲得远，琳琅那个毒妇却近在眼前，我叫你办的事儿，你办成了没有？"

"哪能不成，为您出气么！"侍从挨着陶致的耳，说，"这玩意只要照她身上洒那么一点，谁也察觉不了。但是发作起来可厉害着呢，必定会搅得她灵海颠倒，逆蹿气脉！到时候她就半废了，您想怎么样，那还不是就怎么样。"

陶致笑了笑，不留心扯到了嘴角的伤，他又嘶了几声，彻底瘫下身，说："这都什么烂事，不过是玩了几个人，命又不是我逼没的，是他们自个儿作践掉的！到头来尽栽到我头上，还指望我给他们偿命，我呸！这些个下贱胚种也敢想！"

侍从连声附和，两人又说了会儿荤话，听着外边急匆匆地进来人。陶致还以为是黎嵘回来了，吓得滚爬起来套着衣服就往枷锁里钻，钻了一半，那门已经被撞开。他再一看，哪是黎嵘，就是个普通弟子。

"敲断你腿！毛毛躁躁的干什么！"陶致松气，蹭着衣拔手。

弟子淋过雨，擦了把面，哭声说："烽火台八百里急报！东边全部沦陷，血海浪势横穿烽火台，邪魔已经到咱们墙外边了！"

侍从当即吓得屁滚尿流，撞得桌椅晃荡，惊慌失措道："都到、到墙边了？！"

陶致也是一惊，却不着急。他晾着膀子磨磨蹭蹭地披上衣，说："怕什么？年前才修的城墙，虽然比不了苍帝的铁桶壁，却也能顶个把时辰。黎嵘还在这

儿呢！"

谁知侍从从已经捶胸号啕起来，他悔不当初地喊道："我的公子爷啊！你怎么就给忘了！那城墙修的时候，你为了要那点银钱，硬是将里边扒空了！留的就是个空墙壳！别说顶个把时辰，只要浪潮一撞，整个城就淹了啊！"

陶致呆了片刻，针扎似的蹦起来，连腰带也不系了，套上鞋就往外冲。

"还愣什么？赶紧跑啊！"

弟子一把拽住陶致，说："不成！九天门生要顶血海，万不能把百姓留在后边，你要跑，先撤了百姓再跑！"

陶致想也不想地给了弟子一脚，将人踹翻在地。他扯正衣襟，慌慌张张地跳下阶，骂道："你有毛病吧！这来得及么？人都饿了几个月了，脚软得跟面似的！血海一冲就算超度了，让他们能顶一会儿顶一会儿！回头我请个长生牌供着就算尽心了！"

他话音方落，便见屋舍之上血雾瞬涌，贪相凶相已探身而来。那墙壁别说让血海冲了，就是叫邪魔轻轻一吹，已经塌完了！血浪翻出数丈高，接着猛覆而下，街市刹那间陷入血色，邪魔滚滚游出，人已经饿得等死，当下连声儿都不及出，就被邪魔撕成了破絮。

陶致吞咽着唾液，骂了声娘，转身飞奔出院直冲向黎嵘和净霖的马。

这等生死关头，谁还管别人！

血海吞食城墙，屋舍如同纸糊的一般，仅仅一个眨眼便成为了血潮海浪。凡人沦为生畜，万灵尽葬血雾。侍从奔追在陶致身后，遭贪相撕扯着拖向血雾，他眼看陶致已翻身上马，不禁探指扒抠在地面，声嘶力竭地哭号："八公子救……"

贪相张口大嚼，血花从齿间迸溅而出。它化出双臂，顶着一张麻木不仁的脸，赫然转向陶致，学着侍从的哭号："八公子救我！"

陶致当即毛骨悚然，他扬鞭凶蛮地抽打着马匹。青骢马吃痛仰蹄，挣开束缚，直奔向另一头。

贪相顿化成雾，对着陶致穷追不舍。陶致策马奔腾，恨不能背生双翼，已经到了穷途末路之时，只能喘着粗气打马向前，不敢再回头张望。

"八公子。"贪相如猫戏鼠,在雾中化出百种人面,声声幽咽,"八公子且慢……"

陶致的冷汗乍出,他白着唇在风中嘶声:"住口!快住口!"

贪相发出"咯咯"的笑声,霎时在陶致边鬓探出一只软若无骨的柔荑,冰凉骇人,说:"你要我住口,只将我摁在被褥里。八公子,你勒得我面青翻眼,你掐得我浑身红肿,你不喜欢吗……"

这柔荑随声变作青筋暴起,挣扎着抓挠在陶致肩背,喝声炸在陶致耳边。

"你这畜生!"

陶致面色骤变,经这只手拽扯着向后。他紧紧拖着缰绳,青骢马在原地惊声踏蹄。陶致的防备已经土崩瓦解,他愤怒地抽着马匹,斥责道:"跑啊!"

青骢马却迟迟不肯再向前迈步,邪魔已扯得陶致衣衫绷烂,他背上被抓得血条无数。陶致一手拖着缰绳,一手旋出匕首,对着那血雾中一阵劈划。贪相血雾里伸出数只手臂,它们拽扯着陶致的身体。陶致喉间已紧,他喘不上气,腿脚蹬踢在马背,半身被提拖进了血海。

陶致死死抠着这些手臂,从牙齿间艰难地挤出声音:"我、我不要死!"

血雾一拥而上,陶致痛声呼喊。

就在这弹指之间,一影白袍翻袂,只见长剑仗出,青光破空斩杀横起。天地混沌中以线两分,接着白袖鼓风,剑气如虹,净霖踏马纵身,万丈血海顿时后涌!

邪魔闻风逃窜,净霖步跃浪头,青光如东之破晓,自他剑锋相争杀出。雾气横荡,净霖身穿数影,咽泉擦血带风,不过眨眼,听得"砰砰砰"声不绝入耳。那白袍所经之处,邪魔荡身断首无不栽倒。

净霖进一步,血海退一尺。

他独身立于万人之前,一剑横封千丈巨浪,脚下踏着无尽尸首,却又白衣掸风,不就尘埃。九天门似如找到了主心骨,数百弟子齐身跪叩,听得一声势震山河的呼喊。

"生肝胆,命赴海!我等尽听临松君调遣!"

净霖拔剑回身，盯着陶致。

"九、九哥……"陶致跌坐在地，他欲掩面，又在这目光中不敢动作，适才逃生的欣喜已化作虚无，他忍不住战栗着，哽咽地唤，"九哥！"

净霖说："背弃道义者如何？"

陶致心知不好，他手脚并用，拼命后移着："九……九哥……"

净霖说："作恶多端者如何？"

陶致在这冷漠中崩溃抱头，抵着墙说："我的错！我认错！我错了九哥、九哥！不要杀我！"

净霖剑锋划光，他走向陶致。

陶致瘫身在地，他扒抱着净霖的腿，仰头泪如泉涌，惊恐万分地说："九哥！求求你！九哥！我必不再犯！"

净霖垂眸望着陶致，他从没有这般端详过陶致。他看着陶致哭肿的眼，耳边却是无边无际的唾骂。他看着陶致早已脏污的白袍，心里浮现的却是入门时的门训。

九天门立足于世，不求闻达于江湖，但求门内弟子竭尽"肝胆"二字。陶致哭号求饶净霖皆可以充耳不闻，但他不能容忍陶致说出这句"我必不再犯"。

因为不配。

净霖的鞋面被扒出指痕，血水溅脏了袍。陶致的千言万语皆堵塞在喉中，他年轻的脸上跋扈之色消得一干二净，唯剩的怨毒似如淬炼的牙，随着目光撕咬着净霖，变成刻骨铭心的恨意。

"你这……"陶致哑声蜷伏，双手堵着胸口，梗着脖子栽在地上。他瞪着双目，到底没能说完。

咽泉归鞘，陶致的尸体蜷在原地，随着逐渐崩塌的地面，滑坠向血海。他死不瞑目，直勾勾地盯着净霖的背影，被血雾吞淹。

097章 鞭刑

　　净霖调遣剩余弟子护人南移，立下灵符阻挡血海，待万事妥当，他便卸剑束手，由黎嵘押回门内。

　　潇潇暮雨，秋意将逝。黎嵘入院前立了半个时辰，最终通红着眼眶，喑哑地嘱咐净霖："待会儿面见父亲，你要摘冠下跪。"

　　净霖银冠除却，乌发披散。他除了腰侧佩戴的陶致短剑，再无兵刃，就是咽泉也归收于黎嵘手中。闻声颔首，示意自己知道了。

　　院内尚无通传，铜门紧闭，大雨不歇。他两人并立雨中，黎嵘目视前方。继续沙哑地说："……你知错吗。"

　　净霖不答。

　　黎嵘声渐哽咽，他突然转过身去，背着净霖，过了半晌，说："他罪虽当诛，却该交给父亲处置。你纵然有百般不耻，也不该这样。"

　　"他何至于走到今天这个地步。"净霖道，"难道不是次都有父亲庇护的缘故。你将他打得遍体鳞伤，难道不是为了安抚琳琅的权宜之计。他若回得来，他便不会死。"

　　黎嵘霎时回身，他在雨中双目赤红，强忍着说："自家兄弟，你怎下得去手！"

　　净霖微侧身，他发已湿透，凌乱地遮着眼。他既不狡辩，也不剖白，而是略显疲惫地说："我下得去手。"

　　黎嵘齿间颤抖，他猛地逼近一步，死死地盯着净霖。净霖眼下泛青，与他对视半晌。

　　千钧一发之时，铜门倏忽大开。雨间屋舍似都蒙了层灰，檐下站着诸位兄弟，他们一齐望来，无人发声。院中门窗大开，九天君独坐椅间，新拆的白灯笼重新挑起，惨白的芒投在九天君的脸上，映出深深的悲切。

　　黎嵘先行跨入，九天君待他行礼之后，抬指示意他立到一侧。黎嵘本有话要说，见状也只得叩首歇声，退到了廊下。

数双眼睛望着净霖，净霖缓缓掀起袍，跨入门内。他在雨中行至阶下，独自跪身行礼。双膝磕在石板，很快被渗得湿透。背上毫无遮掩，发也蜿蜒于地面。

九天君不叫他起身，而是拨着茶盏，一下一下，似如整理着心绪。净霖淋够了时辰，九天君才抬手小饮一口，说："临松君给我跪，我受不起。"

净霖心如沉石，他料得父亲爱护陶致，不论陶致做何恶行，在家里，他便是不谙世事的小儿子，不能算作邪道，也自然不会受到责罚。九天君溺爱陶致如此，已经不是一日两日了。

九天君也不需要净霖回答，他容貌端正，气质儒雅，因为近来修为得破大成之境，比从前年轻了许多。蓦然望去，甚至会让人分辨不清谁是老子谁是儿子。他虽然说着受不得，却坐得挺直，吃着那早已凉透的茶，神情威严，让人望而生畏。

"你如今行事雷霆，已无须旁人指点。临松君赫赫威名，父亲兄弟皆不算什么东西。"九天君嘲弄地感叹，"你要杀谁，便如杀只家禽一样简单。"

黎嵘突然跪地，他重重磕了几个头，说："父亲开恩！他虽……虽如此，却是诚心为九天门着想。如今门下一举一动皆备受瞩目，陶弟犯了错，净霖即便手段狠厉了些，却不是无缘无故。"

"我今日真是开了眼！"檐下一人说，"皆是兄弟，你便这样昧着良心要保净霖！那陶弟算什么？他再不济，也是父亲的儿子！净霖好大的胆，说杀便杀了，他哪里还将父亲放在眼里！难道日后我们都要听凭净霖的差遣吗？父亲还尚在呢！"

"住口！"黎嵘半回身，"今日就事论事，何至于这样夹枪带棒！净霖历来稳重，虽有小缺，却无大瑕。他也是父亲手把手带出来的，他什么心思，父亲不明白么？用得着你们这般落井下石！"

"大哥真没道理，什么叫作'你们'，莫非我们兄弟不是一体，还分个什么你我派别？"

"落井下石也说得出口！陶弟行有不妥，门内没规矩吗？父亲没章法吗？用得着他净霖持剑杀人！到底是谁在落井下石，兄长你扪心自答！"

"既然是兄弟，又何必这样苦苦相逼？"云生挺身而出，"净霖为人众所周知，其中缘由叫他说出来不就明白了！"

"好！"一人自檐下疾步而出，站在净霖面前猛地甩袖，质问道，"你自己说！你为何要杀陶弟？你当真没有一点私心作祟？你分明是怕他留下什么只言片语叫人起意吧！"

"何出此言。"云生侧首，"休要将捉风捕影的事情拿来作弄人！"

"父亲！"黎嵘陡然暴喝一声，震下四周的嘈杂，他的额头磕在地上，"且听一听净霖如何作答！"

九天君闻声眺望，掌中茶盏端着不动。

净霖卸下腰侧短剑，置于膝前。他静跪片刻，抬眸时觉得天地间的重意都挤压在胸腔里，压得他几欲喘息。

"父亲。"净霖说，"此剑乃澜海所造，秉承匠心，锋利无比。我将它带回，是不忍宝剑蒙尘，归于邪道。陶致居北杀人如麻，我杀他——我不该杀他么？"

院中死寂，接着炸开无数议论之声。

"你当真是……"净霖身前的人惊慌退后，"你当真是天底下最铁石心肠的人！你怎敢这样说？你怎敢……"

"我敢。"净霖骤地转过目光，他撑地而起，在夜雨中似如悬崖峭壁间的挺松。他言辞犀利，"陶致奸杀人女，强取豪夺，居北数月百姓苦不堪言！身为守将，窃取奉银，偷减工料，大难当头弃人而逃！我杀他，我何错之有？这等背信弃义、祸乱一方的卑鄙之徒死不足惜！来日但凡沦入此道之中的兄弟，不论亲疏，我净霖皆会拔剑相向，绝不姑息。"

黎嵘立觉不好，已经抬起了身，却见九天君掌中茶盏倏地砸出。瓷盏登时崩碎，凉茶泼了净霖半身。

"来日。"九天君怒火压抑，"你连我也要杀么？！"

檐下众人一齐跪倒，顷刻间院内鸦雀无声。九天君胸口起伏，他撑着桌跟跄半步，难以自持地重拍着桌面。

"你好狠的心！"

"不孝之子怎能与父亲相提并论！陶致作恶多端天道轮回！净霖自作主张罪加一等！"黎嵘飞快地说，"我恳请父亲罚他鞭刑，让他面壁思过！"

"他杀弟在先,区区鞭刑就想蒙混过去,那日后门内弟子皆可效仿!"三弟一臂横出,指向净霖,"况且他如此行事必有内情!一句话都不准陶弟留,大哥,他怕什么,他瞒什么!"

"无稽之谈!"黎嵘斥道,"净霖一言一行皆在父亲眼中,他能瞒什么!陶致身兼安北重担,却玩物丧志、泯尽天良,惹得北边民声鼎沸!净霖专修正道,怒火攻心先斩后奏,他怕什么?他怕的不过是民怨生变,一片赤诚之心天地可鉴!"

黎嵘在雨中膝行向前,他哽咽着磕下去,不断地磕着头。

"父亲!陶致屠杀无辜我已证据确凿!他做错了事,身为兄长难辞其咎!我愿卸冠领罚!"黎嵘冒雨抬首,额间淌着殷红,他泣不成声,"陶弟沦落至此,皆是我监管不周,我心如刀割!短短数月而已,已经前后失去了两个弟弟,如今还要再为些流言蜚语离间我兄弟情谊,岂不是寒尽了门内弟子的心!"

"望父亲圣心明鉴。"云生随着磕下去。

九天君怅然地坐回椅内,他掩面颤身,竟也情难自控:"父子兄弟……怎就沦到了这个境地!"

底下诸子皆闻声流泪,一时间大雨交错着哽咽声,被白灯笼衬得凄凉苦楚。过了少顷,九天君方才缓过劲,掩着眼沉声下令。

"陶致作乱一方,危害百姓,九天门不与之同流,摘下他的木牌,从此贬出九天门,生世不得再入!净霖自作主张,薄情冷性,僭越权职,无视门规,然鉴其实为除恶,故而仅行百鞭之刑,拘于院中半月思过!"九天君说罢,似是不忍再看他们,只道,"皆退下罢!"

净霖脱了外衫,跪在鸣金台上。兄弟与门内弟子皆立于台下,黎嵘持鞭,扫视下方。

"今日净霖之过,诸位当引以为戒。父亲素来慈悲为怀,门内规矩舒松,却容不得马虎应付。"黎嵘目光从兄弟们的面上扫过,他说,"嚼人舌根最为下作!不经之谈荒诞可笑!眼下正是危急存亡之时,望诸位齐整心思,定神避邪——净霖,你知错么?"

净霖闭眸不应，黎嵘劈手一鞭，那背上薄衣登时抽裂，血痕顿显。净霖喉间咽声，动也不动。黎嵘鞭鞭见血，手下不留半分情面，数十鞭后已经抽得净霖背部血肉模糊。大雨冲刷，将血淋到净霖膝下淌开。他额前掩着湿发，硬是一声不吭。鞭子抽着皮肉，连雨声都被盖了下去。

　　黎嵘冷不丁地问："你知错么？"

　　净霖牙关渗血，他扛着声。黎嵘抽得更狠，净霖陡然溢出声。

　　"我无错。"净霖怔怔地盯着前方，他齿间咬着这三个字，"我无错！"

　　不久之前，也是鸣金台，他似乎还能望见另一个人的大笑的身影。冷雨涤净余温，净霖浑身冰凉，他胸口的气吞咽不下，竟在这熟悉的夜雨中生出一股陌生的委屈。

　　他杀陶致无错！

　　若是在北边放过了陶致，等陶致归了家，便有千百种法子逃脱罪责。九天君舍得杀他吗？黎嵘舍得杀他吗？诸位兄弟舍得杀他吗？只要他们念着兄弟情，就有无数个理由为陶致开脱！

　　黎嵘手中一顿，接着猛抽而下。净霖汗雨难分，他额间湿透了，撑着身不躲不闪。

　　下边不知是谁先跪了下去，跟着趴倒了一片。云生回首，见白袍迤逦铺在场间、阶上，虽然无人开口求情，却另有一番气势。

　　"我为槐树残余。"晖桉忽然仰颈呼喊，"我听凭临松君调遣，亦有僭越之过！"

　　"我为北城守备。"后边的人淋雨大声，"罪责同上！"

　　紧跟无数弟子齐齐磕头，在雨中山呼齐喊。

　　"我等虽为门中末流，却皆于危难之时听凭临松君调遣！僭越之过，该受同罚。特请大公子持鞭，一视同仁！"

　　白袍"哗"声脱下，银冠同时摘落。大雨倾盆，千百人齐身叩下，再抬首喊道。

　　"特请大公子持鞭，一视同仁！"

　　如此周而复始，呼喊震天。

　　东君开扇，遮挡住雨水，嘀咕道："早这么干就不必淋雨啦。"

云生松气，稍作一笑，抬步上前，对黎嵘说："大哥……"

"既然一视同仁。"黎嵘面色骇人，"我便成全诸位兄弟。门内三千甲上前听命，凡跪下者皆有过错，全部鞭挞五十，同净霖一道受刑！"

鞭声顷刻间炸响，跪着的人皆不动身，随着大雨，各种闷哼之声直至凌晨方才歇止。

098章 掀面

净霖栽在床上，黎嵘目光示意，云生便将伤药瓶罐放置在案上。三人半晌无语，檐边水珠敲打着水泊，合上窗也遮挡不住寒气。

净霖头发未擦，渗湿了身下的被褥。他既不与这两人作别，也不与这两人相视。背上火辣辣地烧着，伤得不轻。

云生觉得气氛凝重，便率先说："鞭子持灵，抽得又这样重，不能不上药。"

他方站起身，黎嵘便说："鞭刑已毕，你去父亲那里知会一声。"

云生便明白他这是有话要与净霖说，当下颔首，退出了门，替他们将门掩了。

黎嵘待云生走出院后，看着净霖，说："师兄打你，你觉得不服气，连面也不肯给瞧。这无妨，兄弟一场，今日不见明日见，就是打断了骨头还连着筋。但是你这般挺着扛着，糟蹋的是你自己的身体。修道不易，你好生斟酌。"

净霖撑起身，肩背上红痕殷殷。衬得分外可怖。他回首看着黎嵘，脸上神情格外冷情。

"你闭门思过，就不必再来回奔波。北边剩下的事情，也不必你再操心。"黎嵘倒倒磕了磕净霖桌上的瓷杯，翻过来倒上冷茶，含在口中苦了半晌，才问，"但你老实与我说，你与苍帝什么干系。"

净霖顿时转回头去。

黎嵘说："心里觉得师兄耳根子软，连这些话也信是不是？我告诉你，我不信，但话搁在外边，三人成虎。父亲为此势必要敲打你，你心里明得很，却还要犟！不挨这一顿打，便有更厉害的等着你，你觉得自己出息了厉害了，扛上两三次不打紧，可你知不知道，父亲心里次次都记着！他容你一两次，那是爱重，但他能容你七八次甚至数十次么？你今天错了，我打你，不是因为你杀了陶弟。"

黎嵘沉默下去，他倚在椅子中，指间把玩着冷杯，一双眼陷在阴影里，竟也有了几分喜怒难测的威严。他逐渐后仰起脖颈，呈现出一种少见的松懈之态。

"净霖。"黎嵘夹杂着叹声，"人欲难除。这世间没有神，只有人。大家修为渐深，能招雨化风，能移石填海，可仍旧是人。九天门日渐兴隆，八个兄弟，皆是父亲的儿子，试问生到此时，谁不想称一声'君上'。父亲称了，现如今你也称了，你多次对人说，父亲在上，你不敢受此称呼，可'临松君'三个字仍然名响大江南北，谁传的已然不重要，重要的是昨夜父亲怎么叫你。他叫你临松君，净霖，他这般叫你，你便没悟得什么吗？"

黎嵘说着扣下茶杯，他握枪的手其实并不无暇，翻过来看，茧子和伤痕层层叠叠，那都是这些年来奔走四方处理事务的印记。净霖背上扛着伤，他就没有吗？兄弟不交心，他数年来的伤药没假借过他人之手。净霖不吃丹药，能够甩手拒绝，但是他不能，他一概来者不拒，只是吃了多少，只有他自己知道。

"陶弟做的事情，我知道的比你更多。"黎嵘眉心紧蹙，他疲惫又沉重，"娇惯成这个样子，他已经算不得人了。你去听听北边的声音，便知道他做的那些事情，邪魔侵城都比不过。可是我为何没动手？净霖，因为你我都动不了手！手起刀落是痛快，可杀了他，明日起天下人该如何说？人人都将称赞你临松君大义灭亲，父亲又会落得什么名声？你越绝情，声望便越盛，你已经称了'君上'，那你还有多久能盖过九天君？昨夜数千人为你临松君跪受鞭刑，你已然成了人心所向，你认为父亲还能忍多久？"

"我们是父子。"净霖声音泛哑，"是父子！"

"你何时能长大。"黎嵘闭上眼，静了许久，"如果有一日。"

黎嵘喉间干涩，他晦暗沙哑地说。

"如果有一日你剑道崩毁，你便不是九天君的儿子。如果你肯放陶致一条

167

生路押他回门，他这一次必定难逃死劫。你以为父亲为何要收这个第八子，前有你本相孤绝，后有东君邪归正道，父亲的声望已经顶天了。陶致他既不是天资绝伦，也没有珍稀本相，父亲却仍然收了他，不仅收了他，还颇为疼爱。这些年他凭什么能在你面前作威作福？因为父亲撑着他！他如今长成这般目中无人、无法无天的模样，你在院门口已经能说出父亲包庇四个字，怎么就不能再多想一层！"

净霖攥紧被褥，他震惊地看着黎嵘，觉得这个人分外陌生。

"你成了今日这个模样，又何尝不是父亲刻意教引。"黎嵘俯下身，将脸埋进手掌间，"至纯剑威力无穷，你要做至纯剑，你就要按照父亲说的断情绝欲。即便你真的为谁动了心动了情，你也得藏起来，也得忍下去！净霖，一旦你变了样，咽泉剑不再称天下第一剑，你于父亲而言，就不是爱子，而是废子。"

他霎时露出双眼，其中的痛苦纠缠沉淀，变得漆黑一片。

"你知道什么是废子么？澜海是，陶致是，如今命丧边线的所有人都是。净霖，若是你废了，便无用了，九天门不留无用之人。"

桌椅猛地被撞开，净霖拽扯着黎嵘的衣襟，将人掼在地上，一拳砸得他口鼻渗血。茶盏茶壶登时砸碎，黎嵘摔在碎片里。

"你早就明白了。"净霖声嘶力竭，"你看着澜海死、你看着陶致错，你看着千千万万的好儿郎一个个送上边线！你怎么能忍受得了？你怎么能忍受得了！"

"你想我奋起责备，想我如你一般刚硬不屈。"黎嵘偏头吐血，低声说，"你以为这就是卫道？你明不明白，昨夜跪下去的千百人，如果我不罚，他们今晨就要派去边线！你为你心以为的大义而挺身，你风光了，死的人却永远不是你！父亲不会杀你，但是他能拿别人开刀。你能保一条命，你能保千万条命吗？边线不收，我便没有如今的门内三千甲！我不忍陶致，便没有如今的生杀予夺之权！刚硬一时便是正道，忍辱负重就是无能？！"

两个人撞翻木椅，黎嵘咳声。碎瓷片铺了一地，随着击打碾成了渣粉。一室之内尽是狼藉，黎嵘反手拖了净霖的衣领，扯到不远处。

"你何时能长大？你抱守的道义一文不值！除了盛名加负，你还有什么？你拿什么查! 九天门一立数百年, 这里边的水浑得连鱼都摸不到! 你此刻无所顾忌地挖下去, 只会让人死得更快! 你这个愚小子! "黎嵘扯着他, 痛骂道, "你何时能明白我的苦心! 我叫你不要再查了! "

净霖背上渗血, 他猛地推开黎嵘, 狠狠擦拭着唇间被打出血的地方, 他说: "我的道义一文不值, 你的便值几两? 父亲做错了事, 你我便是为虎作伥! "

"你要杀了他么? "黎嵘牙齿缝里挤着字, "你能么? 父亲已入大成, 除非时机正好, 否则谁也动不了他! "

净霖躬身啐血, 他喘息未定, 忽地问: "你是不是知道血海是谁? "

"我不知道。"黎嵘迅速说, "但是南下聚集孩童已经有数年之久, 我在——"

空中倏地震动一瞬, 院中的枝丫被风惊动, 簌簌地摇晃起来。他二人即刻对视一眼, 接着黎嵘翻身而起, 斥道: "我打你是为你好! 目无尊长, 连父亲你也敢顶撞! 我打你不该吗! "

净霖额上冒着冷汗, 他挨了一夜鞭刑, 又受了一夜雨淋, 此刻面色不作假。他撑着身后靠向床沿, 气息已平, 只拿眼冷冷地看着黎嵘。

黎嵘寒气凛冽, 居高临下地责骂着。院里脚步声一响, 云生叩了门, 看清里边之后, 即刻头疼道: "亲兄弟, 怎么又动了手! 父亲那头传唤黎嵘, 赶紧去。"

黎嵘踢开碎瓷, 挽了袖, 试探道: "这会儿唤我做什么? 你漏个口风。"

"北边苍帝行动了。"云生说, "万妖出墙! 据弟子回报, 连东南两线被围堵了。他沿着血海一线, 不知要干什么。但动作极大, 恐怕要生变! "

"苍帝。"黎嵘余光掠过净霖, 却没继续说下去。

净霖闻言心下一动, 起身披外衫。云生却略跨一步, 说: "你不能踏出院门, 黎嵘去就行了。"

净霖穿外衫的动作一缓, 他说: "嗯。"

黎嵘便与云生一并去了。净霖站在室内看着他二人离开, 约莫半个时辰, 突然扯开衣衫, 将伤药全部倒在背上, 极快地包缠完毕, 再套上了干净的白袍。

黎嵘不及换衣，直接去了九天君的院内。他到时剩余兄弟已经站齐，九天君正喂着只鸟，背着声说："那孽障犯了错，还敢给你甩脸子看！擦擦手，成什么样子。"

黎嵘接了一侧递来的帕，红肿着眼勉强一笑，说："净霖年纪尚小，不明白许多事情。父亲这般也是为他好，拘他两日，叫他冷静冷静，便能明白了。"

九天君说："只怕他心里不服气。陶致做了错事，有什么打紧？该罚的一律跑不了，难道我便是那样黑白颠倒的人吗？昨夜恼的是陶致不争气，做出那等丧尽天良的事！还恼他擅自杀人，如今门内规矩已成，各个都如他一般自作主张，迟早要乱作一团！"

"父亲圣明。"黎嵘应和。

"北边向来是妖怪盘踞之处，这事儿卡在我心头许多年了。原本为了天下生机，我们一直力求盟誓，对苍帝礼让三分。"九天君缓慢地剥着瓜子壳，再耐心地喂给鸟儿，说，"可是你最知道，那苍帝是什么混账东西！占着万里田地不肯出让，任凭无数百姓饿死墙下，屡次三番夺我九天门的城镇。我们一忍再忍，昨夜听闻北边倾巢而出，怕是筹谋什么大事。今日招你前来，便是为了差你前去。"

"血海压境，他在这个关头也不敢逆天而行。"黎嵘稍作思索，露出苦笑，"况且苍帝此人虽然狂妄，却绝非无所凭依。我当下才临臻境门槛，只怕……"

"你一个人不行。"九天君回首，笑似非笑，"带着你的门内三千甲不就成了。群狗还咬不死一头狼？他谋着大事，只怕会左支右绌，正是时机啊。"

黎嵘一滞，他的眼皮无法遏止地跳了跳，硬是撑着面色不改。

"你们且出去。"九天君说，"我与你们大哥细谈一谈。"

两侧人鱼贯而出，室内仅剩他父子二人。

九天君负起手，绕着黎嵘踱了几步，说："苍帝狡诈难缠，连真佛也难以匹敌。这是我的心头大患，你最知我心思，自然明白此行的含义。"

黎嵘说："我……"

"净霖是我的爱子。"九天君突地话锋一转，"自他入门起，我便躬亲教导。数年磨砺，耗尽心血，方才铸出这把天地第一剑。你生性宽厚，但我却叫你走修罗道，你明白为何吗？"

黎嵘鬓边无声地滑着汗，他顶着大成之境的威压缓声说："因为我不喜杀生。"

九天君莫名笑起来，他拍着黎嵘的肩，每一下似乎都带着意味。

"不对。"九天君说，"我让你走修罗道，是因为你心性坚韧。你看似宽厚，实则刚硬，走这条道，既不会疯乱心志，也不会肆意放纵，与净霖有相似之处，只是少了他那样的本相而已。况且你比之净霖，更加通透，知忍耐，明事理……还重情义。"

黎嵘唇角微动，说："不敢……"

"净霖不懂事。"九天君说，"他不明白我的苦心。我并非让他真的断情绝欲，我怎会如此？当父亲的，只想他好罢了。然而过去我拘得太紧，倒使得他不明白情字的难缠。那苍帝是什么好东西？为着他坏了修为，你这个当哥哥的，也能看得下去？"

黎嵘轰地汗毛炸开，他艰难地看向九天君。

九天君面露难色，说："陶致混账，在院里的药堂弄些下三烂的东西。我原先睁一只眼闭一只眼，不想他还会弄到净霖身上去，可见他确实是个畜生！好在如今畜生已除，净霖还有回转之机。你手里的三千甲操练了有些时间，一直未曾拿出去过，不如趁此机会，搏个开门红。"

黎嵘觉得自己不能喘息，可是他手掌在抖。他用尽此生的耐力，缓缓地对九天君露出坚定之色，说："儿子明白了。"

"此行必杀。"九天君看着他，"为了苍生，望君拼力而行！所谓邪不压正，你且去了北边，便明白杀他不难。他这个关头要竭尽全力对付的另有其人，破狰穿万物，他弱点已暴露无遗，你把握时机。"

黎嵘喉间滑动，他不知道自己如何应的声，只是在退下之时，听得九天君嘱咐。

"黎嵘，定要刮了他的鳞，抽了他的筋，让他生世入不得轮回。"

九天君逗着鸟，笑了几声。

"为父待你凯旋。"

099章 苍帝

北方大水已退，高墙拔地而起，屹立于天地之间。苍际鹰鸟皆藏，浓云乌压压地沉出瀚海奔腾之状。

苍霁俯瞰万里，大风尽匍匐于脚下。他发袍鼓动，指间紧拴一条细若游丝的莹线。那线经风摇曳，末端隐于狂风乌云中，不知去处。

阿朔盘坐于塔下，他擦拭着自己的棍棒，仰头凝视那几欲隐于云端的身影。

"天下血海尽涌此处。"阿朔说，"这岂不是很危险？"

"所谓千金之躯不涉险境，我明白你的意思。但是如今纵观天下，唯有帝君能够吞天纳海，这也是不得已而为之。"华裳学着琳琅的口吻，负着手，弯腰看阿朔，"若不是九天君那贼老头渡境渡得如此之快，帝君本也不急在此时。但眼下时不待人，九天君大成之境尚不稳定，一旦等他修成正果，往后再做此事就是难上加难。"

"我见许多人调往别处。"阿朔的棍棒是自己伐来的，修得笔直圆滑，"望塔空虚，若九天君此刻来了，我们岂不是毫无招架之力？"

华裳提了裙，蹲在阿朔面前，说："你都能想到，帝君想不到吗？血海灌入墙内时天地灵界一触即发，邪魔无能脱逃，便只能遵循渠道横冲汇集于中枢望塔，帝君便于此处吞海噬魔。我与阿姐会镇守左右，确保灵墙不崩，提防外来奸佞。除此之外，各地大妖分守九天门要害，就是要他们的守备寸步难行，北墙之前还步设万妖屏障。为此一事，帝君筹谋多年，事到临头，谁也不敢大意。"

阿朔看那似如群山的高墙，说："这样坚不可摧的墙，着实不好建。我在九天门山下要饭时便知这样的墙要寸寸黄金，你们这样劳心除魔，我觉得很是敬佩。只是九天门亦为天下大义而建，帝君怎么不愿与他们讲和？"

"一群沽名钓誉之辈，焉能与帝君相提并论！"华裳不悦，对他扮了个鬼脸,"他们真讨厌,读了些什么道义之书,整日满口胡话! 你也见过那陶致,算什么济世之徒? 分明比邪魔更叫人作呕! 阿姐也讨厌他们,所以你也不许喜欢!"

华裳提起了琳琅,阿朔便有些不自在。他小刀划着棍棒,目光游离,还要强撑着像是不经意:"我今日还没见着她……"

"设境步置皆是大事,阿姐不会马虎。"华裳手指戳弄着木屑,说,"你真的这么喜欢我阿姐啊?"

阿朔顿时面红耳赤,他刀都划歪了,慌张道:"我怎敢……"

"这有什么不敢。"华裳垂着头,"阿姐生得美,性子又好,我也喜欢她。"

阿朔挠了把后脑,声如蚊虫:"……我怎配得上她。"

"你自然配不上她!"华裳突然抬头,闹起性子,她揪着土撒了阿朔一身,莫名恼道,"男人皆不是好东西! 你要再快一点长进,修出本相,修为大成! 到了那时,谁也挑不出刺来。"

阿朔说:"我知道的,但是干什么撒我?"

华裳眼眶一红,起身跺脚,说:"你什么都不知道!"

阿朔莫名其妙,他拾起棍棒,起身跟在华裳后边,说:"我哪里惹恼了你? 我给你赔不是。"

华裳不理会他,变作狐狸跳上阶,钻去了望塔。阿朔无可奈何地拎着棍棒,看着天色阴暗,气氛紧张,便也不敢乱跑,就在阶下扛着棒蹲守。

琳琅掂量时辰已到,登顶见殊冉准备妥当,便对苍霁跪身一叩。

"此番辛苦。"苍霁没回首,说,"待万事过后,我自当请大家吃酒。"

琳琅说:"主子上门之日,怕是人家老父肝胆俱裂时。"

"九天君一把年纪,算个半世英雄,犯不着为这点事使性子。"苍霁说,"闲话暂罢,事不宜拖,望诸位勉力而行。"

琳琅与殊冉齐声道:"谨遵帝命!"

话音方落,便见云海之间霍然洞开,血雾似如出闸猛兽,自上往下滔滔灌涌。各方大妖一起撑地,一线红光交错着升亮于天地间,衔成固若金汤的铁壁

高墙。东南西三方血海骤然受阻,无数邪魔攀壁而撞。这血壁中镇着苍龙的雷霆之息,应声而响却纹丝不动。

殊冉几步飞踏而出,他于半空中化出原形。佛池巨兽落地时整个地面都在震动,他张口一吼,万里血海登时汹涌奔来。

苍穹沉归于血红,无边无际的邪魔浮动于血海雾浪。天云旋动,仿佛倒挂着的怒海漩涡。风暴烈卷起,北地已沦为殷殷血海。那鳞次栉比的高墙仿佛被凿开洞壁,万种邪魔被拘囚于狭窄长道,陷入跋前疐后的两难之地。数万里地刹那凹陷,高墙汇涌的血海与云海搅作一团,顷刻间不分天地。

华裳已登上望塔,她与琳琅同时化形。九尾霎时张扬于强风浓雾之间,双狐分列而啸,只见贪相与凶相号叫争出,遮天蔽日地横铺过来。

苍霁独立于血海冲击的顶端,那大出百倍的狰狞恶物从上撞下,"砰"声挤压在他单臂之前。苍霁发丝陡然荡后,在邪魔们撕咬间跃身化龙。只听龙啸夹着惊空雷电爆在耳际,一条苍色巨龙从血海之中长吟着冲向云海天浪,万千邪魔沦为一场饕餮盛宴!

琳琅定守一方,突然觉得灵海紊乱,有些许力不从心之感。她不敢拿大,便以尾横拦住血海潮浪,调头冲华裳道:"你……"

声音方出,便听靠南方向的高墙被震破,一道猩红霎时跃来。长枪破风狞啸千里,黎嵘顿时凌跃到了她眼前。

"混账!"琳琅怒不可遏,旋身现出人形,弯刀划飞凌出,与黎嵘的破狰枪烈声碰撞。

黎嵘破狰疾挑,琳琅压刀登时翻起。两人在天地嘶吼间激烈搏战,脚下腾空后血海怒涛顿掀。

"引八方血海,聚天下邪魔,你们其心可诛!"黎嵘沉喝一声,掌间铜枪砸起数丈血浪。

琳琅擦刀顶扛,被这一枪直击胸口。她环刀勾缠,翻足时长尾凌空抽出,直将黎嵘击撞数里。黎嵘一退,后方猛地凌跃而起三千白袍,听他一声令下,三千甲立即逼杀而来。

琳琅冷声啐血,背后立起群妖相阻,她道:"废话少说,滚!"

黎嵘默声立枪,目光穿过琳琅与混淆的天地,见那龙影隐约,便横臂相向，说："苍帝诡诈多端，今日我必要取回他的项上人头。你虽为妖，却深谙大义，琳琅，让……"

弯刀瞬间劈砍在黎嵘门面，铜枪格挡，稳稳接下一招。两个人再度纠缠，此时情势已经大变。天地彻底交融于血雾，云间的千军万马皆由苍霁一人身扛，龙爪撕裂云雾，吞得血海半数枯竭。血雾中陡然凝出一道龙影，竟拟作苍霁的身形，猛然与他撞在一起。

血龙通体覆眼，剩余的邪魔皆依其上，竟隐约大出苍霁一倍。苍龙横身缠斗，两厢撕咬在云海波荡中，惊雷急电皆为背景，恶斗中血龙哀号，被苍龙撕去一爪，倏地变作双龙二分，一起绞住苍霁的齿爪。

"阿姐！"

华裳突然惊声。

"西边崩了！"

琳琅分神，黎嵘震枪，将她立刻击出数丈，接着调身跃向血雾。华裳以身去挡崩口，见只凶相探臂而出，被弯刀顿削而下！琳琅提住她后领，掷飞出去。

"拦住他！"

华裳腾空跃身，拽住黎嵘衣角，接着尾巴横绕，拖着黎嵘翻坠向下方血海。黎嵘一枪砸地，荡起巨浪，跟着翻足踹得华裳滚身而出。

华裳心知拦不住，须得余出空暇交给琳琅。谁知她回首一望，却见她阿姐迟迟不动作。

崩口处的凶相张口扑出，血浪迸溅在琳琅身上，她肩臂被咬住，整个人被拖向崩口。千钧一发之际，空中陡然击下一棒，正中凶相头顶，砸得腥臭爆开。

阿朔拉住琳琅的手，一把拖出，喊道："师父！"

崩口处应声嘶扑出更多的凶相，阿朔木棒已断，他紧紧攥着琳琅的手，却发觉她指尖微抖。他察觉不好，欲进一步，琳琅却立刻抽回手掌。

"我算得你前途无量。"琳琅面色发白，从容地轻拍在阿朔胸口，"师徒一场，我不误你。阿朔，且去！"

阿朔身震而起，接着见琳琅一尾抽在他身上，将他击出血海。阿朔滚地，却听见华裳撕心裂肺地喊了声"阿姐"。

　　他一抬首，便直直地看着墙面崩塌，无数邪魔一拥而上。琳琅转身张臂，灵海已然崩坏逆涌，逼得她踉跄一步，跟着一掌击空，带着血风生生将一众邪魔压退回墙，腾后数里。

　　阿朔爬身而起，奔冲向前。

　　"师父……"阿朔疯了般地扑跃而上，"师父！"

　　琳琅似是回眸，这一眼太难得，它在往后数百年的时光里，成了阿朔一生的魔障。他的嘶声被淹没在波涛汹涌之中，他睁着眼，看着琳琅坠入血浪，随后被撕成破絮，化为血雨。

　　弯刀滚地，雾水溅了阿朔一身。他喉间似乎被人紧紧掐住，那声"回来"变作哽咽，接着号啕而出。

　　西边高墙崩裂，失去震慑的血海开始漫涌向南。雨逐渐下起来，血雾潮覆向整个中渡。

　　苍龙破云冲出，俯纳血海。他吞着邪魔，直追崩塌处而去。血龙一翻而起，咬住苍龙后颈，跟着轰然栽进血海。苍龙利爪将血龙开膛破肚，流淌而出却是无数蛇蟒，埋没住这条龙的动作。

　　苍霁仰颈长啸，身已半起，却听风声凛冽，邪魔攀爬在龙身，苍霁已吞了半世血海，当下紧要关头，竟挣扎不脱。他奋力甩首咬开束缚，猛地冲起。

　　高墙一崩，如不止住血海潮势，中渡便彻底沦陷了。往南数万百姓同丧一处，这天下众生连跑的机会也没有。

　　苍霁龙尾横扫，拍起血海浪涛。他口吞万丈，扑扎进血雾间一阵翻腾。地面也在翻腾，天云漩涡含雷劈炸，苍龙被邪魔们撕咬着侵蚀着，龙身裂口，血海突然发作，苍霁灵海间滚烫如烧。他不知何处来的蛮力，竟荡扫群魔，将血海浪势逼转向自己，接着双方轰然撞出闷雷般的巨响。

　　狂风突然扭动，破狰枪从上直掷而下，陡然钉穿苍霁龙身！

　　苍龙猛坠于血海间，登时哀啸而起。龙尾拍撞于高墙壁面，被蜂拥而至的邪魔撕得鳞溅血迸。

　　苍霁当即现出人身，他撑地时竟然没能爬起身。破狰枪从后洞穿胸口，血如股涌冒。他眼睁睁看着高墙齐塌，剩余的血海肆意铺张，多年苦心经营毁于一旦。

"拦住它……"苍霁哑声说道。

可是高墙轰塌,血雾遮蔽了他的目光,邪魔聚于四面八方,功亏一篑只是转瞬而已。雨水滴落在额间,淋湿了苍霁的眉眼。

他还没有死。

黎嵘欲拔出枪,枪却纹丝不动。苍霁一掌紧握住破狰枪,猛地挺身站起来,他踉跄向前,看见一抹白影疾跃而来。

好远啊。

苍霁心道。

那个人越来越近,雨和雾又这样大。苍霁食指微抬,隔空触摸着净霖的轮廓。指尖的血沿着腕滴落,苍霁又近了几步,他吞咽着自己血,含糊不清地唤着人名,由着身体撞在净霖身上。

破狰枪倏地被拽扯出去,热血淌了一手。苍霁额头突然轻撞在净霖额间,他盯着净霖,手掌狠狠摸着净霖的颊面,留下深深的血指印。

"你活着。"

苍霁凶声咬着字,捏得净霖颊面泛红,他忽地落下泪来,重复道。

"你活着!"

下一刻苍霁用力推开净霖,佛珠滚落血泊间,他几步向前,在雨间嘶声哽咽着大笑。

"天降大任于我,但凭宵小阻拦,我也拦得住它!"他声音发抖,一跃而起。

暴雨飘泼,一条苍龙啸傲冲出。血雾激荡,他吞尽血浪,巨身轰然摔砸在血海尽头,形成万里高墙,致使余下的邪魔骇然后退,波涛血浪滴点不越!龙身往后千万无辜免于一难,北边高墙尽数坍塌,唯独此墙屹立不倒!

100章 束缚

净霖额间沾着血，他蓦然回首。

黎嵘已经踏步而出，剐鳞抽筋尚未做完。他身才动，面前白影便踏出劲风，接着他胸口一重，竟被踹翻过去。

净霖追向龙身，临松君竟然趔趄一下，极其狼狈地摇晃着身。他面上的血被雨冲刷，怔怔的神色似如走丢的孩童。

"住手……"净霖呓语，无助地念着，"求求你……"

苍龙垂首不动，暴雨滂沱，将净霖的声音覆盖。他的脊背似是被什么东西压下，变得隐约弯曲，整个人身抵着龙滑跪在地。他的手掌胡乱地摸在龙身，将那受伤的地方用力盖住，好像这般就能让苍霁变回原样。

血水渗湿膝头，白袍变得斑驳不堪。净霖不住地颤抖，耳边轰鸣着是大雨，那一声"你活着"扎得他眼前模糊。

怎么能模糊呢？

净霖靠近他，像是犯错一般地擦着雨水。但是这雨太大了，不论如何擦拭，眼前皆是模糊。

大雨如注，贪相钻噬着苍龙的伤口，邪魔们群簇蜂拥，试图分食这条龙。黎嵘提枪上前，扯开贪相，他看着净霖被埋进污秽，探臂要将净霖拉起来。可当他的手要触及净霖时，咽泉却倏地插入地面，将他与咫尺的人霍然隔开。

劲风绕身而荡，净霖久跪不起。咽泉剑斜刃阻挡，他不顾一切地拉扯着龙身上攀覆的邪魔。仅剩的血海淹到了他的腰间，面临绝境的邪魔怒吟血风，将净霖包围于茫茫血色之间。

衣袖被撕得稀烂，露出的手臂也被刮得鲜血直冒。净霖不知痛楚，他用手，甚至用牙扯开脏污，将被剐走的龙鳞凶猛地夺回来，将它们攥在掌心一片都不肯丢。他呼吸急促，双掌在邪魔的噬咬间被龙鳞割得血肉模糊。

天生异象，被苍龙搅动的云海突然凝聚飞转，聚于此处的邪魔躁动不安。苍霁已死，剩余的血海无处可居，它们蠕动着埋没净霖，血雾疯癫地覆钻进净霖的伤口。

咽泉骤然嗡声大噪，但见擎天云柱崩塌砸下，势如破竹地灌冲于净霖一身。青光隐散于天地混沌，红芒破水乍亮于风雨浪涛。

"血海本体已损！"黎嵘猛然一震破狰枪，喊道，"它想要吞噬临松君！拖住它！"

三千甲奔涌而起，净霖身影已然被血雾遮掩。红芒遁于其中，刹那之间见得净霖脖颈、手臂上迅速浮现咒术纹路，勒得净霖喘息不上。他的额抵于龙身，窒息感如潮泛滥。痛声压抑在口齿间，净霖陡然撑臂，血雾沿着纹路渗了进来，似如寒冰一般尖锐，在他五脏六腑间横冲直撞。

净霖随即呛血，他灵海逆冲，掌心莲纹被划得血烂。咽泉震动着"啪"声，竟然裂出数道碎痕。

"净霖！"黎嵘已经变色。

净霖额头滑磕在地面，碎鳞硌得他好痛。他喉间似如被人紧紧卡住，唯有指尖浸泡的殷红还有余温。邪魔注身，好比苍霁吞魔咽海，那阴冷之感游走于四肢，使得净霖指尖紧抠在地面，口齿间血难掩止。半边面容已覆纹路，他粗声撑身，已将坠入魔道！

黎嵘两指速点，止住邪魔冲势，从血水间将净霖扛出来。这雨宛如天泣哭嚎，黎嵘挺着身，拔出已裂纹密布的咽泉，奋力回撤。

黎嵘已经泪流满面，他念着："休要怕！师兄绝不叫你死！"

净霖脖颈间青筋暴现，他艰难地喘着气，手指抓着雨帘，喉间似乎溢着什么声。黎嵘原先听不清，待到撤出血水时方才明白。

那是净霖在失声痛哭。

这场大雨接着冰雪，在北方盘踞了整整七日。七日间净霖灵海崩坏，邪魔噬得咽泉锈成废剑。浑身无有一处不在痛，腹间与胸口寒锥一般地扎刺，脖颈间勒着咒术的禁锢，净霖十指在痛苦间磨得血肉淋漓。

他有几个刹那疑心自己要死了。

可是身体内隐藏着龙息，它们不知疲惫地随着邪魔游走，不理昼夜地护着净霖本相。它们似如主人，在净霖体内筑建起铜墙铁壁，保护着他生机不绝，拱卫着他还能继续喘息。

"你活着。"

这句耳语不断重复，净霖睁开眼，却陷在漫长黑暗。他眼前空荡漆黑，颊面贴着寒冷的石床。净霖动手，四肢皆被沉甸甸的锁链铐住。

"醒了？"上方突然传来爬动的声音，黎嵘推出一条仅能容纳手臂通过的缝隙，趴在空隙间，切声说，"净霖！还认得师兄吗？"

净霖双眸不动，他喉间干涩，咒术困禁着他，使得他此刻还有些恍惚。

上边缓缓递下一碗水，摇摇晃晃地磕在净霖面前。黎嵘伏着身，尽力伸长手臂，将碗倾了些许。清水晃动，净霖眼珠微动，逐渐转了过去。

"用些水，若是腹中饥饿，便与我说。"黎嵘望着他，说，"……你修为系于一念之间，万不可再想别的事。"

净霖漠然不语。

黎嵘只得将碗沿轻抵在净霖唇间，然后缓慢地倒。可是净霖不张口，任凭水打湿他的下巴和左鬓。他这样紧咬着牙关，仿佛松上些许，便会变作撕咬。

"净霖。"黎嵘说，"邪魔残余在你身体里，它们不消，父亲便不会再放你出来。咽泉已残如钝剑，却没有断……你明白吗？你尚不是废子，你只是。"他停顿片刻，"你只是闭关。咒术会助你忘掉苍帝，重修剑道。"

净霖撞翻碗，水泼在石床，滴落向下。

黎嵘怅然收手，他就这样伏身在上方，沉默许久，说："你我猜错了，父亲不是血海。"

"你一句话也不肯与我说，我却要告诉你。净霖，死的是清遥。"

"苍帝吞海时，清遥陷入天火焚烧。云生正在别处，家中只有你……雪魅追了你几十里，欲求你回程救人。净霖，你头也没有回。"

净霖忽然喘息断续，他抵着墙壁，仓促地道："说谎！"

黎嵘说："待你出来，自会明白。"

净霖额间死死地磕着墙壁，他蜷身在这狭窄之处，无力地遮挡着双耳。锁链沉重地横在身体上，他冷得浑身发抖。

"说谎……"净霖呢喃，"蒙骗……欺世盗名……杀人如麻……你我皆是豺狼……是虚名恶徒！"

黎嵘闭眼，静了少顷，说："大局已定。"

锁链"哗啦"作响，净霖切齿地说："滚！"

黎嵘起身前迟疑了一炷香的时间，最终还是从怀中拿出一方没有洗净的手帕，从空隙中搁放在石床。

"我每日都会来。"黎嵘说，"……此物万不可让别人看见。"

黎嵘离去前将空隙合上，底下又陷入黑黢黢之中。净霖就这般定了许久，顺着墙壁摸索着爬起来。他手指触到手帕，帕间露出细微的润光。净霖俯下身，拉开手帕，一片月白的龙鳞依着佛珠躺在其中。

"你听闻过龙的逆鳞吗？"

帕间突然盛起了雨，血迹被泪点打湿。净霖躬身将这手帕揽入怀中，他小声呜咽着，像头莽撞受挫的小兽。

他们将他的知己剐鳞抽筋。

他们将他的道义变作妄谈。

这世间本没有什么值得他留恋之处，如今更是彻彻底底变成了晦暗。他的一腔热血尽数凉透，所修之道分崩离析。

净霖攥着逆鳞和佛珠，咒术阴魂不散地纠缠上来。他绝望地以额磕地，在这逐渐卡紧的窒息里艰涩地滚身。铁链死拴着双臂，将他压在这逼仄阴室，任凭他痛声哽咽也无人理会。

翌日，黎嵘又来了，但他并非孤身前来。九天君打开阻隔，光线刺得净霖双目微痛。他将手帕掖进了石壁缝隙，身躯挡在石床上，挣着铁链遮挡双眼。

"净霖。"九天君俯视着他，怜恤地说，"吾儿可还认得为父？"

净霖乌发凌乱，他红肿的眼从指间无声地注视着九天君。

九天君目光越发怜爱："吾儿年少，经此挫折必成大器。为父会守着你，直到你消尽邪魔、泯去秽思。"

净霖状若未闻。

"净霖。"九天君声略哽咽，"你尚年少，哪知世间之恶？那苍帝蛊惑你、蒙蔽你，使得你沦落此等境地，真叫为父格外难过。"

净霖手指扒进发间，他埋头于臂间，嘶哑道："不要说了。"

"休要怕。"九天君温声，"为父必会让你重回正道。"

净霖背如芒刺，他痛苦地重复："不要说了。"

"好，不提这些。"九天君拭净泪，探手欲抚净霖的发。

怎料净霖猛然拍开他的手，在锁链的响动间斥声："不要碰我！"

九天君目露痛楚，他伤怀道："吾儿神志不清，竟不认得我了。老三。"他稍侧眸，"快将你弟弟拦下，勿要让他伤到自己。"

老三原本木立在一侧，听闻不敢迟疑，沿着那空处伸下手来，将净霖强摁住。净霖手腕狠挣着锁链，他头被抵在石床，手上扯得锁链错乱晃动。

九天君居高临下地抚了抚净霖的发，语气更加温和："不认得也无妨，为父能让你回忆起来……多少年前，吾儿独身来到九天门，那时个头不过在我腰间，却已经很知礼数。你休要怕，为父皆是为了你好。"

净霖颓唐地挣扎，他喘息激烈，觉得发间滑动的手掌如同毒蛇一般。咒术又席卷而来，净霖被卡得难以呼吸，却感觉一阵反胃，忍不住在这混乱中干呕起来。

"皆会好的。"九天君仁慈地说，"净霖。"

101章 石棺

净霖没能好起来。

他被囚禁于狭窄石室，黎嵘也不能再任意探望。九天君将他隔于人海，隐于黑暗，像是要把咽泉剑束之高阁。锁链添加了四五条，石壁间镇着层层符咒与灵纹，一道道累加的障屏杜绝了一切声响。

净霖不再能分辨昼夜，他被深埋于黑暗。石室四面无门窗，只有上方的石板能滑动开合，称它为"石室"其实并不妥当，因为它更应该被称作石棺。净霖不能起身，也不能下地。石床的宽窄就是他如今的自由空地，他甚至在挺身时，都会撞到墙壁。

无人问津，永沉死寂。

逆鳞的微光是净霖唯一的亮，他还能从佛珠上嗅到苍霁的味道，哪怕仅仅是血味。

净霖不能想苍霁，他每回忆一次，咒术便会发作一次。发作时的纹路掐得他几欲晕眩，残余的邪魔也会趁机噬咬着他四肢百骸。净霖用头撞着墙壁，在无止境的疼痛中苟延残喘。他用手指抠着墙壁的缝隙，时而镇定自若地数清身上的疤痕，时而疯狂地扒着石壁。

他觉得自己要疯了。

醒来只有锁链声，周而复始的锁链声。

净霖的发似乎长长了，他用手指寸量着，一遍一遍地量。嘴里低声数着数，可是不行，他逐渐觉得过去的很多事情开始模糊不清。

"我是净霖。"

净霖干涩地扯出声音。

"我是净霖。"

他挣扎着锁链，对空无一物的黑暗无休止地反复呢喃。

"我有所念隔山海……我是逆鳞……我叫净霖……鸣金台……槐树城……七星镇……我与他、他……"

他是谁？

净霖急躁地抓着发，他额贴着墙壁："我要与他……七星镇里……鸣金台……来接我、接我……"

咒术纹路一瞬涌上颊面，在脖颈间勾缠出荆棘的模样，狠狠地收紧。净霖困兽一般地用力撞着头，血淌湿了眼，他嘶哑地喊："在鸣金台！我在鸣金台等

你! 等你……带我回家……谁、谁? 我有所念隔山海……我有……"

净霖脖颈吃紧，连喘息都困难。他扒着喉间，锁链随着他的喘息而晃动。净霖绝望地瞪大双眼，仿佛看着大雾弥漫而起，将他与那个人阻隔开来。净霖哑声抽噎，他突然凭力翻爬起来，在仓促中用指甲划着墙壁。指甲崩断。在墙壁上拖出长长的血痕。

一条龙。

净霖将手掌与脸颊贴在血痕上，他在锥痛中忽地笑起来，已经泪流满面，只是紧贴着这条血痕，仿佛贴着条龙。

"……哥哥。"

净霖酸涩又委屈地喊。

"带我回家。"

不知过了多久，净霖发作一次，就在墙壁上划一道痕。他看不清，故而不知道这一面墙已经被划得血痕交错，只是他清醒时越渐减少。

净霖捏着佛珠和逆鳞，蜷身靠在墙壁。他默念着自己都理不清的话，微微偏着头。

上方倏地被砸响。

净霖攥起佛珠和逆鳞，只转过目光望去。

石板闷沉，被推开一条缝。来人不是黎嵘，也不是净霖熟悉的人，而是一只雪魅。

雪魅滑身进来，捧着碗水。他轻得如风，夹带着寒气，在飘忽时响着铃声。他并不将水递给净霖，而是缓缓伏在石床边沿，阴冷地窥探着净霖的面容。

"君上。"雪魅幽幽地说，"你疯了吗?"

净霖再次听到人声，竟有半晌不能反应。他皱着眉，迟钝地顺着雪魅的声音转过头。

"疯了。"净霖声音滞涩，他推开锁链，从石床上俯下身，"我疯了。"

"令人敬佩。"雪魅挤出笑声，"临松君……不愧是临松君!"他骤然收起笑，寒声说，"你怎么不去死。"

水猛地泼在净霖脸上，雪魅劈手摔碎碗。他如同游动的鬼魅，逼近净霖。

"我追了你数十里，你只要肯回个头，便能看见火势冲天。清遥扒着门框，她在火中喊着你。"雪魅声音阴柔，"九哥……九哥……她满心以为你会回头！可你跑得那样急，甚至对她头天的异状都置之不理。你怎么配为兄长？你这铁石心肠的人！"

净霖发梢滴着水珠，他面无表情地注视着雪魅，冷声说："谎话。"

雪魅忍不住讥讽道："谎话？我托人在事发前夜给你消息，你做了什么？你根本没有将她放在心上！你自私自欲！如今还想要逃避。"

净霖不答，他记不得谁给过他消息。

雪魅游闪到净霖身侧，说："你们一丘之貉，将她拘在门中。道貌岸然的孽畜们竟然打着兄长的旗号……"他嘶声笑起来，"你与苍帝合力杀了她，你是刽子手！净霖，你快点疯……你快点死……你已经完了！"

净霖被刺痛，他埋首在双臂间，混乱地扯着发。

"你杀了她。你该死，你杀了她！她已经病成那般模样，她不过就是个小姑娘！你却要用她成就威名……"他咬牙切齿地说，"你好狠，你天生残缺！"

净霖背部消瘦，他手指在颤抖。邪魔又出来作祟，它们侵蚀着净霖的内脏，将净霖的灵海翻腾一气。淆乱的疼痛沿着脊背游走，净霖不肯答。他被这些疼痛折磨得心神恍惚，甚至需要凭靠外力的撞击来缓和稳定。

他没救到龙，他也没救到清遥。他仿佛行走在一条绳子上，已经岌岌可危。以往笃定的道义崩塌殆尽，他到底算什么？他是为虎作伥的剑，他还是谎话连篇的恶人！

他浑浑噩噩，面目全非。

雪魅悄声说："这下好了，你就在此耗过一生。你就在这阴沟里悔悟，你对不起清遥，你对不起名号。你这欺世盗名的混账，你骗了天下人，你根本不是秉持大义之人。"

"你苟活于世，清遥却死于天火。你该尝尝烈火焚烧的滋味，你会痛吗？临松君！你会么？"

"你跟君父是一种人。他已然敢称天下之父！你功不可没，你该跪首位！清遥算什么？你们将血海养成天下大患，只将罪责堆给她一个人！她不过是个

185

小童！"

"我等着你也死无全尸。临松君，临松君！"

净霖分不清声音，他被拖起来的时候已经难以辨清人。眼前时而是雪魅的歇斯底里，时而是黎嵘的厉声呼唤。净霖耳中嗡鸣，他挣扎着身体，想要逃脱出去。可是锁链将他数次拽回来，人越来越多，他突然被喝清神志。

九天君居高临下地问："吾儿好了吗？"

净霖眼前昏花，他震动着锁链，脖颈间被卡得无法答话。他盯着九天君，粗声喘息。

九天君长叹一声："不知悔改，着实让我心痛。"

净霖又陷入漆黑。

他变得异常暴躁，他撑着墙壁，被咒术箍得生不如死。他心觉得自己不再是个人，他正在丧失一切。当他抵在墙壁时，甚至会记不清自己在念着谁。他愤怒地捶着墙面，在逼仄的石棺里失声咆哮。

他想出去。

他要去找一条龙。

可是当净霖偶尔冷静的时候，逆鳞就硌在他掌心，昭示着剐鳞之痛。他哆嗦着摸着自己胸口，会突然茫然，觉得自己已经死了。

九天君变得难缠，他一改前态，热衷于探望净霖。他会立在上边，慈眉善目地询问净霖。

"吾儿今日好了吗？"

净霖不会回答。

九天君便再次叹气，净霖就将重归黑暗。

净霖每时每刻都要在触手可及的地方画线，像是这般便能遏止疼痛，没人来的时候他便贴着墙面用指甲刻着痕迹，这些密密麻麻、深浅不一的线就是他的"龙"。

我心有所念。

净霖吃力地对自己说。

在云端,在瀚海,在心中。

净霖的发已经能拖到床下,他蓬头垢面,将那一面墙壁画得再无空隙。咒术不再消退,它在净霖脖颈间结成环。净霖的灵海仍然充盈,即便邪魔与咒术夹击着、撕咬着他,那股龙息都始终一步不退地护着他的根源。

掌心的莲纹被净霖划破,又会逐渐愈合如旧。他不会死,即便他已经伤痕累累濒临疯魔,他都死不了。

因为龙息驻守着他的身躯。

净霖不能忍耐时就会自言自语地念着地名,从九天门到七星镇,再从七星镇到北方高墙。他这样念念不忘,从未松开过逆鳞和佛珠。

但是有一日,或许是有一夜,净霖醒来时陷入了漫长了寂静,他用了更长的时间来回忆,才在迷惘中想起一条龙。

净霖久久地仰着身,连哽咽也忘记了。

"净霖。"黎嵘凑在缝隙,"……师兄带了糕点。"

还存余热的油纸放在了眼前,黎嵘用手指剥开,露出里边的糕点。他的衣袖已经不再是白色,而是玄色。九天门的痕迹正在消减,变成另一种更加高不可攀的华贵。

"……给你讲点外边的事。"黎嵘伏着身,"如今中渡安定,父亲划了上界,拟出天上中渡,取名叫九天境。我们设了分界司,管辖三界……北边的高墙成了群山。"他顿了顿,说,"父亲给你留了位置,临松君的称号谁也夺不走。人都以为你闭关了许多年。"

他低低絮絮地说了许多话,原本以为这次也将无功而返,谁知净霖忽然探出指,将糕点拨进口中。

甜腻化在齿间,净霖胃间翻江倒海。他却倏然将糕点全部塞进口中,狼吞虎咽。

黎嵘惊喜交加,净霖将口中塞得满,被呛得躬身咳嗽。黎嵘便爬起身去取水,净霖在这空隙间擦着唇。破烂的旧袍下钻出一只石头,净霖吞咽着糕点,拍了石头的脑袋。

石头与净霖对视片刻，转身踩着净霖手脚并用地爬向缝隙。它拼力够着边沿，笨拙地挂上腿，爬了出去。

黎嵘回来时净霖已经吃完了糕点，他将那水也饮尽，随后爬到缝隙下，将一双眼抵在空隙。

"你去告诉父亲。"净霖说，"我要闭关。"

"你眼下也在闭关。"

"我要除魔。"净霖手指向自己胸口，冷声说，"断情绝欲——我要出去了。"

黎嵘盯了他半晌，说："好。"

102章 闭关

灵海生本相，本相驻心田。

净霖的本相为咽泉剑，在苍霁吞海那一日时遭受邪魔余孽的入侵，险些灵海崩溃，致使咽泉剑身覆上裂痕，已是断道边缘。但因苍霁的龙息盘桓不散，使得净霖的灵海虽然受力波荡，却始终不曾泄露半分。

黎嵘有一言说得不假，便是咽泉不断，净霖就仍旧是九天君的儿子。九天君耗费多年来铸此一剑，必不会轻易容他崩断，所以无名咒术禁锢情思，就是要将能够用的净霖牢牢拴在手中。咒术不除，净霖便无法静心驱魔。但是要除咒术，就定要断绝情根。

这便是断情绝欲。

黎嵘见石棺紧闭，垂首呵了气。他走出禁地，踏雪无痕。薄雪覆盖青石板，站在台前下望，九天门的景色已不似从前。群山盘亘，"九天门"早已不在，如今此处是中渡上界，号称诸神仙地的九天境。

九天君也不再称"父亲"，黎嵘等人要尊称他为"君父"。九天境初立时依照功德封号，净霖的名字位列众兄弟之上，在神说谱中彻底定下"临松君"三个字。黎嵘紧随其后,如今他叫杀戈君。

朔风扑袍,刮动在黎嵘的颊面。他眉眼已略有变化,青涩之态一扫而空,只剩老成持重。他于此处眺望群山雪雾,茫茫云海漫无边际。

一点褐色正涉雪而来。

东君鞋面被雪渗湿,他浑然不在意,撑着把油纸伞踏上阶来。他抖着伞面上的雪屑,对黎嵘敷衍地点点头,说:"梵坛来了秃头小儿,自剔三千烦丝欲遁入空门,可惜人家不要。君父爱惜这人的天资,想要招入追魂狱,交于你管教。待会儿得空了,你得跑一趟。"

黎嵘不苟言笑,他今日未持枪,宽袍垂袭于雪间,铺开一面玄红。他闻言稍作思量,说:"几日前听人命司谈及了些许。"

"这个人跨入臻境前后只用了九百年,脾气不好,如日后得罪处,你谅解则个。"东君说,"我要保他。"

黎嵘说:"难得。"

"人才难得。"东君踢了踢湿鞋,扛着伞把,说,"九百年,就是净霖也没这么快。本相我也审了,一座山嘛,稳重。"

"你说要保他。"黎嵘侧眸,"可见他必有什么把柄。"

"把柄称不上。"东君说,"不过是情劫而已。他从前归于九尾妖狐琳琅座下,虽说没在人前讨过嫌,却不定日后有什么中伤之言。琳琅又是苍帝座下大妖,君父那头追究起来不好应付,所以托你保个底。"

事关苍帝,便不是小事。

如今净霖身上邪魔未化,血海仅剩一泊。苍帝已经死了,九天境却迟迟没有将消息通传三界。九天君的心思捉摸不透,谁也猜不到他做何打算。

"待我见他一面,再做回答。"黎嵘说,"叫什么名?"

东君说:"前尘已随烦丝剔得干干净净,君父赐了'醉山'二字,他便自称醉山僧。"

黎嵘颔首,说:"我知道了,你去吧。"

东君却道:"上来一次不容易,这般打发我走,未免太无情。上回听说净霖要闭关,这一闭就是几百年。"他目光后移,看着禁地,"至今没个消息,是死是活都不知道。"

"咽泉剑就立在九天台上，是死是活一看便知。"黎嵘说，"此地不是你能插手之处，不要另动心思。"

"我动不动心思尚且不提。"东君慢踱几步，说，"你冒着天下之大不韪杀了苍帝，这些年驻守此地不肯叫别人替代，多半是心中有愧，难以释怀。我猜你与净霖交谈过，他怕是不大好，也不愿再认你这个兄长了。"

"凡人有生死轮回，错一步，还有黄泉可入。到了我们的境地，错一步，便是万劫不复。"黎嵘顿了片刻说，"他认不认我都无足轻重，重要的是活着。"

"活着。"东君转出折扇，敲打着眉心，"经此一劫，他欲意在'死'，你们却各个都要他活着，殊不知求生不能求死不得反而更苦。人世有八苦，今我观他一难，正好落了个'怨憎会'！"

"他心境不同。"黎嵘望着岑寂云海，"此难过后，必定会脱胎换骨，一步登神。"

"兄长难为。"东君说道。

黎嵘已经沿级而下，他走得缓慢，足迹渐行渐深。

东君在后忽然说："你近来收敛些为妙。兄弟一众，活着的不多了。"

黎嵘回眸，他倏然抬臂，见风中雪花催绕，破狰枪应声落于掌间，周遭雪浪顿时散开。他立枪而站，说："你认为我活到今日，到底是为了什么？"

东君哂笑："我不答会掉脑袋的事情。"

黎嵘也做一笑，却略带讥讽："你既然明白，便不要插手。"

东君神色稍敛："这天雪大。兄长，路不好走。"

"天下大道。"黎嵘在雪中沉声，"没有分别。"

中渡天上天，九天境春去秋来，俯瞰凡人如蜉蝣。咽泉剑在九天台上蒙灰覆锈，半露出鞘的部位碎纹密布，已经被冷置了多年。

九天君设群仙会，临靠梵坛听众僧诵经。此时正值惊蛰时，东君烂醉于座下，倚着阶酣睡。

九天君居高座之上，问："东君何在？"

醉山僧朝座下踢了一脚，东君一个骨碌滚出来，尚没醒透，正丈二摸不着头脑。

九天君眉间微蹙，说："你职责唤春，今时已过，中渡仍旧雪漫南北。此乃玩物丧志，该受严罚！"

东君也不行礼，他放肆盘坐，说："回禀君父，非我疏忽，而是天生异象，连绵大雪不肯停歇。"

"异象？"九天君稍晃身躯，沉声道，"如今天上地下唯我独尊，为父便是天！如有异象，我岂会不知？"

"父亲。"东君耍赖似的说，"天意亦有疏漏时。我见那大雪遮天蔽地，分明是受了寒意催动，如不能找到根源，就是待到夏六月，这雪也化不了。"

"莫不是邪魔作祟，抑或是大妖出世。"云生在座上忧心忡忡，"如是这般，还是尽早铲除为妙。"

"他所言尚不知真假。"黎嵘搁下酒樽，说，"待他清醒了再问。"

"我所言句句为实。"东君一个前滚翻想站起身，岂料酒劲冲头，使得他一骨碌彻底躺在地上。他便这样躺着，抬手在空中随意点画，"你看嘛，大雪纷飞，冻死了不少人。我实话实说，在座诸位不论谁去，都是木头人投河——不成！"

九天君近来疏理凡事，不想就出了这样的事情。他对东君知情不报颇有不虞，面上却仍是和颜悦色，道："依你之见，该如何处置？"

东君指尖画出中渡虚景，可不正是冰封数里的模样。他笑嘻嘻地说："好解好解。这天下什么最冷？"

云生笑道："寒冬腊月。"

"非也。"东君酒嗝不断，他以扇掩面，缓了少时，说，"那是自然常态，不算数。"

"黄泉界。"那新任的阎王一脸稚嫩，还是个惨绿少年，对左右人切声说，"住在阎王殿里是睡不得的，阴寒砭骨，是真冷。"

他说完，又用余光偷看东君，被东君的容色晃得神魂颠倒。

东君桃花眼里流光潋滟，他说："黄泉虽冷，却奈何不了修为大能。诸位怎么不明白呢？这世上最冷的莫过于一个人，他既不生心肝儿，也不存温情。赤条条的来得冷，闭关一睡数百年，修为一增，大道一持，便是天地间最冷的神仙

了！"

　　他此言一出，座中人人变色。唯独九天君老于世故，只温声说："又张口胡说！那是你兄弟。"

　　"所以我说此事好解。"东君猛地坐起身，一手撑膝，定看向禁地的方向，"我兄弟临松君要出关了。诸位久闻咽泉剑，却难窥其锋芒。今朝来的，可都算值了！"

　　东君话音方落，人人席面便陡然一震。酒樽轻泛涟漪，梵坛间的诵经声突然大响，紧接着见数里莲池争相绽放，云海之中却荡出刚劲寒风。脚下冒雪苍松猛晃浪涛，松声贯彻天地。

　　黎嵘站了起来。不知从何处催飘出几点雪花，跟着风涌全境，他袖遮风浪，见九天台上青光破开。

　　咽泉剑颤声长啸，锈迹斑驳脱落。寒芒迸溅，铿锵出鞘！

　　境中光亮略微晃眼。

　　净霖稍稍敛眸，随后缓步踏出。

　　光庇全身，那乌发已长至脚后，不再戴着银冠。天青色飘荡风间，白袍终成过往云烟。他也不再复如年少，清冷已熬成孤寒。身量似有所长，但消瘦一如既往。

　　境中笙乐已停，诵声宁止。松风随着净霖的脚步而归于平静，莲池滴水不溅，酒水纹丝不动。群神匍匐而跪，他们在寒煞之中，竟连一句"临松君"也不敢呼喊，一时间阒无人声。

　　黎嵘案上酒樽被撞倒，他推开座椅，唤道："净霖……"

　　净霖与黎嵘擦肩而过，他于阶前单膝而跪。手掌微抬，咽泉剑霎时归主。

　　"父亲。"

　　那双无情无欲无波澜的眼眸上望。

　　"儿子来了。"

　　九天君原本斜身而坐，在这一眼中竟感到有些心惊肉跳。他撑着把手缓身而起，面前明珠摇晃剧烈。他平了平心绪，迎下阶大笑道："吾儿请起，为父久候了！"

103章 临松

九天君手扶净霖登上座，他端详着净霖，感慨万分："瞧着虽显清瘦，修为却是大有所长。臻境已困你数百年，眼下出关，去历练一番便该跨入大成之境了。"

净霖不语，他任由九天君把臂相引，目光绝不斜视。咽泉归于他身侧，适才的锋芒电光石火，已经消失不见。梵坛的钟声回荡，池水潺缓。众僧的诵经声渐渐恢复，氤氲雾气间，莲花绽落一刹那。老僧颤巍巍地拨云探望，只见净霖衫摆摇晃，干净利落地登上高座。

底下的吠罗仰颈窥探，见得临松君漠然端坐，竟连一丝笑容与得意也没有。眼里平波如井，通身没个人气。

诸仙原本酒酣耳热，筵席虽有拘束，却也能讨到些众乐的快意。谁知临松君坐了高台，底下竟都一个劲地拭着冷汗，席间落针可闻。

"百年难见一次的临松君。"东君稍稍掩面，酒喝得太饱有点想吐，便不顾形容地撑地爬起来，哽着声对周遭说，"都偷着乐什么？笑出声啊！光明正大地瞧！过了这村可就……"

话没完，东君便连滚带爬地跑去吐。

吠罗跪不住，觉得周围凝着气氛不舒坦，便瞅准机会，也跟着爬起来，抖出帕子要给东君。

东君接了帕，待漱了口，掩着帕对吠罗眨了只眼，笑道："好人，帕子我便借了。晚些时候东边见，我洗净了还你。"

吠罗被他眨得心肝乱跳，又被他不轻不重地拍了把后背，登时魂都要飞了，慌不迭地点着头，小犬似的跟着东君。

东君拭着唇角，酒气浓重，面上却看着醒了不少。他对高阶上的九天

君拜了拜，说："净霖方归，君父必然舍不得使唤他，那我便占个便宜，讨个彩头！"

"多半是为了中渡大雪。"九天君笑容满面，兴致勃勃，转头对净霖温声说，"你闭关封识，故而不晓得，为得你出关这一下，中渡已遭了场雪难。他春唤不醒，须得你助他一助。"

净霖闻声看向东君。

东君笑一声，说："睡了一场，不认得我了么？这目光盯得我心里慌。"

净霖仅仅略扫一眼，便又转回目光。他稍颔首，说："听凭父亲差遣。"

东君敛了笑颜，觉得好生没趣。他将手中的帕叠了，说："那便待散席之后，你我一起走一趟。"

"不急一时。"九天君对下方朗声说，"另有一事迫在眉睫。几百年前，九天门齐力抗海，在座诸位皆对邪魔深恶痛绝，我们也丧失了许多好儿郎。好在天降大任于我九天门，虽历经磨难，却终铸成无上功德。当时北方苍龙居地不让，饿死了无数无辜百姓，但为全抗海大业，九天门始终忍让避退，可惜贪心不足蛇吞象，苍龙到底没能抱守本心。"

黎嵘已料得九天君要说什么，他陡然抬眼，看向对面的净霖。净霖余光睨来，却是喜怒皆无。

"……念苍龙也曾心系众生，到底不好将他功德抹去。但他后来贪纳血海，遭众魔袭身，也不光彩，所以迟迟不曾告知三界……"

"……杀戈君一心卫道，也是无奈之举。北方大妖群聚，此事不好解，拖到今日便是为了等临松君出关……"

九天君红光满面，大力地扶着净霖的手臂，说："如今净霖出关了，此事便不能再拖。你与东君下界时去趟北地，将苍帝已死的消息知会群妖。若是遇着阻挠，只管……"

苍帝已死。

无数人默念着这一句，不论是仅剩的几位知情人，还是茫然不解的过路客，他们都注视着净霖，似乎想从临松君这里窥探出些什么。然而临松君既不躲闪，也别无情绪。

黎嵘在这一刻记起那场大雨,他扛着的净霖,净霖在雨间失声痛哭,即便狼狈,却是个人。可他如今端坐在净霖对面,见得这个不是人,而是一把历经锤炼的天下剑。

临松君没有心。

东君半途就溜了,他躺在老石上,面上蒙着吠罗的帕。他不满地吹起帕子一角,说:"死人有什么好看的,白瞎了我百般盼望的眼。你瞧他,那还是人么?连哭笑都失干净了。"

醉山僧面池而坐,他抱着降魔杖,回道:"看着挺端肃,想必是个正经人。"

"人不可貌相,我也是个正经人。"东君说道。

醉山僧冷笑:"你不过披着人皮罢了。"

"总好过你心藏怪胎。"东君讥讽着,"前几日又投梵坛去,人家硬是看不上。我早说你心陷红尘,断不干净。"

醉山僧定了半晌,看池面涟漪,他说:"我已经忘了。"

"你这杖叫什么?"

"降魔。"

"如今天下无魔,你降谁?你不过是心结难解,情劫难渡,一心困于那前尘景中。"东君枕着臂,说,"我断定你此生都无法做佛。"

"谁说天下无魔。"醉山僧半回首,"你一日不死,我便一日不走。"

东君忽然开怀大笑,他说:"好个秃驴!假惺惺地说了一通,不过是想借着我的光图个永生!你滞留在臻境已经百年,何不登入大成?"

醉山僧望着莲花,却不答此话。他剔尽烦丝,却发觉情丝系于心田。他时常烂醉如泥,时常疯癫若狂,每跪于佛门之前,其实都不过是徒劳遮掩。他闭上眼,便是那回眸一瞥。他睁开眼,便是数百年的孤苦伶仃。做个人太难了,他早已画地为牢,纵然天赋绝世,也永远入不了大成之境。

东君合眼假寐,听得醉山僧起身离去。他自知此问不会有回答,却似是早已明个中缘由。他是只邪魔,披着人皮混于天地间,但这千年光阴仍旧让他似懂非懂。

　　不知躺了多久，东君算得净霖该来了。谁知面上帕角一掀，探来一双热切的眼。

　　东君当即露出笑："小阎王，怠慢了！"

　　吠罗素爱美人，见东君枕臂懒散，竟一点不觉得被怠慢，而是又惊又喜地说："我叨扰到君上小歇了吗？"

　　"欸。"东君缓身半起，牵了帕的另一角，桃花眼眼角都渗着艳丽。他说，"你来找我，这怎么能算叨扰呢？我在此，便是等你啊。"

　　吠罗见他怡颜悦色，与传闻大相径庭，不禁一张脸上都是热忱之色："等、等我？"

　　"我这张脸好看么？"东君肘撑膝上，抬着脸叫吠罗看个够。

　　吠罗使劲点头，一瞬不眨。

　　东君缓身凑近。

　　吠罗猛地捂住口鼻，觉得热流要涌出来了。他眼见东君凑近，腿都要软了。岂料这气氛旖旎时，东君突然用力将他拽上老石，以迅雷不及掩耳之速摁在下边，再次眨了只眼。

　　"这般喜爱容色，我便犒劳犒劳你。"

　　凶相顷刻间震慑而出，逼近吠罗眼前，这刹那间的刺激惊得吠罗失声大叫一声，翻身就要跑。东君一把拽住他的脚踝，将人轻而易举地扯了回来。

　　吠罗掩面大哭，不敢再看他一眼。

　　东君哈哈大笑，撑着头端详着他，说："世间不许美人见白头，你这小鬼真是讨厌。喂，我原形如此，丑陋无比。"

　　吠罗从指缝间见东君已恢复艳色，却已浑身发软。东君本相凶悍，就是苍龙也要受撼，何提吠罗不过是只伶鼬，当下吓得"叽"声都要喊出口了。

　　"来日你到了上界，切记美人多带刺。颜色之下说不准都是血盆大口，如我这般，时不时还要进食的就更加可怖。"东君松手，"还不跑，等我扒了你的衣，腌了你下菜。"

　　他说的腌菜，吠罗却以为是阉了！这下不仅心神皆受了伤，连怕也顾不得，愤怒地蹬开东君，大哭着跑了。跑到半途，差点撞着净霖。净霖侧身闪了，吠罗却看也不看他,满心都是东君这混蛋,觉得这九天境就是自己的伤心之处,再也不想来了!

东君吹着手帕,觉得这帕轻薄得像它主人,戳一下就能破。他见净霖走近,便揉了帕,随手抄进袖中。

"逗他玩玩。"东君说,"你怎连笑也不会笑?"

净霖站定,说:"动身。"

东君讪讪地跳下石头,与净霖并肩而行。他折扇呼扇着风,说:"中渡大雪埋了近月,你只需让雪停了,剩余的我自有法子。"

净霖嗯声。

东君说:"北边这差事不好办,群妖无首必出乱子,你怕要费些功夫才行。不过我看你指腹抵剑,想必已经打定了主意。"

净霖指尖微收,说:"你很不讨人喜欢。"

东君笑了笑:"彼此。这趟差事早些办了,你便不用再碍着互相的眼。但说起来,我有什么讨厌之处?不过是生得美而已。"

净霖与他同出界,分界司的把守见得他两人,也不要名牌,只匍匐行礼,容他俩过了。

东君说:"人人跪拜的滋味如何?"

"别无二致。"

"道貌岸然。"东君甩着折扇,"这滋味分明叫人欲罢不能,否则怎么人人都想做人上人?"

净霖静了片刻,说:"你我皆不是人。"

东君说:"这话听着就让人舒坦得多。你闭关我不便打扰,只能此刻做些兄长的疼爱。乖弟弟,还记得住事儿么?"

风涌吹两人的长发,云海间再无别人。

净霖说:"记得清清楚楚。"

"我看不然。"东君偏头,恶声说,"净霖,苍帝死啦。"

净霖眉间不动,反问道:"我认得这个人么?"

大风鼓袖，临松君平静地重复。

"我认得这个人么？"

铃铛霍然一响，东君反手掩了铃声，笑吟吟地说："不认得，知会你一声罢了。这人算个枭雄，就是死得惨，怪可怜的。"

104章 兄弟

黎嵘从繁杂案务中抬起头，声音抬高，重复了一遍："杀了？"

"临松君杀了北苍帝。"守备不安地垂下头，跪在地上缓了片刻，才重新说，"临松君下界后中渡大雪已停，他便自行前往北边。君上，北边高墙已成群山，从北地边沿一直到血海旧址，其间但凡有借着'苍帝'的称号盘山称王的大妖，临松君全部斩于剑下。"

"净霖下界已有半月。"黎嵘站起身，"怎么今日才报了上来？各地分界司都昏头了么！"

"非各地分界司瞒而不报。"守备喉结滑动，抬起脸，颤声说，"而是临松君过境无妖生还，没人禀报分界司。君上！此事非同小可，须得递呈君父。北地分界司屡次请见临松君，皆被临松君漠视不理。如此下去，北方恐要生变！"

"他杀了多少……"黎嵘语滞，"杀了多少妖。"

"一百零八。"守备说，"皆是称'苍帝'者。"

黎嵘须臾间便已镇定下去。他说："原信禀报，父亲那头瞒不得。净霖有父亲的斩杀口令，又位列君神，斩杀众妖非过乃功！告诉中渡各地分界司，不必惊慌。"

"还有一事须得向君上禀报。"

"说。"

守备膝行上前，急促地说："临松君深入血海旧址，也在探查前尘案子！数月前君上命我等销毁陈庙，临松君已追查到了端倪！君上，这可如何是好？！"

此事做得隐蔽，就是九天境中也无人知晓。净霖不过出关几日，怎么这般快就追查到了地方？

黎嵘愁眉不展，他思量片刻，突然疾步走了出去。

追魂狱震慑着余留的血海，距离九天君的大殿有些远，黎嵘历来觐见都要早几时。但他今日大步流星的方向却并非九天君的大殿，而是去了锁藏神说谱与天下经典的经纶阁。

黎嵘快速上了木梯，从瀚海书海中横穿而过。阁内飘浮着数只夜明珠，璀璨得似如天河星海。黎嵘却无心观赏，他达到顶阁时见得天青色背身而立，正在持卷而观。

"净霖……"黎嵘放松语气，"你……"

"稍候。"净霖并不抬头，翻过书页，"你要说什么？"

黎嵘走近，才发觉净霖并非与他说话。颐宁贤者端坐书海小舟间，对着黎嵘稍稍欠身，随后对净霖说："你屡次三番先斩后奏，毫无悔改之心，我是要参你的。"

"大殿门开。"净霖一目十行，"悉听尊便。"

颐宁说："你为何要杀苍帝？"

"我杀的是无名小卒。"净霖略扫他一眼，"苍帝功德载入神说谱，与凤凰并列一页，这是父亲亲自提笔授予的名号。"

"但君父素未说过，从此之后严禁别人再担此称号。"颐宁说，"你在僭越行刑。"

"确实如此。既然父亲没提过，那么今日我再提也不晚。"净霖稍侧身，看向黎嵘，"恰好师兄在场。我查阅卷宗，君神有特令之权。我的特令便是，从此之后，天地三界严禁别人再担'苍帝'二字。"

"儿戏！"颐宁急声，"所谓特令之权须得经过六君会审方可执行！"

"那便去请。"净霖冷声。

"九百年前血海之难，你也是这般肆意行事。"颐宁猛然起身，"鞭刑不曾让你长过记性，今时今日你还要重蹈覆辙！"

净霖缓慢地合上卷，纸页在他指尖"哗啦"合上，他看着颐宁，说："如今你

也该称我一声君上。"

颐宁站起身，他几欲要不认得说这句话的人是谁，他道："你要与我论资排辈？"

净霖说："你我阶位早已分清。"

颐宁怒极反笑："君上，受我一拜！"

他抬起双臂，端肃恭敬地拜了一拜，随后头也不回地拂袖而去。

"为了个称号，激怒颐宁绝非明智之举。"黎嵘说道。

"追魂狱案务忙重。"净霖单刀直入，"你直言罢。"

"你为何要杀他们。"黎嵘余光瞥向净霖翻过的卷宗。

净霖盯着他："听凭调令罢了。"

"大妖无数，偏偏要杀顶替苍帝的那几个。"黎嵘说道。

净霖说："此乃父亲的命令。"

"净霖。"

"我奉命行事。"

"净霖。"

"咽泉剑奉命而生。"

"净霖！"

卷宗陡然挥摔在地，净霖回过身。他气势凌人，目光阴郁。即便今时今日大家都装作查无此事，却仍然不能抹掉他被囚禁于石棺时留下的刻骨阴寒。他走几步，迫近黎嵘。黎嵘喘息不畅，这压抑之感逼得他生生退了几步。

"不要利用'兄长'这个尊称。"净霖冷眸寒声，"你偏爱拐弯抹角地试探，事到如今你还在试探。你怕什么？你已经手握重权。不要躲闪，黎嵘，韬光养晦也终有一战。"

"你还记得他。"黎嵘反问，"是不是？"

"你在说什么。"净霖嘲声，"我不过是想问你，清遥在哪儿？"

"你还在查！"黎嵘戛然而止。

"我闭关一场，过往记得清楚明白。"净霖稍退一步，"南边孩童无端失踪，七星镇里小鬼做证。九天门要孩子干什么？或者说父亲要孩子干什么？我睡了一场，清遥便消失了。我翻遍卷宗皆没有她的痕迹，她去了哪儿，你们应该心知肚明。"

"我说过了。"黎嵘恢复如常，"我在石棺前告诉过你，清遥就是血海。"

"你撒谎。"

净霖抬手，无数卷宗登时纷乱飞起。顶阁间一望无际的皆是明珠，幻境在顷刻间就笼罩了他们两人。卷宗在净霖目光里霍然打开，浩繁的墨迹顿时倾巢涌出。

"黎嵘。"净霖指尖掠过一行字，"九天门初立之时便归于父亲座下，历经血海之难，斩杀苍龙功德无量，九天境拟立时得封'杀戈'二字归列君神。"

黎嵘说："神说谱记载翔实，你到底想说什么？"

"既然神说谱记载翔实。"净霖身侧的墨风霎时冲向黎嵘，他问，"清遥在哪儿，陶致在哪儿？"

"君父第八子。"黎嵘说，"陶致背德叛道，姓名不足以录入。"

"连生卒也不详。"净霖说，"清遥又在哪儿。"

"清遥。"黎嵘抿紧唇线，"清遥身份特殊，不便录入。"

"你总在撒谎。"净霖目光冷漠。

"清遥是血海，九天门为除魔而生，难道你要父亲在上写明他杀女卫道么！"黎嵘提声，"你想查什么？你住手。如今局势已然不同于九百年前，世间再无邪魔，临松君对于父亲的用途仅此而已，你不要激怒他！"

"你们如何察觉清遥是血海的？"净霖不疾不徐，他如今已然不会再轻易动怒，面对黎嵘好似游刃有余，"神说谱上也缺了这段。"

"苍龙。"黎嵘飞快地说，"苍龙贪纳血海时清遥遭遇天火……"

"在此之前无人知情？"

"当然无人知情。"黎嵘声音紧绷，"否则血海之难岂会漫延到那个地步。"

"撒谎。"净霖抬起卷宗，霎时扔得纸页翻飞，他说，"你们知道——你，父亲，你们知道。"

"我不知道。"黎嵘咬紧牙关，"我……"

"东君出世时，承蒙佛门点化。此乃世间第一大凶相，如若收入魔下，九天

门名声必定更上一层楼。"净霖侧头，从无数墨痕牵出一道，"他于山中见得清遥，仅凭清遥一句话便俯首听命。曾经有个人问过我……"

净霖说到这里突然停下，他用了一瞬间皱眉，却记不起来这个人是谁。他记得过去每件事情，却总是觉得被人擦掉了一条线。

"……这不是机缘巧合，而是蓄意谋取。"净霖迟疑地说完，回看向黎嵘，"你我北行追查陶致之前，你曾经到过我院中，说过一句话。"

黎嵘说："我曾与你说过无数句话。"

"这一句至关重要。"净霖重复着，"你说'清遥近来常梦见你'。我当时才从七星镇回来，血海笼罩着那里。我去见她时，她才说过这句话。你怎么知道她常梦见我？"

"你是她九哥。"黎嵘已经觉得难以招架。

"不。"净霖缓缓阖眸，"是因为我在她的'躯体'里。她认出了我是谁，留了小鬼一条魂魄。她给了我线索，她已经明白死期将至。父亲养了她，却无人知道她从何处来，怪病缠身致使她从未下过山。什么病这般古怪？"

"……别再查了。"

"父亲常年喂给她丹药。"净霖睁开眼，"药劲如此霸道，却被她当作了糖豆。多少年的休养，她的病从来没有好过，她被困在孩童的身躯里，拴在父亲的院中。所谓天下危机的血海之难不过是场闹剧，父亲用千万人的鲜血铸就了九天门的威名远扬。你我皆是他脚底石、手中剑，你我皆是助纣为虐的棋子。"

"你知道父亲的来历么？你根本不懂得这个人的可怖！他将天下人玩弄于股掌之间，仅凭你几句话就能够撼动吗？！"

"那么孩子的用途是什么。"净霖跨近，眸中漆深，"孩子，整个中渡被明收暗抢的孩子，他们的用途是什么？喂养血海，还是制成丹药？或者两者兼顾。九天君以正道之名广纳天下贤才，然后将这些心系苍生的肝胆儿郎送上边线，最后叫他们葬身血海，死无全尸。澜海是其中之一，他常年守着清遥，他从中觉察了端倪。谁动的手，你，父亲，还是某位赤胆忠心的兄弟？"

"不是。"黎嵘反驳道，"不是！我怎么会杀他！"

"你下不了手。"净霖无情地说，"于是你看着别人下手。"

"这一切都是臆断。"黎嵘说，"你仅凭这句话就想要说服谁？天下分界，君父成为世间大统，真佛也要匍匐于九天境中！你看看三界，大局已定。"

"既然大局已定，你在查什么？"净霖说，"南边的旧庙全部摧毁，九天门的痕迹被抹得干干净净。你却还在九天君的眼皮子底下探查隐秘。你多次救我于危难之际，然而你要的不是一声'兄长'。你是他最得力的儿子，你也是最像他的儿子。"

"住口！"黎嵘勃然变色，"我待你，我待诸位，都是坦诚的兄弟情谊！你今日所说的诛心之言，与我的本意背道而驰！清遥之痛我也切身体会，你何做这般猜忌！"

"师兄要我活着。"

净霖忽然说。

"是因为我本相为剑。天下能杀九天君者，非我莫属。"

卷宗散落一地，两个人隔物对峙。中间不过几步而已，却像是横着天堑。兄弟两字轻易掰开，被砸得破烂不堪。

105章　逆浪

"你们兄弟。"九天君撑膝坐在高位上，对底下跪得泾渭分明的兄弟二人说，"在经纶阁怎么还打了起来？天下卷宗皆藏其中，若是不留神坏了书本，把你俩革职查办也偿还不起。"

"我们兄弟意气用事。"黎嵘叩首，"让君父忧心，罪该万死。"

"今日又无外人。"九天君失笑，"你倒还是这般拘谨。净霖，你说，何事惹得你们兄弟两人不顾颜面大打出手？"

净霖说："北边分界司报了信。"

九天君审视他们片刻，说："为父以为是何等大事，原来是此事。黎嵘，净霖此行虽有不当之处，却是秉承我的命令办事。你适当提点他一二便罢了，动手

实乃小题大做。"

黎嵘先拜了拜，再说："我既然授封担职，就要一视同仁。净霖私自行刑，到底不合规矩。"

九天君说："此言不假。净霖，你兄长这般行事，也是为全个公正二字。此事说大不大，兄弟两人不必为此置气，生了间隙反倒不是为父的初衷。"

净霖也叩首，说："此番是我有错在先。兄长。"他上半身微侧，对黎嵘稍稍一拜，"对不住。"

黎嵘连忙扶他，愧疚道："是师兄思虑不全。"

两个人在刹那间目光相对，又立即错开。黎嵘握着净霖手臂的手指收紧，净霖佯装抚袖，不经意般地掸开了他的手。

九天君在上只见他兄弟两人兄友弟恭，不觉一笑，说："这般才是。兄弟同心，其利断金。几日后还有差事需你两人同办，万不要再因此事留着不快。"

"儿子明白。"

他两人齐声。

净霖起身告退，他将出殿门时听得黎嵘对九天君说："君父的头痛之症可有缓解？我特差人在中渡寻到……"

黎嵘退出身时已是几个时辰后，他沿着莲池下阶，果见净霖坐在坛沿等待他。

"你我既然道不相同。"黎嵘缓步，"还有什么话要说？"

"头痛之症。"净霖倚剑，手指敲打着膝头，"已经步入大成之境的人还有头痛之症？"

黎嵘停步："父亲封君以来凤兴夜寐，身体抱恙也不足为奇。"

净霖说："我渡境时他便已经大成，寿与天齐的'神躯'绝无抱恙一说。"

黎嵘看着他。梵坛的暮鼓恰好鸣响，莲池间惊飞白鹤，光影斑驳在净霖发间，他掌心里似乎握着什么，有点心不在焉。

"你想探查到哪一步？"

"兄弟同舟共济。"净霖面无表情，"自然要知无不言，言无不尽。"

"父亲圈养血海费心费力。"黎嵘抬了抬下巴，示意净霖看看九天境，

"'名'已成就，'利'在何处？清遥常住在父亲院中，被喂养了那么多的血肉，少不得要助父亲一臂之力。父亲从臻境到大成用了多少年？你想必不知道。你已是天赋绝伦，而父亲只用了三百年。"

净霖手指一顿。

黎嵘说："这般快，你明白了么？"

"根基不稳。"净霖思索着，"灵海虚浮，虚有其表。"

"清遥如能活久一些，父亲便没有此等后顾之忧。当年血海危急，苍龙几次翻脸，父亲却置之不理。"黎嵘说到此处停顿少顷，"正是因为无法匹敌，所以才要假借血海之难。苍龙一死，再无禁忌。"

"你杀了苍龙。"净霖看向黎嵘，"你怎么杀得掉苍龙。"

黎嵘沉默半晌："乱其心，趁其难。龙生逆鳞于喉下，攻其不备便可得手。"

净霖盯着他。

黎嵘说："父亲为此布设已久，我只是棋子而已。"

然而他没有说完。

你也只是棋子而已。

"近年父亲时常抱恙，多现于头痛之症。"黎嵘受不了净霖的目光，他闪避开，继续说，"此事没有声张，知情者不过几个，并且父亲虽身体不爽，神智却相当清楚。换而言之，他疑心更重。我掌握云间三千甲，却镇守在追魂狱。父亲大殿守卫一千人，皆由云生掌管。比起你我，父亲更信他。"

"你一直在为父亲寻药。"净霖说道。

"我的药即便递上去，他也不会轻易下口。"黎嵘抄了把莲池水，洗着掌心的汗，"这种阴损招数，他可是父亲。"

"卑鄙小人做过一次。"净霖说，"还想做第二次么？"

黎嵘随意地擦着手，他轻轻摇着头："你欲行光明磊落之事，也须看看对手是谁。师兄最后忠告你一次，不要轻易上当，不要为其动怒，不要拔剑动手。杀他容易，后续却相当难缠。九天君已是天下正道之首，他是群神君父，若不是铁证如山，谁也不能擅自杀他。三界封号尽在他手掌之间，单是'父亲'二字便

足以压倒你我。空口无凭，众怒难平。"

净霖落地，将要离去。

黎嵘坐下在他方才的位置，说："你掌心里捏着什么。"

净霖回首，掌心佛珠一抛而起，再稳当地落了回去。血迹早已沉淀成暗褐色，却让黎嵘感觉触目惊心。

"一颗旧珠子。"黎嵘说，"给我罢。"

净霖不理。

黎嵘大声说："你留着干什么。"

净霖看也不看他一眼，将佛珠递进了口中。黎嵘陡然站起身，净霖已经吞咽了下去。他舌尖渗漫血味，涩得他直皱眉。

"这是我的东西。"净霖瞥他一眼，如此说道。

几日后九天君要他俩办的差事便下来了，往南督查分界司修建新庙。如今各地掌职之神时有替换，地方庙宇自然也要随神更换。这差事既不危险，也不急迫，却召集了两大君神齐力协办，地方掌职之神都以为是九天境重审差职，早在他两人到来前就打起精神。

净霖觉得其中隐约不对，却又无从说起。他只能先与黎嵘同行，两人下到中渡，着手督查。

京都临近之地皆属净霖名下，他虽料理的时日不久，却也算是井井有条。倒是京都豪奢之地，竟连笙乐女神的庙宇也没有。

"我传女神之话，知君父圣意。"笙乐的侍女隔帘而坐，"然而女神惠泽难绵，不宜大兴土木。还望二位君上回禀君父，特免京都庙宇之事。"

黎嵘颔首，他还要兼顾此地分界司，稍作寒暄后便退身出去了。

净霖端坐在帘外，热茗韵香袅袅。他本欲退身，岂料侍女忽然俯身，在帘内轻声说："女神特差我问候君上。君上百年闭关，福在大成。"

净霖说："我臻境方渡，大成尚且不定。"

"所谓因果轮回，君上历经磨难，方知苦楚。大成之境如道深渊，大成之境如道浅显。君上来日必能顿悟。"

净霖手指触杯，他说："……我前尘已过，还不算知苦？"

"人生八苦。"侍女的珠钗在帘后隐约摇晃,她细声慢语,"君上食之便懂。"

净霖不语。

侍女便俯身退下。室内寂静,净霖孤身枯坐,眼前茶雾缥缈。珠帘层层,门窗皆未合闭,有风不请自来。

净霖不知坐了多久,直到听见了雨打芭蕉声,才恍然下起了雨。他侧头看阶下绿意清瘦,在风中不堪敲打。廊下突然传来急促的脚步声,伴随着疾风骤雨,隐隐有不祥之兆。

净霖扶杯饮掉凉透的茶,黎嵘正好步入室内。净霖宠辱不惊,说:"父亲出了何事?"

"病卧床榻!"黎嵘夹杂着寒气,"昨日殿朝时竟然昏了过去,头痛之症已经掩盖不了。"

"他将你我两人差遣到此。"净霖说,"便是提防。"

"除非他早已知晓自己近日将病。"黎嵘略微焦急地说,"此事真真假假,倒像是引人上钩。"

净霖说:"你咬吗?"

黎嵘闭眸片刻,说:"我即刻回程,须得亲眼一见方能决断。若是真的病了,此刻也必不能让他死!"

他临行前才与云生交换驻防,云间三千甲就在大殿各门处把守,一旦九天君真的病倒了,他又在中渡之地,简直是欲盖弥彰!颐宁一派虎视眈眈,群起而攻之绝非黎嵘所愿承受的后果。

黎嵘急身回撤,他前脚一走,净霖便起身别过笙乐侍女,冒雨横穿过京都,踏入自己的封地。

暴雨不沾身,净霖天青色融于雨间。他似乎总于大雨之时遇见抉择,就好比此刻他站在人前,手里展开一纸长单。

"我奉君上之命驻守此地。"殊冉抹净面上的雨,"借着掌职之神的身份深查各地,此页所记地名皆是已被撤销原名之处,它们无一例外,全是九百年前九天门奉命收纳孩童的地方。"

这满满一页写得密密麻麻,净霖拨开水珠,说:"劳驾了。"

"君上!"殊冉说,"杀戈君麾下诸神也在追查,并已将各地旧庙全部抹平。君上要拿人,仅凭此单也毫无作用。"

净霖将纸页折起来,他说:"我知道。"

殊冉上前一步,说:"我曾受帝君大恩,九百年来留守于此等待君上。君上!此行不易,我岂能袖手旁观!"

净霖说:"你是佛兽,命不该绝。梵坛如今虽已筑于九天境中,南禅旧寺却仍留莲池。从何处来,便归何处去。"

殊冉"扑通"跪地,他说:"我受帝君之命……"

"这世间已没有帝君。"净霖说,"你说的这个人,我不认得他。"

殊冉难抑哽咽,他突然拽住净霖的衣角,说:"君上何不再忍耐几日!此次前去,必然凶多吉少!"

净霖掸衣转身,怔神于雨中,忽然说:"雨这样大,我竟像是在等一个人。"

巍然大门已经闭合,大殿之外群神恭候。云间三千甲严阵以待,四君皆守于侧,黎嵘甚至披甲而立。

"父亲无故病倒,若非有人下毒,岂会如此!"云生上前呵斥,"你阻拦在此意欲何为?黎嵘!你要如何!"

"兄弟诸人皆能近身,到底是何人所为,查明之前一概后退!"黎嵘横枪。

"既然大家皆有嫌疑,你又为何能跳脱其外?"东君说,"打开大殿,容群神侍奉在侧,你我诸位兄弟全部后退,这样才够坦荡啊。"

"我离境不过几日,父亲便横卧病榻。眼下危急关头,谁要趁乱下手尚且难定。"黎嵘分毫不让,"我职责镇守大殿,不会退让!"

"你生怕担上杀父弑君之名,故而来此一招,栽赃他人。"云生紧逼,"你一离境父亲便病倒,往日也是你在搜寻药物,早已扯不清了!"

"你我这些年虽政见不合,却情谊仍旧,何必这般咄咄逼人!"

"只怕你心怀鬼胎做贼心虚!"

他俩人争执间忽听殿门大响,东君几步迎去,问道:"何事!"

却见门外守卫滚身淌血，厉声道："君上！临松君持剑破门，已逼近了！"

黎嵘猛地推开人，说："你说谁？！"

云海轰然撞起青芒，罡风倏地荡扫全境，追魂狱下的血海也闻声怒卷波涛，红色从远处漫延而来。

东君陡然推了把人，喝道："愣着做什么？他已将步入大成之境，在场谁也不是他的对手！速去梵坛请出真佛！"

106章 梦终

黎嵘当即阻拦，他说："净霖的来意尚且不明，不要惊动……"

"他的来意明明白白。"云生目光眺出云浪，"养虎为患，终成大害！"

言语间九天境剧烈震动，追魂狱震得尤为厉害，邪魔在镇塔下狼奔豕突，警天钟长鸣不止。群神慌忙扶着廊子石柱，眼看守备连连败退，忽听梵坛众僧诵着经疾步而来。

佛光驱除阴霾，九天境的震动被一指定住。真佛无声无息地拈花而立，殿中的惊乱刹那云散。他依旧微笑，以目静观九天君。

"君父身受五伦之毒，须得置于金芒大棺间，镇以百僧加印梵文链，沉于梵坛莲池中净涤七七四十九年方可破除。"

"世尊救命！"云生欠身跪地，"性命攸关！净霖来势汹汹，只怕已坠杀孽魔道，如不能阻拦住他，三界必起血雨腥风！"

真佛侧目，天际杀声震耳欲聋，他说："东君主生道，而今能阻他一阻的唯有杀戈君。"

黎嵘顿时后退，他握枪颤抖，涩声说："我不能如此。"

"你不杀他。"云生霍然抬首，"他便会杀了父亲，杀了你我！"

"如若父亲无罪，"黎嵘说，"净霖何必如此！"

"父亲何罪之有？父亲荡除血海，开立三界，册封群神！没有证据，便是谋逆！他要背负这杀父之名，你也要纵容下去不成？！"云生已经起身，他说，"况

且苍龙一事，你心以为他真的忘得掉？大哥！他是来报仇的……他是来找我等报仇的！"

"不是！"黎嵘陷入两难绝地，他说，"我早已叮嘱过他……"

"他与你同办差事，父亲便病如山倒。你归境料理杂务，他便步步紧逼。你不阻拦住他，日后便是百口莫辩。"云生握住黎嵘一臂，情切地说，"大哥，当断不断，必受其乱！"

他话已至此，再明白不过。君父不论死还是不死，都必须要有个人承担罪责。净霖来得正好，这杀父弑君的水泼上去，他们便都解脱了。

黎嵘曾经嘱咐过净霖，不要轻易动手，因为出师无名。然而这一病千载难逢，错过了再杀九天君就是难上加难。如若这世间的醒醍污秽必定要有个人来担，那么临松君来了。

他已料得此行难活，但是他还是来了。

净霖剑磕地面，他用帕擦掉指间的血迹，破狰枪凌风突来时他已经等待多时。乌沉沉的云海就在脚下，中渡的大雨使得他指尖潮湿，握着剑柄有些滑腻。

风浪涌动，破狰枪直掷门面。咽泉剑"砰"声格挡，接着见铁甲与常服猛撞在云海间。周遭缭绕的云雾荡然无存，两个人隔着剑锋和枪杆睁目相对，下一刻黎嵘哑声说："后退，还有来日！"

电光石火间黎嵘猛地被挑掀而起，千斤重的破狰枪在咽泉剑前毫无优势，疾风狂虐，骤雨般的撞击声应接不暇，黎嵘被击退砸地。净霖剑势惊空，顷刻间已劈到眼前！

黎嵘横枪接下，背部受挫，整个台阶登时崩塌，轰然陷下去。他枪退其险，一脚蹬在净霖胸口，倏然翻起。净霖收剑旋身，两人踩着碎石渣土虚实险战。风云变幻，净霖近身时撩剑上挑，黎嵘不防此招，铁甲由胸口一线霎时崩碎，咽泉剑尖已抵在他喉头。血花顿暴，黎嵘撑身不及，已经被净霖踹翻在地。

黎嵘扒住莲池边沿，趄身而爬。他喉头口齿间涌的皆是血，从胸口挑到锁骨之下的血线刺目。

九天台的长阶延伸而上，血海已泛滥在四周。净霖甩掉剑锋上的血，他望着真佛，真佛也望着他。

"你看见了什么？"

"尸山血海。"

"你为何而来？"

"杀人而至。"

净霖发已经散了，他适才才擦过指间又淌着血水。他见无数神佛立在后边，真佛的悲悯与曾经度他入门时的神色一模一样。净霖略仰起头，剑锋随着脚步划在台阶。

"净霖。"真佛叹声，"回头是岸。"

净霖踏上阶，逼得一众银甲不断后退。他剑脊上滑过的不知是别人的血，还是他自己的血。他已然走到了这里，他早已没有回头的选择。他明白从此之后他将负以何等的罪名，但他全然不在乎。

他轻声说："晚了。"

九百年前，黎嵘说大局已定，奉劝他等一等。

九百年后，黎嵘说大局已定，依然奉劝他等一等。

可是净霖等不了了。

他在等待中丢失了全部。道义、情仇、痛苦一并消失，他从石棺中醒来的那一刻便是为杀人而生。断情绝欲叫人永远不会再痛，它杀了叫作净霖的这个人。

梵坛莲花怒放，众僧肃穆盘坐。九天君镇于金芒大棺间，净霖足迈上阶，青芒与金光交错于九天高台。剑风咆哮着劈开天地浑浊，龙息与剑锋合二为一，随着净霖的疾步骤然破开面前阻碍。他锐不可当，听得真佛呼声，四君一齐跃身而起。

银甲包围，僧声叠荡。缚棺梵链齐声震响，东君山河扇呼风以阻，却见净霖剑势间似有黑雾盘旋而出，龙啸一发冲天！

诵经声急促，嘈杂于邪魔嚎叫中。九天境已被渲染成殷红，净霖衣衫被刮破，他猛地凌身冲开千万阻拦，但见咽泉剑青光刺眼，九天君的脖颈间血股迸溅。那剑锋一路劈下，甚至将金芒大棺破开裂纹。

黎嵘悲恸失声："净霖！"

青衫落地，上方梵文破链衔接，狂风扑面。四君喝声，天地神佛齐力下印，云海刹那静滞。

黎嵘见得净霖回了头。

随后风云肆啸，整个九天境都被重砸向下。云间倏而猛烈震荡，咽泉剑"啪"声爆碎，那青衫以肉眼可见之速消融于大风之中。破絮凌飞，一颗佛珠渗着新添的血，掉进了红色的莲池。

九天境骤陷黑暗。

飘泼大雨盖地而覆，砸得水面蹦珠嘈声。洪浪疯涌，一切前尘被撕裂成光点。无数张脸浮隐于惊涛巨浪之中，哭和笑相伴紧密，那白袍银冠的少年郎在飞速后退的狂影间越来越清晰。

油纸伞半挑，净霖双眸破冰敛笑。他隔着雨帘，脸颊贴在苍霁背上，缓声说着："……不是临松君。"

铜铃一震，霍然响起。

那人又变作了大雨间失声哽咽的模样，他揽着龙鳞，仰头淋雨，痛哭道："求求你……"

虚景一触即破，棺中佝偻着身躯的人一遍又一遍地在墙壁上划着血线，他疯癫地念着："七星镇……鸣金台……来接我回家……哥哥。"

诸般虚景猛地破碎，荧光乱舞在黑夜。河水倒逆的声音响在耳际，意识被骤地拽扯向下，不断地沉向无边漆黑。身体也跟着倒栽冲下，在坠破镜面时铜铃中道而止。

"我道已崩。"

苍霁突然破水而出，他用力爬身，在冰凉的河水中蹚水寻找。

净霖。

苍霁颤手摸索在水中。

净霖。

忘川河环过迷津，黄泉冷得苍霁双臂乏力。他摸不到人，已然忘记了身在何处。他慌乱地在河中一脚深一脚浅地找着人。

一场大雨下了多少年，苍天从一千四百年前号啕至今。苍霁记得他为鱼时的第一眼，净霖在窗边枯坐半宿，状如白瓷，被人拙劣地拼凑成形，却少了至关重要的东西。

他从来不是想要吃掉净霖。

他只是在渴求他失去的逆鳞。

铜铃一直在响，苍霁似乎被困在忘川河中。他愈行愈沉重，双腿被淤泥拖着，寒冷更盛。苍霁拨开水浪，突然栽进了水中。

忘川河变得深不见底，苍霁沉身坠下，磕到底部时被惊起的淤泥包裹，他咳嗽起来。

"净霖！"

苍霁奋力挣扎，河水浑浊不堪。他扯开束缚，却已经被淤泥吞入更深处。苍霁呼吸不畅，他撞着泥壁，听铜铃声音变得遥远。

须臾之后，苍霁霎时睁开眼。

他盯着屋顶，喘息急促。天色朦胧，骤然转变的场景让他有一瞬间辨不清真假。室内的茶杯忽地倾倒，苍霁闻声坐起。

净霖正看着被热茶泼红的指尖，听到动静侧头看来。岂料苍霁"哐当"地站起身，他鞋也不穿，疾步撞开桌椅。桌上的茶壶杯盏碎了一地，他猛地拽住净霖的手臂。

是真的。

苍霁眼眶发红，他甚至在一刻不知如何张口。他紧紧地攥着这个人，仿佛一松手净霖就会消失不见。

净霖被握得手臂生疼，但是他神色如常，走近一步，低声说："怎么了？"

"净霖。"

213

苍霁沙哑地念。

"净霖。"

"嗯？"

苍霁低哑地唤，"净霖。"

净霖觉察到苍霁的情绪。

苍霁难过地说："是净霖啊。"

是净霖啊。

大雪

卷四

107章 夜里

夜里净霖睡得很不好，他半睁着眼，在昏暗里注视着苍霁。

苍霁喑哑地说："要睡吗？"

净霖从枕间撑起身，鸦色的发铺在枕席间。他若有所思地端详着苍霁，说："不睡。"

"那就这样。"苍霁看着他。

净霖说："嗯……你梦见自己的前世了吗？"

"我没有前世，"苍霁略抬头，说，"也不指望有下一世。只能竭尽全力，把握此刻。我如果错过这一刻，就好比没有活这一遭。"

翌日净霖从被间爬出来，他被窗口透出的亮光晃花了眼，定了定神，才发觉苍霁不在旁边榻上。

净霖趿鞋，从被间出来后绕过屏风。他碰了碰自己的耳朵，从屏风上拉下新衣。他松垮地披上宽袖大衫，趿着鞋踢开了门。

外边银装素裹，大雪正稠密地飘。天地间寂静无声，蒙蒙亮着，寒意砭骨，却没什么风。苍霁也套着件宽衫，正蹲在廊子边沿仰头看雪。

听到声音，苍霁便收回目光。

苍霁突然笑出声，他长舒一口气，霍然站起身。他背着净霖，下了阶踩在雪上，转了一圈。

厢房"啪"地被推开，千钰正往外走，见状默默地收回了腿。雪里的两个人莫名寂静半晌，与千钰尴尬地对视。待千钰合了上了门，净霖立即轻踢苍霁一脚。

苍霁说："他怎么在这儿？"

两个人发都乱糟糟，打雪里待了一会儿，雪屑化湿了一片。净霖滑下地，踩了一脚雪。

"他在这儿，"净霖说，"他捞我们出来的。"

苍霁跨上阶，开门进去了。他甩着微湿的发，几下脱了宽衫，就着已经凉了的水，飞快地擦拭了身，洗着脸说："到底发生了什么事。"

净霖换着里衣，说："事多疑点，稍后请他来一叙便知。"

千钰进屋时打了个喷嚏，他坐下时声音发哑，但气色瞧着好了很多。

"我在迷津找到了左家郎。"千钰一开口便是石破天惊，他看了眼苍霁，说，"大恩不言谢……二位日后如有用得着的地方，我便随传随到。"

"黄泉界如今事务清楚，人命谱上既然勾掉了左清昼，他如何能等到你找到他？"苍霁说道。

"贵人相助。"千钰谈到此事仍有急切，"左家郎说他本已到了渡口，鬼差点了他的名，却被一人拦了下来。那人不仅请他吃了往生茶，还将他安顿在了迷津。"

"我们坠入忘川河，你如何捞起来的？"

"不瞒二位，我修为不够，自是做不到。只是那贵人在两位沉河之后，仅露了个形，便使得阎王避退三尺。随后他鼎力相助，方才让情势回转。"千钰说着打量屋舍，"这院子也是他寻的。"

净霖饮着热茶，说："他是不是告诉了你他的名字？"

千钰颔首，苍霁问道："谁？"

千钰说："他自称名叫奉春。"

苍霁静思片刻，说："原是他，那个讨牛肉的鬼差。"

"是他。"净霖合上茶盖，"却不是鬼差。"

"奉春。"苍霁念着这两个字，与净霖对视一眼。

"奉旨唤春。"净霖将茶盏轻磕在桌上，扬声说，"东君！"

窗外大雪顷刻加剧，风撞开窗户。雪花轰然涌冲进室内，散开时竟落下朵朵迎春花。大笑声自天边由远而近，眨眼间已踏入院中。

山河扇随意地扑开迎春花与雪花，沾着酒气依靠在窗边，抖着袍上的碎屑，说："我还道你猜不出来呢。如何？好弟弟，感不感动？"

苍霁靠在椅间,他说:"这般大的人情,你必不会白送。"

"是啊。"东君拱了拱手,"我料想帝君豪爽大方,不会占朋友的便宜。寻回前尘滋味如何?想必是失而复得,感慨万分吧。"

苍霁余光看着净霖,回答:"你想要狮子开口,就不该只给我一半甜头。"

"剩下那一半我也无能为力嘛。"东君笑说,"不过已寻到了这一步,距离帝君得偿所愿还会远么?净霖,我此番前来正是为讨报酬的。"

"你算得如此精明,还需知会我一声?"净霖说道。

"何必妄自菲薄。"东君合了扇,说,"我确实有事相求。这世间除了你们两位,无人能做到。"

"何事?"

"八苦仅余最后一个。"东君说,"机缘正在东海。从何处来,便归何处去!"

他话音未落,已经闪身避开。折扇哗地挡在面前,对苍霁似笑非笑。

"帝君如今尚未渡劫,鲤鱼之躯,还是不要与我过招了吧?"

108章 打探

苍霁稳坐在椅上,闻言给自己沏了杯茶,说:"把话讲明白。"

"不先请远道而来的客人坐一坐?这外边寒风如虎,咬得我直哆嗦。"东君说着翻窗而入,自行搓手入座,对千钰客气道,"讨杯热茶,容我缓一缓。"

千钰给他上了茶,知趣地退身而出。东君呷了几口茶,道:"两位缘生于东海之滨,所谓因果轮回,如今万事亨通,回东海也是天命所指。"

"你到底意欲何为。"净霖说道。

"欸,"东君说,"此言差矣。你重走这一遭,所遇之事桩桩件件都与你们有干系,却与我没什么干系。我不过是来顺水推舟罢了。"

"不见得。"苍霁说，"楚纶曾道他遇着个画中人，外貌形容与你颇为相似，你又插手千钰与左清昼的事情。况且'八苦'之说，你怎么知道？"

"这天地间但凡要做坏事的人，都有个约定俗成的习惯。"东君没趣地推着扇面，"便是变作'东君'。我没爹没娘没人头出，可吞了不少哑巴亏。我见这狐狸可怜得紧，又正逢无事可干，所以大发善心地帮他一把。至于那八苦，我自然知道了，那铜铃可是打我手上丢掉的东西。"

"铜铃原本是澜海拾破狰枪的余料所造，挂在清遥檐下数百年。清遥去后，我于天火灰烬中捡起了它。我闭关时它确实在你手中，但我醒来时……"净霖一顿，"莫非是你救的我？"

东君说："不是我，我不干这样的事情。"

"聚灵塑身乃是你擅长之事。"苍霁说，"若不是你，又会是谁？"

"我原身是凶相，对你两人避之不及，救人岂不是自讨苦吃。"东君呵了呵手，"澜海造的它，它是什么东西，澜海最明白。落在我手上养了一段时间，你死的时候，它便自己跑了。这东西不是精怪，反倒透着鬼气。它吃'苦'，在我手上时须得喂它人间苦，如今跟着你们两人饿了几百年，自己跑出来找吃的也是意料之中。不过它对你这般情有独钟，可见是藏着执念。你若是想要弄明白，就必须走完这一程。"

"你道还剩最后一苦。"净霖说，"是哪一苦？"

"我等着你告诉我啊。"东君无辜地摊掌，"你们二人渡的都是什么苦，我如何知道？我不过数一数，还差这么一个而已。"

净霖指腹在茶盖上点了点，苍霁便说："待我问你最后一问。"

"天机不可泄露。"东君已经猜得他要问什么，说，"谁生谁死皆是天数，我也不知道，机缘到时一切自会明了。但是我掐指一算，东边要变天了。我做事情不求心安，只求回报。你们两人既然承了我的人情，那我便要开门见山了。"

"说来听听。"苍霁说道。

"海蛟宗音失踪了。"东君说，"东海风雪失调，如不能在春日之前找回他，东边就要陷入洪灾。"

"这是追魂狱的职责。"净霖说，"醉山僧如今代行黎嵘的统将之职，此事该由他着手查办。"

"醉山僧心魔未除，已浸入梵坛莲池水中入定闭关。他若是能够渡过此境，便是真正的大成之境。"

"九天境神仙无数，此事紧要，必定还有人选。"净霖说，"你为何独独要叫我们去？"

"因为斩妖除魔临松君。"东君折扇轻敲，对他二人沉声说，"我独自观得参离树生出异象，东海将有大魔诞世。此事与铜铃息息相关，去不去？"

几日后。

大雪封路，马车被阻在了道上。苍霁身披大氅，与人一道在途中的客栈里挑拣药材。他发束金冠，衣着奢华，看着贵气逼人。

"公子……"

"曹仓。"苍霁正端详着一把黄连，听着声音，侧头对来人缓缓一笑。

"曹公子。"来人山羊胡收拾妥帖，对着苍霁微微一拜，说，"昨日听着曹公子要购药材，特引公子来此一会。冰天雪窖，公子里边请。"

苍霁抬手，说："佘爷肯见我一面，已算是沾了冬林的光，吃茶就不必了。"

佘桧惊疑不定："不知公子要买什么？"

苍霁嗅了嗅黄连，不经意般地说："旧友身体不好，从北边回来一直如此。我听闻东海之滨多有仙山，最适宜调养身体。冬林生前虽与我称不上朋友，却也算有点交情，我听他屡次提及佘爷消息灵通，便想来问上一问。东边当真有那么好？我欲带友人前往海滨居住些日子，待他身体好些了再做打算。"

佘桧随着苍霁走了几步，说："贵人如不便长途，公子挑个暖和些的镇子最适宜。那仙山之说过去引得无数人前往，可是近来妖怪横行，又无神仙坐镇看管，怕不安稳。"

"我听闻海蛟执掌东海。"苍霁露出略微不解的神色，"怎么还会妖怪横行？"

"自入夏后，海蛟便少有现行。"佘爷对各地动向了如指掌，他说，"我们送药到京都，见得东边的妖怪都跑去了京都，可想东海如今已经乱作一团。别的不提，往年东海雪不过半月，寒雨盛。今年一滴雨也不见，雪已经下了个把月了！"

苍霁往伙计的托盘里搁了把金珠，遗憾道："那还真是可惜了，旧友还盼着居山栽花，靠海择院呢。"

佘桧见状赶忙道："不知贵人平日都吃的什么药？如今天冷，万万要留意驱寒。"

苍霁说："稍后我递个单子请佘爷瞧瞧。"

佘桧在方寸内热情道："行的。如是贵人准许，我隔帘替贵人把把脉。"

苍霁叹道："外边这样冷，过些日子热了再说。"

佘桧连忙说："这倒也是。公子若是舍得，只需招呼一声，我便登门为贵人看看。"

苍霁笑应了，待走时佘桧亲自送他出去。上好的人参和皮毛搁在后边的车上，苍霁二话不说，钻进了最前头的马车里。

厚实的棉帘一掀，热气股着团往面上扑。苍霁低头进来，将角掖好，见他的"贵人"持卷靠里边，就着个明珠的昏光打瞌睡。

苍霁俯首去看净霖的神色。

净霖松了书，睁开眼，说："怎么说？"

"说过几日热些了，登门给你把把脉，"苍霁身上还带着寒气，斜身靠壁上。

净霖说："诓人便只打听到了这个？"

"我对他说的话十有九真。"苍霁说道。

"你说这句话的时候就已经在诓我了。"净霖看着苍霁。

苍霁忍俊不禁，他说："你是不是生在我肚子里。"

净霖说："……那要我叫你一声娘吗？"

"你叫啊，"苍霁滑回手，摘了明珠，蒙上大氅遮了光。

净霖看着他肩膀晃动时的线条，神使鬼差地喊了声："娘。"喊完方觉得不对劲，立刻改口说："……的娘！"

"我让你喊娘你就喊娘。"苍霁说，"我让你喊别的你怎么不喊？"

"不吃亏。"净霖说，"你不是还喊过我爹。"

"这什么乱七八糟的叫法。"苍霁说着低头。

净霖袖里有东西簌簌而动，想要冒出头来，苍霁一手束紧了他的袖口。

　　"我不要石头，"苍霁逼近，"我要你说。"

　　净霖说："你打听到了什么？"

　　"宗音从夏天起便消失了。"

　　净霖心下一动，他说："东海的分界司没有查吗？"

　　"你有点贪心。"苍霁稍稍挑了挑眉，"我一次只答一句。"

　　净霖在苍霁目光里别开头。

　　"我答一句，你答一句。"苍霁循循善诱道，"有来有往，情谊长存。"

　　"你说。"净霖转回眸。

　　"石头是不是你的分身？"

　　"是，"净霖飞快地说，"从前的分身。"

　　"你用石头诬我。"苍霁被硌得微皱眉，"这么说之前你一直在偷听我讲话咯？"

　　净霖微仰头，隔着点距离对苍霁说："一人一句。"

　　苍霁垂眸盯着净霖，说："好，你来。"

　　"你是不是苍龙？"净霖也盯着他。

　　"是，"苍霁说，"我还是曹仓。"

　　净霖说："我是不是忘记了什么？"

　　"一人一句……这样吧，既然你和我总是忘记，不如再定一条规矩，多问的人就要多付出些东西。"苍霁恰到好处地停顿一下，"很乖巧听话，我也会照办。"

　　净霖怔了片刻，才道："我是不是忘记了什么？"

　　"你只是打了个瞌睡。"苍霁说，"丢失的东西会一样不少地拾回来。"

　　净霖移开腿，说："我们从前认得吗？"

　　苍霁幽咽地叹气，说："是啊，真是时过境迁。当年临松君追了我好几百里。"

　　净霖猛地坐起身，惊愕地说："是这样？"

　　苍霁顿时露出邪气来，他凑首小声说："假的。"

109章 称呼

　　净霖倏然后靠，他不欲说话，石头小人钻着脑袋顶在袖口，想要跑出来化解他那隐藏颇深的窘迫。

　　苍霁不懂的事情，苍帝游刃有余。

　　一年前他两人之间还称得上是针锋相对，初化成人的锦鲤虽然锐气十足，却又莽撞坦率。但现如今他已经换了进攻方法，变得像雾一般难以把握，并且反客为主，对净霖的弱点胸有成竹。

　　净霖捏着袖中的石头，说："你要告诉我真假。"

　　"这是自然。"苍霁换个姿势坐，让垫子成为两个人之间的阻隔。

　　净霖面容冷静。

　　苍霁开口了，他说："我们自然是认识的。一千四百年前……"他顿了片刻，说，"要听我讲吗？"

　　净霖点头和摇头都觉得不合适，苍霁已经当他默许了。

　　"说来话长啊。"苍霁略皱了下眉。

　　净霖欲言又止。

　　苍霁嗤声："我原以为你最大胆不过，怎么如今讲句话还要借助石头？你唤它做什么，它本就是你。"

　　净霖说："我不是。"

　　"你不是？"苍霁陡然贴近，他说，"我今日偏不要它出来。"

　　净霖袖中的石头连着滚了好几圈，他说："你瞒着我什么？"

　　"我瞒着你一件惊天动地的事情。"

　　"我不信。"净霖一顿，觉得自个说过这句话。

　　"信不信由你，说不说在我。"苍霁说道。

　　"那你讲。"净霖说道。

　　"想我这么轻易地告诉你。"苍霁用手拍了拍净霖的额，"我岂不是很吃亏？"

　　"我觉察到了，"净霖说，"……你长进了很多。"

"你先前诬我是条蠢鱼,"苍霁说,"此刻后悔也来不及了。"

净霖想冷笑。

"我也察觉到了。"苍霁深沉地说道。

净霖说:"察觉什么?"

"你对我好生冷漠。"苍霁惆怅地说。

净霖顿时有些怀疑,他说:"我不记得我与你……"

"你自己都说是不记得了。"苍霁移开身,靠在净霖身侧。

净霖心慌意乱,他稳着声说:"我的过往清楚明白,在忘川河中也没有记起与你的这一场相识。"

"诛心之言莫过如此。"苍霁微垂首望着指间的明珠,"救你的人,也是救我的人。他将你我放在一起,可见他对其中隐情心知肚明。这么着吧,我便再与你说一些话。"

净霖倾耳细听,疑信参半,说:"那我唤你什么?"

苍霁收敛了坏色,端肃道:"你都叫我哥哥的。"

净霖沉默地望着他,稍稍向前倾了些许,说:"骗人。"

苍霁由着净霖看,反问道"我形容的不对吗?不信你唤几声试看。"

净霖说:"我不要。"

苍霁说:"娘都喊了,赶紧。"

净霖拾起书卷,说:"我不要上当。"

"诬你是小狗。"苍霁说,"若是假的,你喊一声自会察觉。"

净霖盯着字呆了一会儿,说:"……你不要诬我。"

苍霁低声说:"我如何会诬你?"

净霖指尖有些凉,他又默了一会儿,字正腔圆地念着:"……哥哥。"

接我回家。

净霖突兀地忆起这句话来,他指尖下意识地传出锥痛感,仿佛这句话就是在疼痛里重复着。

昏暗的车厢似如昏暗的石棺,净霖眼前恍惚看见一面斑驳血迹的石壁。他以为上边写着字,可他只看见层层叠叠的线。

净霖倏而回神，他觉得胸口泛起点热潮。但是眼睛里却积埋着酸涩，可是他不清楚这到底是哪里的难过。

他还能难过么？

他早已是个死人了。

他辨不清快活，尝不出心动。他甚至真如旁人说的那般，是没有心肝的。

他怎么会难过呢。

110章 故居

净霖沉默着，石头不能出来，他的情绪便无处遁藏。他于过去那么多年的光阴里，已习惯把另一个自己匿在石头中。不丢失本心的最好办法便是把它寄存在别处，临松君不能做的事情，石头毫无顾忌。

但那也是净霖啊。

这个世间不会再有人比苍霁更加明白，净霖已经不再有束缚，石头不该成为净霖隐藏的去处，苍霁要他所有的喜怒哀乐都化在自己的心口。

苍霁见净霖语塞，不由得说："不会说？无妨的，拜个师我教你啊。"他慢条斯理地教道，"过去在山中是我有眼不识软温玉，竟把净霖当作了白瓷精。"

净霖不自在地挪动了腿，被书本抵着膝头。

"他们告诉你苍龙喉生逆鳞，破之即亡。"苍霁说，"这都是天经地义的事情。"

"天经地义。"净霖呓语。

"天经地义。"苍霁戏谑道，"那把咽泉剑归我。"

净霖偏头，说："不……"

"这只恶苍龙归你。"苍霁如此说道。

净霖埋起脸，石头小人终于不动了。

雪停时马车已到了地方。

苍霁打帘而出，此行为了不惹人眼目，他已尽力掩了妖气，故而落地时也缓了几口气。

佘桧的伙计一路打点，跟着鞍前马后，这会儿送到了地方，少不得来讨个喜。苍霁抛了他几颗金珠，他喜笑颜开地接了，对苍霁抱礼道："公子是难得的财神爷！这一程走得顺利，多半是承了公子的福气。佘爷特地嘱咐，备了份薄礼给贵人。"

苍霁颇为愉悦地说："叫佘爷惦记了，回去替我禀个平安。"

伙计连声应了，两个人正客套间，伙计目光突然一顿。

净霖肩覆狐裘，闻声侧视。他近几日虽没记起多少事，却已不如下山时寒冽。

苍霁说："冷吗？"

净霖眺目远山，雪雾隐绰，距他两人下山已过了一年，此时再看故处，竟有陌生之感。

"不冷。"净霖答道。

苍霁扫伙计一眼，伙计即刻噤声退了。他迈步与净霖并肩，沿着这残雪未扫的道走。

"宗音性子稳重，素来恪尽职守，又好秉承规矩办事。"苍霁说，"他不该有什么仇家。"

"他必不会无故离海。"净霖斟酌道，"他若不是被人带走，便是自行离去。"

"一个人遽然生变。"苍霁说，"必是碰了情字。"

"这般说。"净霖看向苍霁，"未免武断。"

"我与宗音几面之缘，却已能猜得他是何等样的人。他若不是被逼无奈，绝不会弃职离海。只是动情便罢了，他本就是东边的土皇帝，如想隐瞒九天境也不是不能。为何要匆忙离去，暴露而出？"苍霁说着环顾四周，"这村子有些古怪。"

"人少了。"净霖驻步，示意苍霁向前看，"雪掩柴门，还留在此地的百姓不足五户。"

"无人坐镇，妖怪横行。"苍霁说，"但是必不会惹出大事，因为分界司会尽快调出人手来，所以没理由跑得这样干净。"

净霖一时间也无头绪，他说："临行前东君道八苦只剩这一苦，可我算起来分明还少了三苦。若是能猜得宗音是哪一个，兴许便有些线索。"

"是少了两苦。"苍霁见净霖不解，解释道，"冬林的'死'，顾深的'爱别离'，楚纶的'病'，左清昼的'放不下'，老皇帝的'老'。此乃你我共经历的五苦，而我于忘川河中见得了'怨憎会'，所以如今只剩下'求不得'与'生'。"

他闭口不提这个怨憎会是谁的，净霖却仿佛心有灵犀。

净霖说："宗音数百年里寻求化龙机缘，却迟迟不得。所以给他一个'求不得'，倒也正合适。"

"不过是百年。"苍霁说，"寻常人修行问道，动辄千百年，又受本相牵制，能入臻境者凤毛麟角。宗音只是尚不得入门之法，却并非不能化龙。所以求不得于他而言还差些东西，倒是生，兴许寓意着他将有劫难，要在生死关头走一遭。"

净霖沉默不语。

苍霁便猜得他的心思，于是说道："你一直以为生是你，对不对？"

净霖颔首，想了想，说："我生机难得，那般情形下本已是陷入死地。"

"东君有一句话说得不差，八苦与你我息息相关。如今生死已过，此后便再无可惧之处。"

他两人不曾另寻住处，而是回到了枕蝉院。院内廊子塌了一半，舍边小池也已干涸。好在他两人也不是凡人，否则今夜便要横睡雪间。

净霖将推门上的雕花换了个图案，苍霁抱卷路过时端详片刻，问："一条狗？"

净霖用手掌遮了一半，回首说："不与你说。"

"那便是条狐狸了。"苍霁站在后面说，"要狐狸做什么？换条龙吧。"

净霖说："不是狐狸。"

"……你以后喜欢什么。"苍霁婉转地说，"尽管知会哥哥一声，我自当画给你玩儿。"

净霖略微窘迫，石头又在袖里打滚。

227

苍霁顶他一下，说："借着石头占我便宜？它在我袖里乱摸。"

净霖滞声反驳："哪里是摸？"

"这不叫摸。"苍霁"哗啦"松开抱着的手臂，"对不住，我说错了。"

"我记不得以前，"净霖说，"我分身不归，便不算完整的'人'。但它回来了，我便又不是如今的我了。"

苍霁说："我只认得净霖。"

净霖怔怔地看着他，忽然说'"……我是净霖么？"

苍霁瞧着净霖，脸上的笑意渐退，说："我会认错人，但我怎么会认错逆鳞？"苍霁与净霖咫尺相望，"你活着，我便活着……"

"我此生唯一一件后悔事。"他说，"死前我说错了话，我怎会只留你一个人。"

净霖躺在毯间，似乎听到了大雨声。他不知不觉地淌出泪来，又全然不知该如何作答。他懵懂地躺在这里，这一刻他仍然像是从前。

有些人可以作践他、锤炼他，叫他变得铁石心肠毫无人样。

但只有个人可以珍惜他、呵哄他，叫他如汤沃雪般地露出本真。

净霖小声说："我与你一起的时候，必然是开心的。"

苍霁心中大痛，若非强撑，险些要露出神态。

111章 春茶

夜间朔风扑窗，净霖在炉上煨着酽茶。那浑褐色的茶水沸股起来，净霖抄壶倒了一杯。

苍霁别开热气，尝了一口，苦得舌都无处安放。

"夜饮酽茶。"净霖追尝了几口，"不要睡了吗？"

又说："我回想东君的言谈举止，总觉得事不简单。宗音有遭调此地风雨的神通,他若真的离去,东边反倒不该下这般大的雪。"

"何况他原身海蛟,遇见的事情越是棘手,越该留在东海。"苍霁说,"但他未必愿与你我相见,尤其是在今夜。"

"今夜有什么特别之处?"净霖困惑,"事若棘手,便不该拖延。"

"我们以往经历的'苦',苦主时常不知自己是苦。宗音亦然,他既然不知道,便更不会想要向你我求援,更何论他还未必知道你我是谁。"苍霁握了茶杯,嗅了嗅,"我怎仍然觉得嘴里一股苦味。"

净霖舌尖回味,纳闷道:"味已散了啊。"

苍霁搁了杯,对他说:"你再尝尝。"

净霖虚做了个尝的动作。

苍霁跟着说:"这算什么尝?连味也没有。"

净霖说:"尝着了!"

"苦不苦?"苍霁追问。

"苦。"净霖快声答道。

苍霁冷笑一声,可逮着机会了,道:"诓我?早就没味了!"

112章 现身

翌日晨时,苍霁醒来被窗晃了眼,应是下了一夜的雪。净霖还睡得沉。

待到净霖醒后,苍霁才开了门,外边的寒气顿时扑面袭来。

雪倒是没下了,山里却一夜间冰冻三尺。苍霁推门时看门槽里边都卡着冰碴子,他趿着鞋晃到廊子,见院里边的小石小柱都冻住了。

"一夜冰冻。"净霖把袖口掩得严实,"跟宗音脱不开干系。"

"昨夜不慎漏了龙息。"苍霁回首,"你浑身都沾着龙的味道,他必是嗅出来了。"

净霖下意识地嗅了嗅手腕,说:"你尚未渡劫,我怎么会有龙息?"

苍霁抱臂,说:"从前留的,若非我死得太早,该更浓郁一些。"

229

净霖说:"他会来吗?"

苍霁从廊子里回身:"宗音一直在寻化龙之机,乍然闻着味道,必定会受其牵引。今日大寒,我猜这是他已经无法自控的征兆。他即便心疑这是场陷阱,也会来一探究竟。"

"他来与不来都无妨。"净霖走出了庇檐,"山不来就我,我便去就山。"

山间雾凇立于白雪,野猪寻味而奔。它拱着秋日埋起的土坡,刨开冰雪,将囤积的根秧拖出来咀嚼。

土坡被拱塌了,后边斜抵的树应声而倒。野猪甩了甩被溅一脸的雪屑,没有理会。它饿了五六天,山脚的村人一搬走,地窖里也空荡荡的没吃食。

野猪大嚼大咽,逐渐刨出个坑来。

后边传来踩雪的脚步声,野猪回头,见雾间一个光着半身的男人佝偻前行。雪都埋他腿窝了,他反而热得通身泛红,鼻息沉重。

野猪嗅觉灵敏,分辨出海潮的湿咸味。它疑心这是海里跑出来的妖怪,因为他双臂被热出了类似龟裂的痕迹,像是鱼鳞。他面容被呼出的热气遮掩,隐约能窥见眉眼。

他像是一团火,还是饥肠辘辘。

野猪突然掉头,撒腿狂奔。它蹬在雪窝里,没命地前蹿。背刮断了松枝,一股脑钻在杂木丛。后边的脚步追得急促,那人也狂奔起来。

野猪被强有力的臂膀拖抱住了后蹄,它嚎叫着滚撞在树干,蹬起一片雪雾。男人双臂犹如铁钳,把野猪拖着向后拉。野猪的挣动好似石沉大海,在他的手臂间没有留下任何回旋的余地。

男人拖着已经咽气的野猪,在山间徒步。他走得极快,像是有什么在催促着他,使得他不能耽搁。当他掰断枝丫走出杂木丛时,净霖正候着他。

"既然入了我的山。"净霖寒声,"不打声招呼么?"

宗音当即拖着野猪回身疾跑,他跳过雪坑,野猪撞在地上发出沉闷的响声。他速度飞快,却不敢化形而遁。就在他即将再跃过山涧窄口之时,左侧骤地扑出一人,将宗音猛掼在雪中。

宗音侧脸被压得狠撞在雪间,他喘着气,陡然回肘猛撞。苍霁被他肘击于胸口，岔了口气，立刻抱住宗音的肘臂，膝头蛮撞在宗音侧腰。宗音忍痛要爬起身，苍霁已经摁着他后脑一把磕进雪里。宗音粗喘着，一手擒住苍霁手腕，以肩相抵着将苍霁霎时撂翻在地。宗音撑身要跑，苍霁双掌拽住他脚踝，滚身时把宗音带翻在地。宗音单臂稳住，勾腿勒住了苍霁的脖颈。

"你们是谁！"宗音强壮的手臂卡住苍霁，使力上勒，"捉我？！"

苍霁青筋暴起，他双手握在宗音手臂，掰得宗音小臂下沉，竟在着可怖的力气较量中略胜一筹。宗音抵不住，苍霁架着他的手臂，将他也过肩摔翻在地，雪地间登时传出闷震。

苍霁扯开领口，脖颈间赫然卡出了一道箍痕。他偏头捏着脖颈，踢开了野猪。

"一年不见。"苍霁啐了一口被砸出来的血沫，"便不记得了？我们也算是故友重逢。"

宗音双臂间指痕骇人，他抱着一臂喘息不定，说："哪位神君唤你来的？还是分界司！"

苍霁嗤之以鼻，他蹲下身，说："这天底下没有请得动我的'神君'，你是吓破了胆，人也辨不清了？我们在这儿等了你一宿，院里边备了茶，起来就走。"

"是你！"宗音认出人来。

苍霁说："速速起来。"

宗音拖着野猪进了院，净霖在檐下备了小案。倒不是他不请人去屋里坐，而是苍霁已经占了巢，天性容不得别人气味乱入。

苍霁就着热巾抹了把脸，领口在回来的路上就扣上了。这会儿坐在净霖身侧，倚着栏示意宗音坐。

宗音见着净霖，便不肯再进一步。他提着猪，隔了几步说："居然是临松君！那日我见君上容貌如旧，又见浮梨徘徊在此，疑心不错。君上今日要杀要剐，但请直言。"

净霖提壶沏茶，他说："我与你无冤无仇，我无意杀你。"

"五百年前君上弑君杀父，致使九天境中血流成河。"宗音说，"今日一

见，又有何见教？"

"岂敢见教。"苍霁说，"你如今弃封藏匿，东海境内冰封千里，冻死千万人也不在话下。他临松君岂能在你跟前说'见教'两字？"

"既然道不相同。"宗音面色不改，"就无须再谈了。"

苍霁稍抬了抬头："你鳞片现形，是被龙息震慑如此。龙息就在这院中，这便是促使你化龙机缘的贵人。今日不是我们要与你谈，而是你要与我们谈。"

宗音闻言默声，他半晌后说："数月前东君曾道贵人将至，原是临松君。临松君泯灭九天台之上，怎么带着龙息？北方苍帝丧于杀戈君枪下，与君上又是什么关系？"

"你如今泥菩萨过江，自身难保，便不要探听旁事，免得节外生枝。"净霖杯盏轻置，道，"天晚欲来雪，能饮一杯无？"

"尊者赐，莫推辞。"宗音拭手，几步上前，盘坐于案前。他半身精光，背部蔓生鳞纹，突地一瞧，反倒有些诡异之感。他坐定后接着说，"我承东君的情，已在东海藏了半年。"

"原是他整出的幺蛾子。"苍霁坐直身，对净霖说，"他当时话不说清，只怕是担心隔墙有耳。"

"他行踪不定，用意不明。"净霖再看向宗音，"若非事已无力回天，凭他的才智，必不会替你出此下策。你做了什么？"

宗音沉默地端坐，背后细雪渐落。他凝视着案上茶盏，许久后，才说："我心慕凡女，娶其为妻。她身怀有孕，已经六个月了。"

山院雪岑寂，铜铃忽摇响。

净霖心下一叹。

觉得此番不好度了。

宗音身居东海，肩担要职。他在三界之间素来有刚直不阿、私情不容的名称，九天境群神中浪荡者常有，皆被收入"鉴欲谱"中由追魂狱监察。然而这个"鉴欲谱"的编录，亦有宗音的一份功劳在其中。恐怕连他自己都万万不曾想到，有一日会心慕凡女，违律藏情。

宗音的院子藏在此山三十里处,依山傍水,寻常朴素。苍霁见这院子的石墙垒得漂亮结实,便猜该是宗音自己的手笔。

木门推开了进去,院子不大,连枕蝉院一半都不到。里边铺了条青石路,打扫得干净,为了防滑,还垫了层粗麻编的长草席。左侧扶了株杏树,粗枝壮臂上垂着个秋千。右侧菜田整齐,雪下还翘着一两只绿叶。

宗音将野猪拖到了空地,对屋内唤了声:"阿月,有客人来访了。"

屋内的木板移开,垂帘被挑起,露出个娇憨的姑娘。她见着宗音,眼里便欢喜,颊边微微凹个梨涡,那熬了几日的汁糖也甜不过如此。

苍霁和净霖都似见着了山涧泓泉,仿佛"呼噜"一声,随着她的笑靥,心头的百般杂念尽数除去,变得轻轻松松。

山月布衣荆钗,撑着身迎道:"两位快快请进,这寒冬腊月,站久了脚麻!"又转向宗音,语气便略娇嗔,"出门前新给你套的衣裳,逛一趟便没了踪影!冻坏了身,我可不依你。"

宗音只会傻笑,他不便于那两人面前多谈。只是这笑也难得,他过去哪曾这般傻笑过?

山月引着净霖和苍霁进屋,热切地煮茶沏茶,对他俩人说:"家里不常来人,宗哥平日少有朋友。两位是难得的贵客,怎么称呼?"

宗音连忙说:"他两人是……"

苍霁说:"兄长。"

净霖说:"弟弟。"

音落两个人对视一眼,苍霁垂着袖拽了净霖一把,从牙缝里挤着声。

"我是他兄长——你天天哪有那么多哥哥?!"

113章 身孕

"原是兄弟两人。"山月奉茶,欣然颔首,"我家里也有个弟弟呢!只是比这位兄弟更小些,养在外边,许久不曾见过了。"

233

苍霁方才明白净霖说的意思，他盯着净霖，便说："我也只有这么一个弟弟，珠玉似的宝贝，搁哪儿都不放心。"

"有兄弟姊妹也是好的。"山月还要忙，宗音已经拦着她入座。她行动不便，扶着宗音的手臂坐下了，对苍霁和净霖说，"兄弟两个出门在外，好歹有个照应。"

苍霁没由着净霖继续使坏。他镇定地转向山月，笑道："是这个理。"

净霖岂能欺负得了苍霁？

净霖侧腿轻撞苍霁一下，苍霁说："怎么了？有什么话要与哥哥讲，这儿都是自家人。"

"家里边都是粗茶。"山月赶忙要起身，欲为净霖换茶，"小兄弟喝不惯，我便为你换成热汤来。"

净霖说："夫人不必忙，喝得了。这屋里热，架的炭盆吗？"

"烧的不知是什么炭，确实热得很。"山月说，"是宗哥背回来的，柴屋里还屯了好些，晚些我让他给兄弟们装上。带回去架盆，夜里便冻不着了。"

"不妨，夫人留着吧。"苍霁一本正经地说，"我们家里边也热，晚上更是闷得人直流汗。"

净霖头一回插不进话，便只能踩着苍霁。

"两位兄弟与宗哥是同乡吧？"山月笑了笑，"宗哥也怕热得很。"

"不仅同乡。"苍霁看宗音一眼，"马上便是同宗了。"

山月随即喜道："那便是同族兄弟了！"她望着宗音，"兄弟要来，怎的不早些知会我？正逢今日新打了野猪，我为兄弟们做下酒菜。"

"不忙。"宗音接声，"我来吧，你且坐着。"

石头小人在袖里直转圈，苍霁晃了晃袖，对他夫妇两人说："客气什么？今日本就是来拜访夫人的，哪能再让夫人操劳。我们坐坐便去了，下回再来尝尝夫人的手艺。"

"路上那般冷，饭也不吃一口就走，哪有这样的待客之道？"山月抚着肚子说，"我从前在村里，常见着人家挺着肚子下田。如今嫁给了宗哥，他是关心则乱，我哪有那般娇贵。"

净霖望着她的腰腹，常人六个月身孕虽然也会显肚，行动开始吃力，但山月明显要更大一些。

"天寒地滑。"净霖说，"夫人就是娇贵，也是应该的。我们兄弟今日前来，一是见见夫人，二是与宗兄商议些琐事。夫人不要介怀，日后兄弟常往来，叨扰的时候都在后头。"

宗音听出弦外之音，便即刻站起身，扶着山月说："你在里边歇着，我与他们将野猪收拾了，以后有的是机会请他们来吃酒。"

山月握了握宗音的手臂，应了声，然后望着他，柔声说："我等着你。"

宗音要扶她入内，苍霁与净霖便自行出去了。

宗音正打开房门，往外边走。他见苍霁和净霖还在院内等待着，便匆匆下了阶，引着他两人到了墙角。宗音站定，说："君上已见了阿月，往后我该如何行事？"

净霖顿了片刻，方才开口："你说她六个月的身孕，但我看着分明是八九个月的模样。"

宗音说："我曾询问过海中耆老，他也不知道为何会如此。这世间能越界诞子的夫妇少之又少，阿月有了身孕之后，我寻遍各地也无可问之人。"

"你定要这个孩子么？"苍霁突然问道。

宗音说："……我忧心他是个邪祟。"

"既然忧心他是个邪祟。"苍霁又问，"那么何必留到今天这个地步。"

宗音立于雪中安静半晌，说："我常年混迹于群神之间，分界司历来将私通列为能诞出邪祟的重罪。但我与阿月成亲至今，皆对于这个孩子很是欢喜。我讲不出除掉的话，可这个孩子若真是邪祟，来日要威胁他母亲，那我还要求两位助我一臂之力。"

"越界诞邪祟，这不是天意。"净霖说，"这是九天境初立时君父所言。分界司千百年来严禁如此，是因为众人皆怕重蹈覆辙。但这孩子到底是不是邪祟，今日来看，并不一定。"

"你原身是海蛟，夫人顶多生出条小蛟龙。"苍霁抬手拨着墙头雪，说，"怎么会是邪祟？如今怕的不是此事，而是她正在以肉体凡胎孕育着一条蛟龙。你还记得你自己是如何诞生的么？"

宗音迟疑道:"……我生于东海之中,母亲并非海蛟,而是盘沙蛇女。"

"你已渡劫成了蛟龙,她怀的便是蛟龙,麻烦的就是这个。"苍霁搓了把碎雪,他笑意已经淡了,"我劝你亲自去趟参离树,无论如何都要请来五彩鸟浮梨。"

"浮梨?"宗音立刻问道。

"浮梨诞生于梧桐巢穴,当年凤凰东迁,她由九天君收养,浸于梵坛莲池中,破壳为鸟时又遇着净霖出关,被净霖养在身畔。她又常年镇守着天下生源参离树,是三界中唯一沾染佛香与剑气的神鸟。她若是能衔着参离树枝绕守令夫人,就是令夫人当真怀了个出世修罗也无性命之忧。"

"我即刻启程。"宗音说道。

"可她若是来了。"苍霁侧目,"便要顶着杀头的罪名。并且这个孩子不论是不是蛟龙,其出生时天地必生异象。到时候三界无人不晓,追魂狱、分界司、大妖怪全部蜂拥而来,不是要杀他,便是要抢他。"

宗音说:"可他若只是个人……"

苍霁抬手阻了他的声音,说:"你与她成亲那一日,便该想到你们二人孕育的子嗣绝不会是个人。事已至此,毫无可遁之机。"

苍霁话讲得不留情面,让宗音呆在原地。雪随着夜下大,将着几步宽的小院盖了个严实。

次日净霖率先起床,只是精神不佳,似是没有睡好。他心中有事,对苍霁说:"我昨夜辗转难眠,忆起些事情。你还记不记我们遇见罗刹鸟的时候?"

"才下山时。"苍霁说,"冬林杀了陈家人,引来了罗刹鸟。"

"中渡各地皆有命案。"净霖说,"偏生只有陈家人的尸怨能引来罗刹鸟,那罗刹鸟腹中还藏着假铜铃。铜铃到今日也不曾回到我手中,这场开局便像着了别人的道。对方以'死'为最初,却用'生'做结尾。"

苍霁定定地看着镜子,说:"你疑心谁?"

净霖尚未接话,便听得外边来了人。宗音引着人一同入院,他扬声说:"君上!浮梨来了!"

浮梨沿阶而跪，叩了首说："九哥！许多日不见，一直挂念着。上回叫阿乙传的口信，也不知传到了没有。我由承天君做主，调离了参离树，在梵坛守了些日子。和尚精明，不敢擅自寻找九哥以露行径。九哥往北行，一路可还顺利？"

里边静了少顷，忽然拉开了门。

浮梨抬起头，面上的欢喜逐渐成了错愕，但却稍纵即逝。她微颔首，敛了些喜气，对着苍霁仍是不冷不热地说："……你倒还在。"

苍霁悠然地说："姐姐，你找净霖？"

浮梨一顿，接着皱眉道："与你何干？"

"自然，"苍霁不答她的话，只说，"这一夜千里路，你来得快。"

浮梨却仍旧问着："与你何干？"

苍霁终于来精神了，他蹲下身，对浮梨耐心地说："我和净霖也熟悉，方才不是还在唤他'九哥'么？我日后便是你九哥的朋友了。跪着做什么？见我不必行如此大礼。你披星戴月疾赶而来，着实辛苦了。宗音是老友，何必拘着，一道上来坐。"

114章 弟弟

浮梨霎时起身，脸上已变了色，她失声道："你说什么？！"

苍霁笑而不答，后边一只手盖在了他的肩膀。浮梨顺着看去，见净霖拢衫而立，对她说："坐下谈话。"

浮梨的满腹牢骚皆化成有口难吐，只能俯首称是，随着宗音一道坐下在檐下。案边架了红泥小火炉，浮梨十指相缠，在炉前稍稍暖回些温。

"九哥在这里，"浮梨萎靡不振地说，"口信也没有。虽说咱们如今不比当年，但也不能这么马虎就过去了。

她瞟了一眼苍霁，那句"朋友"硬是没吐出来。浮梨这般一想，又觉得肝疼。

　　苍霁抄了茶杯过水，笑说，"不过一家人，何必见外？来日还要劳驾你搭把手，马虎是不会马虎，义结金兰时请天地三界这点底气我还是有的。"

　　浮梨见净霖神色如常，倒也不好再垂头丧气。她虽待苍霁尚有不满，却不能不信净霖的眼光。于是她说："来日用得着我，九……你知会一声，我必会赶来。眼下宗音的事情迫在眉睫，我已经在路上听他讲明白了。要我助人生产不是难事，难在此事必定瞒不过去，到时候风云再起，天地人物荟萃此地，九哥还活着的消息也瞒不住了。这可如何是好？"

　　"即便没有此事，也瞒不了多久。"净霖饮了茶，说，"活着便是变数。"

　　"若是宗音能在产日前渡劫化龙，便有了自保之能。"浮梨烤着火思索，"九天境中必会派遣醉山僧来，他如今正在莲池渡境，凭他的资质，产日之前定能出关。到时候宗音便要拦着他，可他出关后修为直逼杀戈君，我觉得难办。"

　　"杀戈君当年枪杀苍帝。"宗音伸臂，露出肩臂纹痕，"我鳞片凡品，必定扛不住破狰枪。但醉山僧新渡境时修为难免不稳，只是降魔杖，我还可以试一试。"

　　"一个醉山僧。"苍霁转着杯口，"他分明是我等助力，诸位无须担心。"

　　"此话怎讲？"浮梨说，"你西途城一战吞了他尽半的修为，他为人最恨你这样不可捉摸的'变数'。若非失心疯，怎么会帮我们。"

　　苍霁笑答："你派个人去请京都里的九尾华裳，只要华裳在此坐镇，她即便是嗑瓜子，醉山僧也绝不会动手。醉山僧恨的不是我这种人，他恨的是混沌之人，便是善恶不明、有违他道义的人。他于这一千四百年里看似疯癫，修为却只长不跌，他此生入不了大成境，但却有与某个人一战的决心。"

　　"谁？"宗音询问。

　　苍霁手指敲了敲杯口，说："诸位都忘记的人。"

　　"黎嵘。"净霖心领神会，"黎嵘一睡五百年，神思遁入中渡，身躯横卧血海。承天君云生本相为'镜'，不是善战之人，他在紧要关头必定会唤醒黎嵘。"

　　"可是醉山僧与黎嵘有什么仇怨？"浮梨仍然不解，"他自从得了封号后，便一直在追魂狱黎嵘手下办差，两人虽称不上兄弟，却也有点情谊在。醉山僧过去那么多年，也从来不曾提过有与黎嵘一战之心。"

"你好歹是个姑娘。"苍霁说，"与华裳交个朋友，把你那些首饰送给她，与她讲讲体己话，不就明白了？"

浮梨被顶得语塞，半晌后才说："那首饰是备给九哥日后的闺女……"

苍霁哈哈笑，"就冲你今日这句话，来日三界间你五彩鸟一脉横着走都无妨！"

浮梨立刻惊慌失措。

净霖抬掌堵了苍霁的口，说："去瞧瞧宗音的夫人吧。"

浮梨两人一离院，苍霁就说："华裳一至，京都大妖便能齐聚于此。其中有些是北地老人了，只是我尚未渡劫，仍是鱼身，样貌又多有不同，想要号令群雄怕是不成。"

"你招浮梨来此，不仅仅是望她助人生产。"净霖看着他，"浮梨与宗音堪称世间唯二的神兽，好比一千四百年前的南凤北龙。如今他俩一个叫你帝君，一个认识你，大妖来此，不服也得服。"

苍霁闻言笑了笑，说："这是沾了临松君的光。"

净霖与他相近，说："不要拉衣了吗？"

"不要啊，"苍霁说，"拴了一圈不好么？"

净霖便说："我从前……"

苍霁笑道："从前什么？"

净霖怔怔地说："我想摸一摸你。"

苍霁说："……"

"……的鳞片。"净霖接完上一句话。

苍霁低敛着眸，他似是有一瞬间的低沉，但转瞬他带着净霖的手摸到自己脖颈，鳞片尖锐硌手。

"这一圈不够硬。"苍霁带着他摸到喉下，"这里至关重要。苍龙生逆鳞，只有逆鳞是月白色。"

乌暗的鳞片光泽奢华，摸起来触感滑腻，冰凉得像是刀刃。

"这里能阻刀剑。"苍霁带着他摸到胸口，"即便是破铮枪，也穿不过这

里。我背部鳞片狰狞，天塌一角也能扛得住。"

净霖一片片数下去，苍霁堵了他念的数，说："是不是很硬？待化龙之后，背部便会显鳞纹，这是我不能自控之事。"

净霖摩挲着苍霁的喉下。

"……穿喉分毫不痛，譬如蚊咬罢了。他的破狰枪比之我龙身也不过细如牛毛。"

岂料净霖说："我小时候混迹街头，见着有人跌倒哭泣，做件事便不痛了。"

苍霁说："你来。"

净霖默了一会儿，轻声对苍霁肩背吹着气，他道："吹一吹，便不痛了。"

苍霁闭上眼，过了半晌，也轻声说："日后我也给你吹一吹，要我们净霖无痛无灾，自由自在。"

宗音出了院便觉得不妥，他与浮梨行路时忽地说："适才不该提起杀戈君。"

浮梨说："怎么了？"

宗音道："……便是不该，你日后自会明白。"

浮梨无察觉，只是诧异道："动了情便是不同，多愁善感了。"

宗音步下一缓，说："你家阿乙近来如何？"

"他哪儿拘得性，四处惹是生非。"浮梨说着轻"啧"一声，"我离去时走得急，忘了给他留个信，只望他不要闹出什么事情来才好。"

浮梨在那头正念着阿乙，阿乙便远在京都挑着食。他摔了筷，将一桌珍馐视为猪食。

"一把金珠递出去，你们便是这么打发爷爷的。"阿乙锦衣束发，生气横眉时也映得满室光彩。他要笑不笑地踢了桌腿，"今日呈不上我满意的，我就砸了你的店！"

店家愁眉苦脸地捧着托盘，绕在阿乙左右，哄道："贵主是见过世面的人！咱这小店供不住大佛，我给您把金珠还了，您另去别处成不成？啊！"

阿乙说:"爷爷就不,上菜!"

后边的伙计连忙上菜,阿乙拣一口,哼一声。他说:"丝儿切得像块,糊弄人的厨艺!叫你们师傅来,告诉他甭干这行了,厨子丢不起这个人。"

那厨子胖身卡在楼梯口,虚汗直冒。人扶着把手,哆哆嗦嗦地往下走,泪都要给骂出来了。

阿乙心里不舒坦,就找别人的晦气。他钱多得没处使,就狠着劲在这作弄人。店主打骂不得,捧着托盘接着阿乙的骂,回头用袖角拭着泪花,急得要给阿乙跪下了。

后厨买菜回来的伙计正打帘进来,见着师傅扶着栏杆哆嗦,赶紧来扶人,汗也不及擦,问道:"师傅,怎么回事?遇着煞星了?"

"岂止是煞星!"厨子苦着脸,"我这半生的名,也尽数丢了毁了!这哪是煞星?这、这分明是个……"

伙计择着袍角擦净手,抬腿几步上了阶,"噔噔噔"地到了楼上。阿乙搁了筷,说:"叫人继续做!"

这伙计近几步,说:"做什么菜?贵主给个名儿。"

"没名字。"阿乙侧目打量他,见他面容英气,却身着粗布麻衣,便说,"你不是厨子吧。挨着你什么事?叫厨子来!"

这伙计不慌不忙,说:"我给师傅打下手,学了五年,能掌勺。师傅不方便,我给您做。"

他说完转身下了楼,进了后厨,也不要人帮忙。阿乙漱着口,还真要看他能做出个什么东西来。约莫几炷香的时间,伙计便盛着托盘上来了。

他将碗筷一搁,对阿乙说:"您请。"

阿乙嗤声:"阳春面算什么东西。"

"什么东西。"伙计说,"尝尝不就知道了?"

阿乙叫他神色镇定,言辞笃定,便拿了筷,说:"爷爷赏你个面子。"

阿乙低头尝面,那面一入口,咸味直冲而来,齁得阿乙掩口要吐。谁知这伙计一脚蹬了椅座,阿乙竟动不了椅子。

"有话慢慢说。"这伙计说,"我名叫山田,就在这儿候着您!"

阿乙管这人叫什么!他除了在苍雾手里吃过苦头,哪还让人欺负过?更别提这山田瞧着还是个凡人。

阿乙一掌袭案，桌面"哐当"一声震，被阿乙推出几尺远。他脚下一翻，猛地从椅上跃起来。山田稍错身，将椅子陡然掀起，朝阿乙劈头砸下去。阿乙凌空一抽，椅子闻声两瓣，山田门面受袭，他竟连退几步。

底下跑堂的喊："山哥！你棍在堂沿上放着呢！"

山田立刻疾步而去，脚尖挑起桌底下不惹眼的一根棍似的东西。阿乙没将他放在眼中，徒手接了一棍，怎想他竟撑不住这力。

"好身手。"阿乙闪身踢翻椅子，冷声说，"这布里包的不是棍子吧？少说也重千斤，赶得上醉山僧的降魔杖了！你到底是什么人？"

山田翻棍就打，说："我名叫山田，东海之滨的穷渔家！什么人？普通人！"

浮梨正扶着山月往外走，忽地心跳几下，听着山月问："梨姐姐也有个弟弟啊？我家也有一个。打小就在外边混，练家子，天生异力。"

浮梨说："我弟弟……混账得很，娇纵惯了，最是目中无人。"

"小子火气大。"山月下着阶，"小山生的时候正逢大雨，村都要给淹了。我爹娘都觉得他活不了，说来奇怪，那雨虽下得大，却像是给他留了几分情面。往后好几年，一遇着大雨天，小山都说那是他兄弟。你说可笑不可笑？家里分明只有他一个弟弟呢！"

浮梨也笑，说："唤作小山吗？我家的名叫阿乙，小时候也爱信口胡诌，仿佛天下没有不是他朋友的人。"

两个人笑了一会儿，浮梨便扶着她在院里绕了几圈。

115章　说亲

苍霁与净霖时常来探望山月，年关将至，山月的行动愈来愈不便。一日两人与她稍话家常，她便有些神色恹恹，瞧着精神越渐不振。

"眼下已有八个月。"浮梨对宗音说，"直到临盆，一刻都不能疏忽。她怀的是条蛟龙，到时不论如何，你都要阻住人。近一月我时常与她说话，宗音。"

宗音将目光从窗口转过来。

浮梨说:"我虽然不懂人间情爱,也晓得两情相悦。她全身心地信着你,你万不要辜负了她。"

宗音说:"你待此次生产有把握吗?"

浮梨犹疑片刻,说:"……若是无人打扰,便能全心专注。"

"好。"宗音拂开面前碎雪,对浮梨说,"有一事我须对你说。"

浮梨见他神色庄重,便道:"你说。"

"若是母子平安,此后我便潜心修善,答谢天意。但若……"宗音说,"便是我福泽不够,请你保住我妻。"

浮梨说:"还到不了那一步。"

宗音又回看过去,屋内净霖与苍霁并椅而坐,山月倚着身含笑听着话。

他道:"我只想替她求个福。"

苍霁尝着热汤,山月温声说:"近来让兄弟们劳累了,又是为家里盖院子,又是为屋子添地龙。我眼瞧着快生了,到时候春暖花开,一定要来吃酒。"

"大伙守着他出生,感情自然是不同别个。既然宗音唤我一声大哥,我便是这小家伙的大伯了。"苍霁说,"等他来了,谁敢不卖他这个面子。"

山月笑应,又缓缓皱起了眉。

净霖察言观色,问:"要我唤浮梨来吗?"

山月摇头,撑了撑肚子,说:"在动呢,不必唤姐姐过来。"

净霖问:"他时常动吗?"

山月笑道:"蛮得很,常动。"

净霖目光便有些探究,他望着山月,又问:"是在翻身吗?"

山月稍挪了下身,让腿舒服些,方说:"是在打拳。虽不知道是个小子还是个闺女,但这性格倒随了他的舅舅。"

净霖颔首,苍霁瞧着他的模样,就知道他其实似懂非懂,心里边好奇着呢。苍霁遂是一笑,对山月说:"产日将近,你便只管放宽心就是了。门口那秋千加了麻绳宽了座,日后他便能和娘一起玩。这院子虽然不大,却是你们夫妇两人合心合力造的家,我看着没什么需要再改动的地方。"

"住是够了。"山月说着酒窝微现,"宗哥不太爱往人群里去,若是在村里架上高墙,反倒惹人非议。我与他搬到此处时,便是想好了后半生也留在这里。

院子小有小的好处，就是小山若是回来了，还要让宗哥再起一间舍。"

"总听着这名字，不知人在何处？"

"他几年前跟人走镖，去了趟京都，跟了师傅学厨。我与宗哥成亲时他没赶得及回来，这次生孩子，信里说定要回来。"山月抚着肚子，算着日子，说，"我算着时日，也就是过年前几日到，大伙正好可以凑一起热闹热闹了。"

"我甚少过年。"苍霁看向净霖，"我们净霖也甚少过年，算一算，这还是我俩头一回共度年关。"

净霖"嗯"了一声，迟疑着说："往年不大能记得日子。"

"那不正好。"浮梨正进门来，说，"我跟九哥也多年没过过节了。我差人给阿乙也递个信，叫他过来候在跟前，也省得他出去招惹是非。"

"这般最好。"苍霁说，"我跟阿乙投机，正想着他呢。往年各有原因，今年既然凑在了一起，不如一醉方休。"

他话里的意思除了山月，其余几个人都明白。产日算在年后，这个年既是千载难逢的聚首，也是危机之前的休憩。

宗音握了握山月的手，说："依照你的意思，我今日就去镇上备年货。今年你身子不便，诸事不必多想，交给我就是了。"

"你不便露面。"浮梨说，"分界司卧虎藏龙，碰着晦气那就不值当了。我同苍霁去就行。"

苍霁听着舒展双腿，散漫道："怎么这么久了，还没改过口？"

浮梨郁结于心，又对他无可奈何，只央求道："走吧，赶着天黑前回来呢。"

苍霁借着起身的动作悄声说："去去就回。"

净霖在他掌心里画了个简符，苍霁便与浮梨出门去了。

门一合，苍霁便敛了神色。他说："院子后边再加道避水符，这山里沟窄，若是来了什么玩水的好手，淹了此地易如反掌。"

"说得是。"浮梨麻木地说，"还是大哥你想得周全。"

"这就让我听得很舒坦了。"苍霁回首笑，"华裳怎么回的话？"

"那小狐狸捎带的话，叫我'一边玩去'。讲不清缘由，她是不肯来的。"浮梨话没说白，料想苍霁一条锦鲤，哪有那么大的面子能唤出华裳呢？

苍霁说："你只管让人对她说。"

"说什么？"

"说她主子爷请她来吃酒。"苍霁推开院门，眺了眼灰沉沉的天，"她便会来的。"

后半月风平浪静，没有东君的音讯，却也没有分界司的消息。净霖倒是长了些修为，他腹间龙息与苍霁相互照应，苍霁的本相却没什么变化。

一日晨时，风餐露宿赶来的少年郎掀掉风帽，呵了呵手准备叩门。

"这谁啊！"阿乙打另一头拍着雪，明艳的双眸横睨向山田，"你真是阴魂不散！"

山田手一顿，回身说："冤家路窄吧。你跟着我？"

阿乙呸一声，颠着汤婆说："撒泡尿照照你自己，什么国色天香能叫爷爷我跟着？我倒还想说，这儿地偏，你若不是跟着我，你来这儿能做什么？"

山田袖手，说："我来做什么，关你什么事儿。"

"那就别碍着我的眼。"阿乙仰头，"各走各的路。"

但是这方圆十里就这么一个院子，怎么看对方都不像是认错了门。双方僵持不下，气氛剑拔弩张。

山田立着布包的棍，说："我找我阿姐，你干什么？"

"我也找我阿姐。"阿乙说，"全天下就你一个人有阿姐不成？"

"我阿姐名唤山月。"山田抱了臂，"原先住山莲村，心地纯善，嫁了人就住这儿了。你认错地了吧？"

"我管你阿姐叫什么住在哪儿。"阿乙不服，"我阿姐虽然心地不太善良，但生得貌美！况且我阿姐此刻在这院子里，这就是我家的地盘。"

山田有点不耐，他上前几步，说："边上待着，你要是敢跨到这门边上，我就动手了。"

阿乙冷笑，先他一步蹦到门边。不仅站到了门边上，还攒着劲跳了几下，说：'"我不仅来了，我还踩了！你能怎么着？"

山田反手提起东西就要打，他俩正对峙着，那院门先"咔"地打开了。

阿乙一见着人，更来劲了。他几乎是扑过去，喊道："阿！姐！"

浮梨打了个寒战，一脚给他蹬开了，斥道："多大个人了？还没个人样！舌头泡了什么东西，话都念不清！"

阿乙抄抱着浮梨踹来的腿,说:"你踹我干什么?我风里雪里八百里急奔赶过来的!你不是说你要生孩子了吗?瞧着不大像,归家里孵几天不就好了,怎的还跑到这么远的地方来!"他说着对山田得意地说,"瞧见没有?这是我阿姐,这是我家!"

山田狐疑地退几步,那里边的房帘一掀,山月站在门口笑盈盈地唤:"小山!归家来了!阿姐等着你呢。"

山田面上一笑,跨门而入,不忘对阿乙说一句:"别介,客人家里边坐!"

阿乙打门边立着,他看山田倚在山月跟前说得亲热,转头对浮梨说:"你见着我怎的就不高兴?"

浮梨说:"你给我站直了!"

阿乙瘪嘴,说:"咱俩不是亲生的吧……"

"还敢嘀咕。"浮梨又给他一脚,"信里讲得清清楚楚,你一目十行看了个什么东西?"

"我急着见你啊。"阿乙悻悻地说,"这院子也忒小了吧,比净霖那个还小。你怎么住得下?夜里翻个身就滚门外去了。"

浮梨听他口无遮拦,又要抽他。

院里正来了人,苍霁打帘,跟着净霖一块进来。他渡了口寒气,对着阿乙笑,说:"杵着当衣架呢?"

"大哥!"阿乙转过眼,又转回去,在几个人之间打转,说,"这什么日子,你们怎么凑一起了?"

"过年。"净霖摘了狐裘,状若不经地说,"你这般大了,也该说亲了,不是都道成亲了人就稳重了。"

"我可什么都不懂啊。"阿乙说。

"不懂怕什么?"苍霁抬手揽了阿乙半肩,说,"我给你瞅一个。"

阿乙心惊肉跳地看向前边,山田正好望过来,他顿时炸了毛,一蹦三尺高:"狗屁!我不从!"

屋里静了片刻。

浮梨说:"……你说什么胡话呢!"

阿乙已经毛骨悚然了,他见这屋里的人都跟不怀好意似的,心下越发觉得是他阿姐要给他说亲。他撒腿就想跑,苍霁手臂却像铁钳似的拦着他。

阿乙慌了神,"扑通"跪下,抱住浮梨的大腿,情真意切地大声喊:"姐! 我不要! 我毛还没长齐呢!"

116章 异象

这一屋子的人,浮梨踹也不便踹,只能硬挤出声:"风吹傻了么? 逗你的话也信!"

阿乙犹自不信,拖着浮梨的腿,问:"那你们凑来做什么? 这儿偏僻! 没什么重要事,你们断然是聚不到一起的!"

浮梨话也不好当着山月和山田的面说得太清楚,想打个马虎,阿乙又仰着脸非要问个所以然。她头疼得很,没忍住,往阿乙背上招呼了一把。

"你给我站起来!"

阿乙说:"我不。"

浮梨对他没奈何,说:"左右不是给你说亲! 这儿方圆十里都没适合的人家,况且哪个姑娘受得了你这个样子? 多大了,整日都不知省事。站起来!"

阿乙麻溜地站起身,他拍着锦袍,说:"不是就不是,说给我,我心里也好有个打算。有些话我一定要先讲。"

"洗耳恭听。"苍霁说道。

阿乙说:"我不是断袖。"

山田正端着山月给他备的甜汤,闻声搅了搅,终于回过味来。他觉得这人真是莫名其妙,尾巴撅上天了,顶着层人皮便疑神疑鬼。他舀了枣吃,连个眼神也没回。

阿乙来了自是热闹许多,山月也喜欢他,常把他叫到身边去。阿乙得了他阿姐的口风,便每日耐着性子陪着。山田不知猜没猜透宗音的身份,对山月几乎寸步不离。

没几日就过年了，众人就在宗音的院里小聚一番。净霖用得不多，待要散时苍霁已经起了酒热。两个人出门要离去时，苍霁忽然靠门框边不肯挪脚了。

苍霁说："外边黑得很，风又大，我路上害怕。"

后边捧着大氅的阿乙登时黑了脸，他说："大哥，你喝迷糊了吧？你徒手拆人最是厉害，黑算个鸡毛。"

苍霁"啧"一声，回头嫌弃道："你尾巴上的毛齐了吗？我要你闭嘴。"

"大哥你义薄云天英俊潇洒。"阿乙胡乱塞着词，"过年给个压岁钱吧？"

苍霁抛给阿乙一把金珠，阿乙说："谁稀罕这个？我要的不是这个。"

苍霁有点兴趣，问："那你要什么？"

阿乙鬼鬼祟祟地往后探身，见他阿姐带着山田还没从厨房里回来，才凑到苍霁跟前，说："你是我大哥对不对？"

"有话赶紧。"苍霁说。

阿乙说："那你要给我出头！我们拜了把子就是亲兄弟了！就那小子，大哥，他在京都跟我一架打到了西途城，要不是中途我瞅着赶不上时辰溜了，我俩这会儿还在路上堵着呢！"

"你俩什么过节。"净霖站雪中说，"讲清楚。"

"他骗我钱。"阿乙理直气壮地说道。

"撒谎的时候先把尾巴撸直。"净霖冷冷道。

阿乙怏怏不乐，说："可他真打了我啊！净霖，你不知道，他手里握的东西根本不像凡物，砸过来是真见血。"

"这小子。"苍霁喝了酒声音发沉，他目光往边上的屋子转，缓慢地说，"确实古怪。"

"我就觉得他有问题！"阿乙跃跃欲试，"大哥，我们拖了他去山里，审审他！"

浮梨拭着手走出来，问："你审谁？又要干什么？"

阿乙立刻把大氅往苍霁肩上一裹，噤声贴着墙就往里溜。

浮梨怀疑地问："他又打什么主意？"

净霖说："小山呢？"

"说是听着院外边有动静，去看看是不是野物。"浮梨说着和他俩各自对视一眼，"我送送？"

"你九哥要我回去。"苍霁搭着大氅,迈步下阶。

浮梨在后边孤零零,只喊了声:"你别专往坑里跳!"

苍霁踩了脚坑,净霖闻着他带的酒味,往家回。

"青符十三障。"苍霁途中在雪光间量出了脚步,回身看宗音的院子,"宗音掘地三尺下的符,这院子四面八方被包得严实。到时内里有浮梨助山月生产,华裳坐镇在三层,我与宗音并身在外,又有你和阿乙的游走,若是只来个醉山僧,连门也进不去的。"

"黎嵘来也要缓几时。"净霖说,"我只是想不通。"

苍霁提了他一把,问:"想不通?"

"东君说东海诞大魔。"净霖说,"与生息息相关。可这孩子只是条蛟龙,大魔是谁?他必不会无故提起的。"

"他将我们使唤来,自己却没有到。"苍霁说,"他到底什么意图,至今也没显露山水。"

净霖"嗯"一声,说:"他与澜海、清遥关系不同,我疑心他已经查到了更多东西,只是不肯告诉你我。"

"时间一到自会明了。"苍霁说着推开门,与净霖沿着廊子入了房。

苍霁酒喝得多,并不着急睡觉。他躺着问净霖:"打外边怎么不叫哥哥?"

净霖说:"不喊给你听。"

两个人对视片刻,都笑出了声。

"我近来。"净霖说,"似是变小了。"

"你本来就小。"苍霁说,"你小我好多好多岁,诸多事情要等我教呢。"

"我已不如临松君。"净霖合上眼。

苍霁说:"你本就是这个模样。天地间无人能叫你断情绝欲。"

净霖哼一声,石头滚到苍霁的胸口上来,就这样睡了过去。

山月突然呻吟起来,她从梦里惊醒。宗音立刻自榻上翻起来,握了她的手,慌张道:"怎么了?又踢着你了?"

山月一阵阵地疼,她竟已大汗淋漓。唇上泛了白,撑着声说:"宗……宗

249

哥！怕是、是要……"

宗音一手握着她，一手给她擦汗，喊道："浮梨，浮梨！"

隔壁的浮梨应声起身，她进了屋点亮灯，见状一怔，随即道："怎么回事？还不到时候啊！"

山月抖起来，她哆嗦着说："冷、好冷……"

浮梨适才没留神，当下往窗边一看，那寒冰已经要爬进窗了！她当即脱了外衫，挽着袖说："你唤阿乙，让他快去叫九哥！这冷得不对劲，怕是孩子自己也受不住肉体凡胎，再不生就要拖死母亲了！"

宗音站起身，山月攥着他的手，泪珠子不自主地掉。她偏生要给他留个笑，这关头还在叮嘱他："出……出门套个衣……"

宗音眼里发酸，他默着声，在山月指尖吻了吻。那头阿乙还睡得四仰八叉，雷打不动。山田自另一张床上起来，不必宗音推门，先跨门而出，说："阿姐要生了吗？我这便去烧水！"

阿乙抱着枕还梦在几千里以外，浮梨隔着墙喊了一声，他倏地就坐了起来，说："生了？这会儿！我做什么？叫大哥他们是不是！"

阿乙抛了枕头跳下床，踩了靴就往外冲。他一打开门，外边狂风直扑而来，冷得他猛地哆嗦，定睛一看，先勃然变色。

"这什么意思？故意挡道么！"

117章 生产

门外长夜萧索，寒风譬如脱缰之马奔腾咆哮。阿乙抬臂挡风，梵文链霎时绕臂而现，他于风中喝道："滚开！"

十三道青符墙层叠幽亮，却阻挡不住寒意的逼近。风间白雪缭乱，旋绕而现半身人形。

雪魅仰首浮立，他银发遮面，对阿乙轻斥道："无礼小儿！浮梨擅自离职，包庇罪神宗音，如今异象已生，天地风起，你们一个二个都逃不掉。"

"你不做净霖的看门狗，我瞧得起你。"阿乙"啪"地甩响梵文链，"岂料你转头去了九天境，还是做人家的狗！好狗不挡道，赶紧滚开！"

雪魅讥讽道："今夜就算我让开，你也跨出不去！障外百里皆是分界司的兵将，醉山僧即刻便到。你想去寻谁？净霖当下自身难保！"

阿乙早已不耐烦，哪里听得进去。他的梵文链破空抽出，风雪间听得"簌簌"疾声，猛地炸响在雪魅立身处。

屋外暴雪漫盖，屋内山月的喘息越渐剧烈。她紧紧抠着床沿，仰颈闷哼，汗顺着脖颈和双鬓不断下淌，可她摸起来却凉得骇人。

浮梨淘洗着巾帕，对端盆的山田厉声说："把参离枝递给她，让她衔着！"

山田如数照办，切声问："这般冷如何生得出来？"

"你将地龙再烧热些。"浮梨搋着自己颤抖的手，"热水不可断，其余的交于我便是。"

她话音未落，整个院子陡然震动一下。桌椅碰撞，热水险些翻洒在地，外边已经动起了手。

山月苍白着脸，盯着浮梨，汗水渗湿她的长睫，她缓了少顷，才含糊地念道："梨姐！你……你休怕……"

浮梨闭一闭眸，再睁开时已镇定下去。她替山月擦拭掉汗水，说："幺儿要来了，姑姑接着他！今夜你们必定会母子平安。"

苍霁本阖眸假寐，忽然，他睁开眼，问："怎么了？"

净霖无端地说："天冷了。"

室内的余热正在消退，苍霁缓缓后仰着脖颈，定了一会儿，方说："明年无事，我必要看着你到天亮。"

院门外的竹林里已响起了"砰"的撞击声，降魔杖随着芒鞋磕在石板绒雪上，却没留下任何痕迹。大雪扑朔，刮得褐色僧袍"呼呼"而响。

苍霁不羁，只在里衬外边搭了件宽袖大衫。他跨门出来，抄了袖看漫天飞雪，也不下阶相迎，只说："在门外边站着，这里边没余出你的位置。"

醉山僧略抬了抬斗笠，露出他惯用的那张苍老皮囊。他驻步在院门外，肩头已经铺了层薄雪。

"你龙息浸身，已藏不住了。"

"你说笑。"苍霁寒声慢语，"我生来便只会急流勇进。"

"一年前，我于西途城中告诫过你，你却执迷不悟。"醉山僧说，"你们在此藏匿邪祟，此罪当诛。"

"这孩子若不是邪祟。"苍霁说，"你杀还是不杀？"

醉山僧脚踢降魔杖，横臂凌指向苍霁。空中飞雪顿时冲开，在两人之间余出空地。他说："杀！天地间凡是能生魔者，我都要杀！"

苍霁朗声肆笑，说："你此生闭关无用，已经沦为梦魇囚徒，人如半废。"

醉山僧持杖凌身而起，他喝道："出来！"

暴雪扑颊，醉山僧声音方落，降魔杖已撞在苍霁臂间。那结实的手臂上衣袖破裂，鳞片与杖身猛然相抵，醉山僧如撞泰山，脚下竟倏地被震退一步。

"好力气！"醉山僧喝了一声彩，接着翻杖直击，"你也要化龙了！"

降魔杖再次轰然击打在臂间，苍霁非但没有退后半步，反而倏忽抵近，牢牢地握住杖身，说："一年前大雪夜，你一杖击中净霖，你记不记得？"

醉山僧腾身凌踹，雪风立刻荡面而去，他说："不错！"

"好胆。"

苍霁突然笑一声，手上霍然一翻，腾起的醉山僧跟着旋身，降魔杖呼啸而转。阵风凌袖，苍霁化爪之臂已经擒住醉山僧的脚踝。醉山僧挣风欲落，苍霁岂能如了他的愿，当下使力，将人顿砸向地。

醉山僧急中生智，猛地支杖于地，方才未使自己头破血流。降魔杖被压得微微弯曲，跟着苍霁一脚踹翻降魔杖，醉山僧当即下落。他深知苍霁力道可怖，单掌全力击向地面。地上积雪遂迸溅荡起，石板"啪"声龟裂，醉山僧反震而起，他一足勾杖，下一刻雷霆横扫。

竹林间刹那灌满罡风，无数竹梢应声而断。苍霁屈臂横阻，这一次他连杖带人一并砸进地面。脚下石板已然粉碎，醉山僧血不及啐，已经被苍霁拖拽而起。

苍霁才提起拳，便听那狂云怒风中破出一道凛冽长箭。他晃身一闪，冰雪擦耳而爆。醉山僧借此机会倒翻而起，降魔杖应声击中苍霁。

这山雪已被震得战栗直掉，苍霁随意一瞟，那云里雪间密密麻麻皆是人，他甚至看见了云间三千甲。

醉山僧才占优势，怎想苍霁突然怒起，双方战况越渐不妙。因为苍霁的吞咬之能，醉山僧不免要瞻前顾后。他本是刚劲打法，要的就是一往无前，一旦心有所忌，便已露破绽。

苍霁鳞已覆到了整条手臂，他越战越勇，逼得醉山僧降魔杖连连后退。

久战不妙！

醉山僧喝声："晖桉！"

白缎蒙眼的男人应声拉弓，寒冰随箭直掷而出。苍霁却看也不看长箭，他一手握住箭身，长箭"砰"声碎在他指间，接着醉山僧被顿掀而起。降魔杖擎力打下去，苍霁鳞间毫发无伤，醉山僧被掼摁在地，他却疾步越过醉山僧，竟凌跨数里，直逼到云间三千甲之前。

三千银甲暴喝如雷响，苍霁一臂掼云，那风云绕臂，电光火石间荡出万钧之势，三千甲的拔刀登时被撞回了鞘。醉山僧狼窜而出，与晖桉协力齐动，势必要拿下苍霁。他被肆风刮面，杖已经全力打出。

正在此时，苍霁背后忽地打开一把红纸伞。伞下白尾一晃，亭亭而立的女子扶鬓回眸。

醉山僧降魔杖登时砸斜，他在这一眼中如回噩梦，不仅手脚冰凉方寸大乱，更是投鼠忌器般地以手挡开晖桉的箭。指间鲜血溅地，醉山僧连退几步。他神色百变，下意识地丢开降魔杖，喉间千言万语涌动而上，又被狠狠掐断。

"师……"醉山僧痛苦地哽咽，"师父……"

华裳缓缓拢起描金小扇，在这一眼里已说尽了数百年。她那相似的眉眼在不断模仿的举止间已能以假乱真，她甚至能将琳琅的神色学得一模一样。

她从容地抖了伞上雪，对苍霁浅施一礼，说："主子回了神，也不去我那儿坐坐。"

苍霁呼出寒气，说："我如今有主之人，讲规矩。"

他两人竟像是没经历过那一千四百年前的生死劫难，于这层层包围中，似如"你吃了吗"这般地相互问候。

"恭喜主子得偿所愿。"华裳收伞回首，再看了一眼醉山僧，温声说，"阿朔，你既然跟了黎嵘，便不是她的徒弟。不必再叫她师父，直呼其名吧。"

醉山僧浑浑噩噩。

华裳染了丹蔻的指稍稍摸了唇间，露出点妖冶："你敢么？"

山月已将参离枝咬出了牙印，她脖颈间振得通红，发已经湿透了。

浮梨手上沾着血，也汗流满面，口中碎念着："阿月，用力——"

外边的阿乙轰然撞在墙壁，门窗"哐当"巨响。他呛声骂道："好狗！新主子喂得饱！连爷爷也打！"

青符十三障已破了尽半，宗音在外死扛，这边阿乙尚未跨出院子。他心急如焚，也不敢表露在面上，魅物擅攻心，他不欲再给对方可乘之机。

雪魅游身，畅快地在雪中来去，他说："往日你算什么好东西？不过也是狗仗人势罢了。怎么，今日没了你阿姐，你连狗也当不了了！"

阿乙心思飞转，他滚地时蜷身呕血，撑都撑不直身了，说："凭我今日以死相阻，你……我叫你一声大爷！你跟我干成不成？"

雪魅眨眼便出现在阿乙面前，他森然地说："你也配？你们也配！"

阿乙掩着血，拧眉说："冤有头债有主！你恨净霖，便去找他杀了解恨！"

"你凭这样的激将法，能够骗得了谁？"雪魅呵出寒气，"我虽修为大涨，却一样打不过临松君。但是无妨，今夜有人来收拾他，我只管收拾你便是了。你说，我的铜铃在哪儿？"

阿乙独力难支，他央求道："里边有我阿姐，我不管别人，我把铜铃给你，你不可为难她！"

"五彩鸟自有君上决断。"雪魅幽幽地探向窗，"我只要掐断这孩子……"

他话尚未完，颈间猛地被套上了梵文链。金光大亮，烫得雪魅失声尖叫。阿乙肘臂支地，拖着他的脖颈向后拉。

"呸！"阿乙狠啐他一口，"下贱胚种！挡我道，我就要你命！承天君算什么高枝？你也敢这般托大！净霖当年仗剑杀的可是他老爹！老子不成，儿子便行？做你的白日梦！"

房门突地开了，阿乙还勒着雪魅，问道："生了吗？我还没出……"

布包长棍霎时钉下来，阿乙顿时后抽身，他滚了一圈，盯着人。

"你疯了么？！"

山田扯开布，露出了长枪。

里边山月已经染了哭腔，她后磕着头，痛得齿间一片血味。但是孩子迟迟不出来，她已然体力难支，仿佛正被人夺取着生机，若非参离枝在口中，恐怕已经性命堪忧。

254

浮梨托着孩子的头,说:"阿月,阿月!他就要出来了!"

山月吃力地转动着眼珠,窗黑黢黢的,只有寒冷无处不在。

118章 铜镜

"阿乙!"浮梨扭头喊,"动静如此之大,九哥必在来的路上!你进来,让这屋子热起来!"

阿乙将雪魅塞给山田,跃身跳进门槛,几步入内,"砰"地合上门。他把自己的外衫脱掉,立刻抱肩说:"怎么这般冷!"

山月的枕席已经濡湿,浮梨迅速说:"你原身属火,能镇得住这寒冷。"

阿乙便索性坐在窗口,他一坐下,那漫延而来的寒冰随即消融成水。阿乙见山月面色白得吓人,又站起了身,急道:"他怎地还不出来!这要生多久?"

浮梨不答,她只说:"你坐着!"

阿乙定身不动。说来奇怪,他一入内,那寒意便不再纠缠,似是惧怕着他的原身。

门外的山田抱枪盘坐,一动不动地把守着房门。

宗音身陷重围,他坠海惊起滔天大浪,接着一头蛟龙破涛而出,搅乱了天地布局。暴雪遮天盖地,巨网自浓云间呼声扑下,幽光横蹿在网眼间,把宗音套了个正着。

"罪神宗音!"头顶神将劈头下按,"妄情僭律,罪当剐鳞!又私诞邪祟,罪加一等!"

宗音嘶声砸地,山间崩断,裂出条长痕。他挣爪欲出,可对方显然是有备而来。那网越挣越紧,网眼勒得蛟龙翻滚着压断无数寒松。

"七情六欲人之常伦!"宗音伸颈怒声,"我到底何罪之有!"

"人神殊途。"神将绕起金芒长链,勒住宗音脖颈,猛拖向上,"错就是错了!九天台上自有定夺!"

宗音巨身腾起,竟被勒回了人身。他不肯去,满面通红,赤膊撕扯着脖间金

链："上天有好生之德，人皆有恻隐之心！尔等要杀要剐，他日悉听尊便！今夜我妻难产危险，我不能离她而去！"

神将重力拉掼，一脚踩在宗音肩头，冷声说："为神者深明大义，你事到如今还是怙恶不悛。今夜九天万将严阵以待，岂有你能选择的余地。走！"

宗音膝磕于雪间，他扯着脖颈间的链，被拖行几步，双臂绷得青筋暴起。

"折了他的双臂！"神将一声令下，"万不可再耽搁了！"

宗音被摁进雪中，他口鼻间都是雪，他挣扎着，又被拖出了几步。他觉察到有人扯着他的双臂，他哑声道："九天境行事不讲常伦，天地律法对承天君而言算什么阿物儿！"

神将说："承天君便是三界律法，你身兼要职，竟连这个道理也不明白。动手！"

神将话音方落，便听朔风骤猛，山间群松涛声顿荡。飞雪迷眼，他挥袖时眼前哪里还有宗音，分明站着个天青常服。

净霖双鬓微覆白雪，他于风浪里掸袖，侧首问："你适才说什么？"

神将觉得刻骨之寒袭髓而上，他喉间吞吐变得格外艰涩。他的目光沿着净霖的双鬓滑到净霖的眉眼，接着退一步，握到腰侧剑柄的手竟颤抖起来。

"君……"神将双膝一软，狼狈地撑身后退，失声惊恐地喊，"临、临松君！"

这一声尖锐撕破风雪，无尽人海当即齐齐回首。净霖屹立于此，既不侧目，也不躲闪。他指掠半空，劲风在他掌间疾现出剑鞘。

净霖缓声拔剑，迈出一步。

这乌压压的人海竟跟着退一步，一如五百年前的九天台。他们鸦雀无声，噤声而观，又胆寒退步，居然无人能够拔剑相应。

那场血雨腥风至今叫人记忆尤深，杀戈君也要挂枪跪地，梵坛的莲池成了血汤。

是谁杀了君父？

五百年里被人反复论说着的临松君！

净霖眼眺万人，咽泉剑"锵"声乍出寒芒。剑锋挑雪，他迎风时袖袍鼓风，发丝掠过这双眼，与他们噩梦中的那双别无二致。

苍霁凌空而来时看见了咽泉青芒，神将已作鸟兽散。他下跃而冲，直向净霖。净霖从下方抬首而望，两个人相视一笑。

"心净——"

苍霁话才出口，便觉天地间一阵震动。他已经将要落地，抬首却见那云中"嗖"地掷出一物，轰然砸挡在他与净霖之间。

风雪倏地停了。

一张双面铜镜静静地立在两人之间。

净霖见那铜镜勾纹古朴，心下一动，咽泉剑先嗡鸣震动起来。他单手扣剑，见境中投映出他自己的身形，接着如水泛起涟漪，又变作了苍霁的模样。

净霖望着境中的苍霁，"苍霁"掀开雨伞，露出面来，冒雨对他说："果然是净霖！"

净霖扣剑的手当即一顿，胸口轰然震开一阵剧痛。他错愕地探进一步，觉得这一景似是在哪里发生过，叫他心神恍惚。

"哥……"净霖不自觉地轻声唤，"哥哥。"

"苍霁"笑着答："昏不昏？痛不痛？怎的瘦了这么多……"

净霖发间似是淋着了雨，他茫然地抬眸，见天地已经变了。山间雪夜变成了鸣金台，台上空荡荡，唯有面前站着的"苍霁"。

净霖怔怔地回答："不昏，不痛，没瘦……"

"苍霁"探臂来抱他，净霖看着这个人已近到身前。"苍霁"抱住他半身，净霖的剑被推了回去。他欲开口，却听着"刺啦"一声。

"苍霁"一臂化出龙爪，从背部直掏向净霖后心！

另一头的苍霁正笑问镜子："待在镜子跟前干什么？到我这儿来。"

镜边的净霖似是有些困惑，对他说："我有些冷。"

苍霁说："过来。"

"净霖"提剑而迎，望着苍霁，说："背上冷。"

苍霁意外道："那便过来。"

"净霖"眼里隐约雀跃，他几步到了苍霁身前。

铜镜突然"砰"声巨响，一只手猛地扒在镜端，血水沿着指淌在镜面。那边的人使劲砸着镜子，净霖后肩血红，他以肘撞着镜面。

"所见皆虚幻！"净霖厉声，"苍霁！"

他给苍霁起了这个名字，直到今天才唤过。这样生涩，又这般迫切。然而无济于事，这铜镜似是隔开了一层界，他分明能听到苍霁的声音，苍霁却听不见他的声音。

净霖一拳重砸在镜面，背后劲风一扫，他当即闪避。"苍霁"龙爪砸过来时力道扭风，能够轻松地碾断净霖的脊骨。净霖后肩已被抓烂，当下翻鞘格挡，接着整个身躯被巨力撞在镜面。

镜面"啪"地响亮，净霖双臂难挡，被龙爪压得难以喘息。他仰颈使力，深知蛮拼打不过这条龙，跟着长腿劲掠，猛地翻踹在"苍霁"肩头，带着剑鞘扭身旋起一脚，轰然砸在"苍霁"侧颈。

可是"苍霁"丝毫不为之所动，他的鳞渐覆上身，除非净霖拔出咽泉剑，否则难以招架。

净霖脚踝被擒住，接着被狠砸于地。他张口呛血，"苍霁"立刻拖住他飞速拽过去。净霖一剑插地，猛地止住雪间拖住，他已经被拖出一条血痕，后肩那一下挨得狠，几乎伤到了骨。

这天底下什么人最难打？

当然是自己人。

苍霁正欲握住"净霖"手，不想这手忽然反握住他，他道："这镜子……"

咽泉剑陡然破鞘而出，剑锋直挑向苍霁胸口。他猝不及防，抬臂候而挡住剑锋，睐眸一拽，不退反进。

"净霖"凌风横扫，青芒爆于两人之间。苍霁错身荡开，手掌不敢重力，只朝"净霖"手腕使力。"净霖"手掌一松，紧接着咽泉剑反握回刺，猛地推向苍霁喉头。苍霁一把握住剑尖，跟着擒着"净霖"一臂，本该错身将人翻摔于地。

可是"净霖"望着他，仿佛下一刻还能喊出哥哥。

苍霁心下一软，暗骂道。

承天君，真是高招！

咽泉剑错颈擦出，苍霁避首而闪。他拍臂击退"净霖"半步，不想"净霖"旋身掣肘，剑尖凌厉。周身风随剑走，苍霁分毫不想见识临松君的厉害，他折肘顶撞在"净霖"腰腹，滑身躲闪时候地弯腰。"净霖"踏空而起，咽泉剑势如军马冲刺下来，其直观之感远比醉山僧更加瘆人。

若非时候不对，苍霁都想夸一声"打得好"！

脚下积雪霎时震飞，苍霁滑退半步。咽泉剑"唰唰"直削向他喉间要害，苍霁侧颊血线浮现而出。他手臂骤然一痛，见"净霖"一手画符，头顶三层青符笼罩砸下，眼前咽泉锋芒毕露。

就在这千钧一发之时，铜镜忽然被撞出裂纹。下一刻净霖疾冲而出，咽泉剑寒光如泰，将"净霖"的剑横挑击飞。他一头栽过来，跟着苍霁双臂翻过净霖身体，净霖抬腿顶住"净霖"的胸口，纵力将人一脚踹出。

"净霖"顿坠于雪间，那假苍霁的龙爪却已穿风突到净霖脖颈之前，净霖喘着气，收回了腿。颊侧一臂横出，龙爪与龙爪猛撞于净霖眼前，暴风吹开他面前细雪。

两个人竟然不着一句，配合得天衣无缝。

苍霁一手抱着人，一手顶着力，踏步跨出。强风席卷，"苍霁"龙爪渐屈，苍霁对待自己恨不能使更大力，擒住他狠狠砸向地面。

脚下山地剧烈一震。

苍霁哈出几口寒气，接着那双面铜镜清脆地裂开，碎成荧光，纵于飞雪间。

九天境里的瓷杯被"叮"声敲响。

盘坐多年的承天君宽袖博带，将棋盘上的黑子轻推而下。

那黑玉棋子坠案下沉，"叮咚"地滚在石板上，沿着窄道一路滚到了石床边，周遭的血海当即如沸水鼓动。封印符文交错而现，一条条被焚断，石床上的男人闭目不动。

那封尘多年的破狰枪正在鸣响。

阿乙正看着他阿姐助人生产，背后窗户突然被爆开。他情急间竟甩出梵文链，猛地绞住对方的兵器。

长枪抵了进来，下一瞬木窗轰地破碎，寒风强灌而入。山田面色发红，他抬臂掩着脸，气喘吁吁。

床上的山月濒死一般的痛声，浮梨已经跪在了床榻上，她扯着裘厉声说："生出来了！热水，阿乙，热水！"

阿乙要动，却发觉自己根本动弹不得。他齿间竟有些颤，说："你……怎么

变样了……"

山田脚步有些踉跄，他滑身撑着墙壁，说："我阿姐……我……"

浮梨裹住了孩子，不及回头，就见阿乙被骤然击撞在床榻之侧。桌椅"哐当"翻砸，榻上的山月已经呼吸渐微，参离枝却滚掉在夹缝里。

"宗……宗哥……"

山月默念着，发间已经布上了寒霜。

"热水！"阿乙一手拍在盆侧，击向他阿姐。

盆里冻结的水霍然沸腾，浮梨接住盆，抱着孩子摸索着参离枝。

山田越墙而入，那枪一砸地面，整个屋子都轰然要塌！浮梨倏地回首，她抱紧孩子，张大了眼。

"黎嵘！"

119章 东君

雪风吼叫间屋舍崩塌，阿乙立刻设出梵文界，抬臂将坍塌的屋顶霎时扛住。他身形一沉，又艰难地顶了起来，说："阿姐带人快跑！"

黎嵘翻握起枪，隐形的威势压得阿乙双膝打战。他砰地半跪在地，整个屋舍都斜倾将塌。他扫腿端起桌子，桌面腾起砸向黎嵘。

浮梨蜷身揣起孩子，将床榻击向阿乙，说："你抱着床！"

黎嵘面上仍然潮红着，他似如染了风寒，不住地淌汗，他道："把孩子给我，今夜我便不杀一人！"

"你要杀谁？"阿乙双臂分别承着力，已然要到极限了，他说，"这是你阿姐！你要杀谁！"

"君命难辞。"黎嵘说，"此子不祥，万不可落在中渡！浮梨，你且将他给我，我便容你们三人离开。"

山月危在旦夕，他竟分毫不顾念姐弟情谊。阿乙逐渐承不住屋舍，他一手甩过床榻，滚身将被间的山月抱了起来。背上当即坍塌，阿乙护着人手脚并用地爬出来，他见怀中人已经快没有气息了，不禁失色大喊："阿姐！"

浮梨猛掀起一丈雪浪，疾步突扫。黎嵘竖枪格挡，浮梨单手抄抱着孩子，自知不敌，却也脱不开身。她喊道："参离枝！"

阿乙探手在废墟里摸索，他用肩头别断断木，够着参离枝。山月贴在阿乙怀里，冰霜反倒退了去，甚至连苍白面色都稍稍恢复些许。她垂着手，费劲地望在黑夜里。阿乙好不容易够着参离枝，边上他阿姐已经暴退半丈，摔滚在侧。

浮梨一臂撑地，终于觉察不对。

这孩子自诞生起便一声未出！

浮梨倏地垂头，看他面色紫红，竟没有任何气息。浮梨当即慌了神，她说："怎么如此……怎会如此！"

背后的黎嵘枪已飞掷，阿乙顿现出尾羽，御风撞开枪身，拽着浮梨往自己身下扯。

"喘息、喘息！"浮梨熬红了眼，她用血迹斑驳的手掌抱紧褪褓，"参离枝与阿乙皆在这里，这孩子怎会死呢！"

"死了？！"阿乙一臂罩住他阿姐，在雪中挡住山月，飞快道，"给我抱！"

黎嵘听着话，忽地也急切起来，说："死的吗？"

他欲靠近，气氛似如绷紧，接着黑暗中突出龙爪。苍霁跃地暴起，爪直擒住黎嵘脖颈，将人砸了出去。

黎嵘不防，猛退数丈。他翻枪欲撑地，岂料背后寒风凛冽，咽泉剑青芒斜划。黎嵘俯身躲避，长发瞬间被削断一缕。他跟着回首，唤着："净霖……"

净霖剑掠罡风，击得黎嵘仓促应战。他旋身"砰"地和咽泉剑撞在一起，背部又陷入苍霁龙爪之下，一时间进退维谷，不敢分神。

净霖压剑质问："大魔是谁？！"

黎嵘错愕相对："你在说什么？"

后边苍霁欺身而近，黎嵘凌枪抵挡，苍霁一把握住破狰枪身，说："九天境如此执着这个孩子，怕不仅仅是因为宗音僭律。承天君将你送到山月身旁，未尝没有监视之意——到底什么缘故！"

黎嵘飞脚踹抵住咽泉剑脊，却不答话，而是望着净霖："我知你们必会重逢，那佛珠、那逆鳞！净霖，我虽杀了他，却不曾对不住你！兄弟情义，今天你要杀我吗！"

净霖剑身顿错，他说："我忘记了什么？"

　　黎嵘欲回话，肩头却霎时一沉，他不及回击，整个半身已被苍霁掼入雪间，破狰枪"哗啦"地倾斜。

　　苍霁凶性毕露，他说："不要跟净霖讲话。"

　　脚下雪花随即腾旋荡开，苍霁拖着人狠摔于后。他活动着肩臂挡住了黎嵘看净霖的视线，舌尖缓缓抵住了尖牙，不急不躁地笑说："兄弟情义，我们也有啊。一千四百年前的剐鳞之仇，我心心念念。你既然这般喜欢与人讲情义，今夜就与我好好论说一番。净霖如今金贵，杀人这种粗鄙之事，我说得才算。"

　　黎嵘骤然撞在雪中，他挥开雪屑，说："我受君命杀你不假! 今夜你若能行，便杀回来就是。不过我见帝君尚未渡劫，锦鲤之身恐怕难挡破狰。"

　　苍霁闪首避刺，抬手抓住破狰枪，说："我见你也修为不稳，今夜你我半斤八两，何必许这个狂言。"

　　破狰枪仿佛被钉在了岩石中，竟然动作不能。

　　苍霁倏而凑近，悄声说："我怎么会杀了你? 我素来是嚼碎了化进灵海的。"

　　说罢陡然拽近枪身，双眸寒煞。

　　"这把枪我惦记着它，不知是它硬，还是我更硬!"

　　破狰枪嗡声长鸣，风雪顿盛。他两人在暴雪间"砰"声乍响，跟着见天空浓云飞转，旋出擎天云柱。异象泛红，似如血海之色。

　　数面铜镜"砰砰砰"地接连坠下，围绕着净霖环出一圈。净霖负剑仰首，见众僧踏云盘坐，诵经之声犹如大雨瓢泼。

　　"东海之滨诞邪祟。"老僧睁眼看着净霖，"邪祟催生大魔现。临松君五百年前杀父弑君已坠魔道，今夜又阻碍天地律法施行公事，此君已是天地大祸。大魔在此，拿住他!"

　　音落诵声大振，数道金光法印腾云而现，层层叠加成梵坛巨掌，轰然压向净霖。净霖袖袍翻飞，咽泉剑顿爆出巨剑青芒，气势磅礴地横荡而去。

　　金光青芒一线闪爆，接着数面镜中破水踏出数个"净霖"，各个都手握咽泉剑，齐身扑向净霖。

　　苍霁一爪击开黎嵘，回身追过去。黎嵘却枪法骤变，变得异常难缠。

　　净霖一剑架挡住数把咽泉剑，青芒从包围中闪烁不定。净霖剑法凌厉，"净霖"们的剑法便更加凌厉。

"我持君上手令。"僧间走出一人,青帽黄衫,打扮古怪。他说,"捉拿大魔归天!颐宁,你还待什么?动手!"

净霖悍然杀出路来,他见对方不是别人,正是如今与东君剩列君神的菩蛮君。对方话音一落,龙啸已破风而出。

"谁敢碰他!"苍霁拳砸黎嵘,砸得地面龟裂,山都颤巍巍起来。他半身化鳞,龙啸之下风也扭转逆冲而去。

颐宁笔走龙蛇,一条苍龙自纸间跟着怒吼冲出云间。苍霁与龙共撞一处,颐宁本就临摹着他当年之姿画的,如今遽然而相,苍霁竟隐约不敌。

龙爪将苍霁震砸于地面,掼着他背部,巨身轰然碾压在上,不为打得过,只为拦得住。

苍霁拼力扛身,竟隐隐抬起龙身几寸。他喘息急促,探掌爬向青芒,嘶声道:"净霖!"

净霖踹开假货,已然自血水里向镜间空隙伸出了手。

他两人指尖相距咫尺。

苍霁想拽住他,拖住他。

岂料下一刻金界瞬隔,金笼拔地而伸。净霖指尖轻轻擦过苍霁的指腹,跟着金笼被倒拔而起,两人骤然间就相隔数里。

电光石火间墨迹迸溅,苍霁竟然生生掏了龙的腹部。龙立刻消融,墨汁溅洒了苍霁一身。他已经爬地而起,腾跃而上,双掌"砰"地扒住了金笼边沿,被带着直冲向云端。

"还给我!"苍霁怒声响彻云霄,拳砸于金笼栏杆,轰然撞得栏杆里凹。

菩蛮君掀帽掷下,那帽陡然变大,化作荆棘长鞭,狠抽在苍霁背部。苍霁紧紧拽着金笼,已然是暴怒之态。鞭子倏地缠住苍霁,猛地拽着他撒手。

苍霁不管不顾,背后却凌风扑来,黎嵘长枪已迫近后心。笼中的净霖忽然一掌拍在苍霁身侧,借风以肉掌牢牢地握住了破狰枪锋。

掌间血水迸溅,净霖不松手。他盯着黎嵘,赫然翻掌,将破狰枪"啪"地掷在黎嵘脚边。

苍霁捉了空,被三人齐力拖了下去。他倒坠时眼睁睁见着金笼速消云间,那淋血的长指亦够了个空,然后消失不见。

菩蛮君沉喝一声,把苍霁扔向海面。苍霁顿坠水中,荆棘鞭纠缠捆身,带

着他疯沉向下。

"净……"

千道封印齐落而下，海面惊涛骇浪，跟着恢复平静，形成镜面一般的界，将苍霄封了个彻彻底底。

阿乙抱着孩子，数次俯面贴声，却不见他喘息。他冷汗直冒，跪在地上揽着孩子念着："你是我爷爷！爷爷醒醒！醒醒！"

浮梨翻身抹血，拽住宗音的胳臂，费力地说："把阿月也放在阿乙身边！"

宗音跪倒在阿乙身侧，山月依着阿乙，便能喘息。宗音撑身，已然体力不支。

"杀戈君……"宗音咬牙，"竟然是杀戈君！"

"怎么不行？"阿乙给孩子呵着热气，他小心翼翼地捏住孩子的手，发现这小小的掌心里竟烫着一朵莲花纹。阿乙不及细想，接着连声央求，"阿姐！没用啊！"

浮梨怔然地说："若连你也不行……"

宗音忽然挺身回首，说："你今夜放他们母子一条生路，我的命给你！"

黎嵘提枪跨步，说："我只要这个孩子。"

"那你跟人生啊！"阿乙已经快被这一连串的动静逼疯了，他恨得失控，"你想要，你们自个生去啊！夺人子算什么好汉！呸！我看不起你！"

黎嵘说："你看得起我如何，你看不起我又如何？我不过奉命行事。"

他走近，阿乙颓然地说："阿姐！不成，已经活不了了……"

地面倏然一沉，罡风呼啸扑下。降魔杖单单挑了破狰枪，黎嵘被迫止步侧身，后边的醉山僧当即一棍。

黎嵘掀袍使力，隔空震退醉山僧。醉山僧的斗笠"嗖"地破开，他单膝跪滑撑住了身，支起了降魔杖。

"天下大义究竟是什么？"醉山僧抬首，露出原本的面容，他望着黎嵘，"我曾以为君上只是输在一个'迫不得已'。"

黎嵘回首，破狰枪一杵，他说："我没有输过。"

醉山僧抬臂扔开斗笠，正色道："我有一桩心事未结。我等了一千四百年，今夜还请君上给我一个痛快。"

黎嵘可惜道:"你天资过人,本有无上前途。所谓大义自在心中,时机一到,你便是不可估量的变数。然而你多年郁结于心,不肯破除心魔,从此就只能做个'醉山僧'而已。"

醉山僧在落雪中闭眸,浮现而出的仍然是琳琅临终前的回眸。

那一眼成了他此生的魔障。

他过不去,因为这是他的求不得。

醉山僧提杖而起,他说:"在下阿朔,北地九尾琳琅座下嫡传。一千四百年前君上于北地一战误了我师父,今夜,我要讨那一战之仇。"

风雪愈急,阿乙已经心灰意冷。他臂中的孩子渐沉向膝间,就在此时,他忽然见雪中冒出一朵迎春花。阿乙以为自己花了眼,他定睛再看,从他脚下突地冒出一串迎春花。

阿乙惊了一跳,抬起了脚。

雪间掉落的花砸得众人皆抬首,那风间迎春飞舞乱窜,扑得漫山遍野都是。

黎嵘眸中一凛,他说:"你也要这般背弃天规吗?"

山河扇"啪"地轻合,东君步踏飞雪,潇洒地落在阿乙身前。他挠了挠鼻尖,不欲作答。

黎嵘喝道:"你也要这般背弃天规吗!"

东君冒雪大笑,接着翻过折扇,对黎嵘肃容而相,掷地有声。

"我为东君,不沦苟且。"

他话音一落,阿乙便觉得臂间一热,那本已绝气的孩子"咕嘟"地吐出气,细声哭起来。

120章 承天

金链射向八方,衔接住高台各角,将金笼腾吊在九天台中央。梵文浮现,环绕着金笼旋成屏障。

怒云滚涛，诵声雷鸣。

承天君云生明珠垂面，沿级而上。他站在金笼之前，拨开明珠，探身来看笼中的净霖。

"此乃何人。"云生掌心里把玩着阴阳珠，"我竟不认得了。"

净霖握住栏杆，半肩已融于血色。

云生目光逶巡，似是叹息般地说："东海诞邪祟，不想竟引出了你。净霖，你竟然也会赧颜苟活。当年临松君何等孤高，如今落魄至此，若是父亲泉下有知，不知该作何感想。"

净霖说："言不由衷。"

"这是世间常态。"云生说，"你便敢坚称自己心口如一，从无二思吗？"

"我杀人见血。"净霖从栏杆的缝隙里看着人，"你们杀人无形。"

"为剑者当如此。"云生说，"我非剑，自当另寻蹊跷。只是你杀孽太多，已然不被天地所容。我替天行道，还能在这九天台全你一个贤名。"

"成全。"净霖微嘲，"你成全过那么多的人，便没有想过自己？"

云生笑了几声，他说："你明白'君父'的含义吗？这么些年，你从来不曾真正地进入过九天门，你根本不明白'君父'意味着什么。一旦坐在这个位置，便是天下共主。君父是成全别人的人，而我如今就是君父。我说成全你，这是天赐恩惠。父亲当年称你为剑，全天下皆以为是无上夸赞，其实我们心知肚明，这只不过是嘲弄罢了，你在他心中，连做人的资格也没有。"

净霖抵笼不语。

云生迈出几步，他华袍金奢，拖在身后逶迤而行。他围着这笼子，犹如观赏着一头奇珍异兽。

"上天将你生成了这个模样，我便知晓有一日必遇劫难。我屡次劝父亲未雨绸缪，他却笃定你翻不出浪涛。人若久居高处，便会疏于防备。他刚愎自用不听劝诫，果真在你手中断了性命。你杀父弑君，罪恶滔天，可就我之见，这又何尝不是在替天行道？父亲已经老了，他天资受限，大成之境对于他而言譬如水月镜花。他哪能够得着。他不过是借着'君父'之名杀了一批又一批的无辜稚儿填补修为。你直到今天也不明白自己的用途，你与血海一般无二，皆是父亲的踏脚石。乱世多杀生，血水渡城墙。你的名越正，他的名便越正。你不是九天门的剑，你只不过是他一个人的剑。你所求的道义也不是天下正道，你只不过是个为虎作伥的伪道。净霖，你杀他，他杀你，你们两人这般才算得上是真父子！"

净霖突然说："他要杀人填灵，寻找稚儿须得有个心腹之人去做，我曾得证词说此人乃是个'手携折扇'的人。"

"东君出身血海。"云生说，"父亲叫他杀人，这是意料之中。"

"他无心。"净霖眸中漆深，"若要作恶，必定做得滴水不漏，一个都不会放过。他又深知自己身份特殊，一言一行必会遭人揣摩，所以行事谨慎，绝不会堂而皇之地杀人。"

"你心里自有人选。"云生掌中阴阳珠磕碰着发出声音。

"你好修饰，本相为镜，擅仿人形。"净霖说道。

"你无凭无据。"云生笑看他，"这般急着死？"

"你屡次劝诫父亲防患于未然，他并非不听，而是交给你来做。断情绝欲的咒术生长在我躯体之内，它藏得这般隐蔽，皆是因为它与我朝夕不离。"净霖冷静自若。

"唯有咽泉剑与你朝夕不离。"云生说，"咽泉剑鞘却是澜海所造。"

"是了。"净霖说道。

"所以你怀疑澜海。"云生迅速接道。

"无凭无据。"净霖不急不慢，"你这般着急做什么？剑鞘是澜海所造确实不假，剑穗却是你送的阿物儿。"

云生踱步，说："我送出去的玩意那般多，若是出了事，各个都要怪在我头上吗？"

"你掌管门内事务，替父亲做了丹药。那丹药呈给我们吃，不过是掩人耳目，其初衷是喂给清遥。清遥藏身门中，每日所需血肉供应不够，为了不叫她露出原形，便日日喂着那丹药。东君从来不要，恐怕便是从其中窥出些端倪。澜海久在院中，又与清遥为伴，你做不干净，他察觉了。"净霖停顿片刻，说，"你杀了他。"

"他有雷霆天锤，我怎打得过他呢？"云生转动着阴阳珠，"到了此刻你也舍不得猜父亲，父子情深至此，我好生感动。"

"你杀了他。"净霖重复着说道。

云生竖指噤声，说："不要这般说我，净霖，我素来不会真刀真枪上场的，杀他的人是父亲。"

"是你啊。"净霖微微前倾，眸中越渐深若寒潭，"你慌张畏惧——你是不是还曾经跪在他面前哀声求过他，要他放你一马。可是他不从，他要问明白，你是父亲的狗，你最怕的就是坦白，因为你胆敢说出父亲，死的人便是你。"

云生温润之下终露獠牙，他喉间滚动一下，对着笼说："是他跪在我面前……"

"父亲不将我当作人看。"净霖说，"他便把你当作人了吗？"

云生霍然甩袖，他扶住了栏杆，切齿道："你住口！"

"你知道的这般多。"净霖步步紧逼，"父亲怎么能容你活？大局当定，君位一稳，首当其冲的就是你。他不肯杀我，这是你的功劳。我出关时你便该害怕，刀口下碾过了那么多兄弟的人头，你替他做了那样多的恶事，该轮到你了，所以他要用他最快的刃。"

"是啊。"云生紧紧攥着栏杆，挤出笑来，"净霖，他要用你来杀我！可笑他养了八个儿子，每一个人都有用途。他根本谁也没想留下，他就是要所有人都在他脚底下。他上去了，我们便没有用了。他掐断了你的情，你忘了吧？是黎嵘做的啊！他们将那条龙剐鳞抽筋，就在你日夜哀号的时候。你完了，我也完了，黎嵘又能活多久？菩蛮和东君又能活多久？你们把他当作恶人，唯独我将他视为亲父。我把他当作父亲！我竭尽全力拥戴他，我费尽心思替他杀人。"云生眼中生冷，"他登上九天之后便将我调离身边，他拿捏着黎嵘，那是他的盾。他已经起了杀机，不过是缺一把剑而已。"

"你下了毒。"净霖说道。

云生笑道："不是我，是我们。"

净霖指尖的血已经凉透了，他看着云生，却已然记不清少年时的模样。他们生长一处，却像是罐里的虫。他们起初以为父亲要的是个蛊，最终明白父亲自己才是那个蛊。

一群儿子杀了父亲。

"我们皆是凶手。"云生抬身，已经收敛了情绪，儒雅自持地说，"黎嵘有多干净？他欲杀父亲已久。东君又有多干净？清遥之后他一直忍而不发。菩蛮更是下作，他既恨你，又怨父亲偏爱。一成药，一种毒，如何杀得了父亲？是千百种啊！一层一层，无孔不入地渗进去，父亲早已四面楚歌，他还一心觉得我们皆是他掌中物。我们万事俱备——只缺把刀而已。"

净霖似是难以忍受。

云生快意道："兄弟不是兄弟，父子不父子，我们是天底下最残酷的一群人。可这又如何？共逐罢了！你把兄弟们当作傻子，可你自己呢，净霖，你才是最傻的呆子！九天门号令群雄已成趋势，为何要多此一举再开鸣金台？因为苍龙必会闻声而来。这条龙是父亲难以逾越的墙。龙生逆鳞喉下，父亲曾以数年来琢磨他，却见他喉下乌黑一片，根本没有所谓的逆鳞。想要击破他，便先给予他。当他喉下鳞化月白时，便是时机已到。你是把剑，你击破了他。杀掉他的人不是别人，是你自己。"

净霖垂首，露出的后颈白皙沾血，仿佛脆弱得不堪一击。

"搅弄乾坤不过如此。"云生笑起来，"此后天地共主只有一个，众生匍匐于我的脚下，我是承天君，我也是君父！"

诵经声早已停歇，周围阒无人声。

净霖忽地抬首盯着云生，少顷，勾了勾唇线，说："你心以为这些年皆在你运筹帷幄之中吗？"

云生抬臂，华服尽显，明冠摇曳。他说："兄弟八人，杀出重围，稳坐于此的人只有我。你不入轮回，我便猜得你会活着。你一路到此，还期待着谁来解救？父亲已死，我将你捉拿于此，便是要重召三界会审。黎嵘当年同你那般亲近，你杀父亲，他岂会不知？是你们筹谋篡位，若非真佛明鉴，那日九天台上，死的便不仅仅是父亲。你如今已沦魔道，黎嵘便是助纣为虐。你们两人皆该死。我不是目无律法的人，我要你们死得理所应当。"

净霖说："澜海因你而死，却也在你的掌心里写下我的名字。你不明白是为什么吗？"

云生说："他不过是病入膏肓，意图透个风声给你。"

"不是。"净霖斩钉截铁地说，"他写下我的名字，不仅是要告诉我兄弟中有叛徒，还是在告诉你，除你之外，还藏着一个他也不知道确切面目的人。"

云生骤然冷下面容，说："你意乱我！"

"陶弟死在血海中，是谁助他化魔，是谁放他下界。"净霖语速渐快，"当年临行时，又是谁对我提及剑穗一事。"

云生猛地退后，却已经来不及了。他听那阶上渐起脚步，黎嵘身着绛红大袍缓步而上。

净霖轻轻道。

"你所言不假，人若久居高处，便会疏于防备。今日是你死，还是他死？云生，黄雀来了。"

121章 破茧

黎嵘立于最后一阶，缓跪下膝，说："君上。"

云生遥遥地揣摩着黎嵘的神色，被净霖三言两语挑拨了心弦，却不肯轻易露出畏惧之色。他珠帘的摇晃逐渐平息，将变幻莫测的神色都隐藏在其后，说："邪祟已除？"

黎嵘说："正在殿中，待君上处置。"

"你为何不杀了他。"云生步沿着金笼而动，把净霖隔在了两人之间，"他若不除，必生灾祸。"

"正因如此。"黎嵘说，"方须君上亲自处置。"

云生心中已生间隙，断然不肯靠近黎嵘。他笑："算什么大事，兄长还不能做主？"

"君臣有别。"黎嵘抬眸，扫了净霖一眼，"前车之鉴正在此处，此子不可小觑。"

"我欲放净霖一条生路。"云生忽然话锋一转，搭着金笼说，"东海诞大魔，净霖虽曾有坠魔时，可如今看来不似传闻中的那般。兄弟一场，难免会动些恻隐之心。"

黎嵘撑膝不语。

云生说："你杀他之心已到了这个地步吗？"

"我不曾对他动过杀心。"黎嵘并不看净霖，他说，"只是隐患不除，人心惶惶。君上已召三界会审，净霖恶名昭彰，恐怕逃不过去了。"

"我今为主上。"云生说，"杀不杀他不过是一句话而已。"

黎嵘长叹一声，说："事到如今，君上却欲妇人之仁。你若不曾下令捉拿他，兴许还有迂回之策。可眼下君上要面对的不是一把咽泉剑，而是前途莫测的双剑。那孩子跟净霖如出一辙,杀父弑君之事已有一轮回,你此刻不杀他们,他们来日便能再行凶事。君上,且要三思。"

净霖回首,并不明白"如出一辙"的含义。

云生的阴阳珠丢在地上,形成黑白太极。他步踏白色,说:"净霖在这里,大魔又是谁?"

"不论是谁。"黎嵘镇定地说,"只要严守东海,待会审之后,自见分晓。"

云生忽然问:"东君何在?"

东君冒水而出,狼狈地爬出去。大雪狂舞,他山河扇甩也甩不开,墨迹污了一团。

"失策!"东君嘀咕着,脱了鞋,抖掉里边的小鱼,"没料得他那般厉害。"

东君踩着雪,一脚深一脚浅地进了山。小院已废,他从雪里扒出醉山僧的脚,将人拖出来,见醉山僧降魔杖已断,不由得哆嗦几下,拍了醉山僧的脸。

醉山僧闭息不动。

东君就解了醉山僧的酒葫芦,打开紧着几口喝。那酒香一冲,醉山僧当即就睁开了眼。

"你还没死啊。"东君丢了葫芦。

醉山僧嘶声滚动,他脊柱已然要断了,横在雪里说:"他抱走了孩子!宗音的手臂怕也废了,浮梨和阿乙带着女人逃了——给我一点酒。"

东君盘坐在雪中,他也不顾浑身湿透,甩开扇子呼扇两下,扑了自己一脸墨。他说:"我绝不会算错,黎嵘不是净霖,五百年而已,他不该这么强,他必定是吃了什么灵丹妙药。"

"我打不过他。"醉山僧闭眼,说,"再给我五百年,我也打不过他。我观他修为稳定,已经不可同往日而语。"

"稳定也有猫腻。"东君定了定神,思索片刻,继续说,"他先前与净霖和苍龙交手时分明藏了修为,他若与九天境齐心,何必瞒着云生?可见他两人也不是兄弟情深。"

"他为了这个孩子不惜如此。"醉山僧说,"到底是为什么?"

"因为嘛。"东君拧着衣袖,"这就说来话长了,你只需知道,他意在君父之位,而天底下能杀君父的人只有净霖。本相为剑者多少年也没有再出一个,

你不明白么？这是因为父亲早就知道净霖是怎么诞生的。这些年来步步压制，便是不要天下再出一个能斩万物的'净霖'。"

醉山僧倏地坐起身，说："你的意思是……"

"这孩子是神人僭越之物。"东君晾着衣服，"殊途之人才能诞下这等异象。九天境严禁人妖神相互私通，不是害怕邪祟，而是为君者忌惮世间再出一个净霖。这么浅显易懂的事情，你不会今日才明白缘由吧？"

"神说谱上对净霖的来历忌讳莫深。"醉山僧说，"传言他从南禅来，君父说他是天赐之子。"

东君兜着冷风："所谓天赐，并未说错。神诞之子，自然是天赐。净霖当年掌中握莲，心中诞剑。九天台上死一次，他已丢了慈悲莲，只剩残破剑。但这二物缺一不可，所以因缘相系，八苦相衔。我告诉你，如果没有苍龙，今日的生苦便不该是宗音之劫，那该是净霖的。他丢了的东西，铜铃系因果，又给他送回来了。"

"慈悲莲是这孩子的掌中物，净霖要如何拿回去？"醉山僧心事重重。

"这我怎么知道。"东君无所谓地说，"兴许吃了吧。"

醉山僧当即变色。

东君哈哈一笑，说："我逗你玩的。净霖丢的是慈悲，那是因为他为避断情绝欲，自割出去的一部分。待他恢复记忆，明白五百年前他因何而痛，说不定慈悲莲就回去了。"

醉山僧跟东君对膝呆了一会儿，他忽然一拍脑袋，问："你说苍龙——帝君人呢！"

东君仰头示意东边，说："下去了啊，估摸着活不了了。云生让菩蛮来压他，自然是有道理的。你知道当年黎嵘剐鳞抽筋，龙鳞所锻之甲便是菩蛮的甲。帝君如今不过一条锦鲤，遇上龙鳞岂不是只有死路一条？"

死路一条的苍霁被重碾在底，他后背遭遇荆棘鞭的缠绕，脖颈间也被勒得难以喘息。水中霍然震荡出红色光芒，一层一层地绕住苍霁。他灵海中的锦鲤已经变成了黑甲怪物，角并不顶出，仍然鼓着包。

万重封界陆续镇下，周围越来越黑。水涡随着菩蛮的搅动遍及各处，要将苍霁封镇在这不见天日之处。

苍霁的鳞片暴显而出，他在与菩蛮的交锋中被紧束成茧。红色堆积在眼前，百种咒文密密麻麻地铺垫而上，愈收愈紧。

菩蛮身化出甲，脚踏灵芒，他挥鞭抽得红蚕轰然撞在底部。底部微光一亮，符文"唰"地齐转而起。

苍霁探出的龙爪陷入符文的包抄，他凝力撕裂红光，暴蹿而起。水波霎时一荡，菩蛮凌鞭化成数不尽的丝草，拖住苍霁暴起的身形。

苍霁霍然扑空，接着后方受力，再次被压入底部。丝草变作无数锁链，抄住苍霁浑身，拖向黢黑深处。水中符墙光芒逐渐黯淡，菩蛮欲抽身而出，岂料苍霁竟震得符咒微微发抖。

"留你不得！"

菩蛮悍然出手。

苍霁与菩蛮相撞一处，却近不得半步。他见菩蛮身覆铠甲，那甲的纹路何其熟悉！

两方在水下激战，上边波涛翻滚，岩石被牵连受击，一时间浪声不绝入耳。

"这要打到猴年马月去！"阿乙趴在石上勾首而观，"孩子没了，净霖也没了！再等一等，就都追不回来了！"

浮梨说："百里之内全是九天兵马，贸然出手未必是好事。"

"坐以待毙也不行。"阿乙撸了袖子，他还没动，便听得一阵地动山摇。

山间猛禽飞奔而出，地下晃得土崩山裂。

阿乙探头喊："这是怎么回事！"

那九天兵马已然动了起来，神将拔刀踏云而上，欲要探个究竟。谁知降魔杖凌掷而出，划出一条腾空之道。

醉山僧勉力抵肩，推着庞然大物闷声前奔，他咬牙道："你且快去！"

那物卡住了身，后边的东君抬腿一踹，踹得他"咕咚"地滚了下去。

华裳率妖接着一尾抽出，击在翻滚的巨物侧旁，抽得他怒吼一声栽进水中。

阿乙不防，被水溅了个正着。他抹着面，问："这是什么东西？"

华裳叫小狐狸给她提着裙，闻言倚了倚伞，掐着指说："临松君的。"

巨物入水，下一刻海水猛地倒逆而转，被他一鼓作气吸入口中。殊冉趴身用力，海岸波涛浪白，他不管左右神将，只专心于海中。那海水荡动，符咒倏地

层层显出模样来。

菩蛮刹那分心，苍霁一把拖住菩蛮前胸，双臂猛提。那铠甲却纹丝不动，坚不可摧。

菩蛮振臂，说："此乃龙鳞甲！最镇妖物！你已身陷封界，休想逃出！"

苍霁轰然砸中菩蛮，灵海间逆气翻腾，他竟然觉得饥肠辘辘。菩蛮见他目光已变，不禁错愕挣扎："你欲……"

"送佛送到西。"苍霁森然露齿。

殊冉停止吸水，后边醉山僧跟神将打得不可开交。阿乙站在他脚边犹如蚂蚁一般，只能仰着看他，大声呼喊道："你停下来做什么？他还没出来呢！"

殊冉嘴里塞着水，他突地打了个嗝，随后转头吐了个彻底。海水霎时冲奔向九天兵马，撞得山间一片狼藉。

殊冉咂摸着咸味，说："帝君正在进食，吐给他不太合适。"

阿乙张望着海里，随即愕然地说："……他把菩蛮吃掉了？"

阿乙话音刚落，海里便赫然沸腾起来。他见一股煞气直扑而来，接着见一条巨影之物翻腾在水下，鱼不像鱼，龙不像龙。

然而这还未完，天际闷雷几响。本是寒冬腊月、大雪纷飞的时候，天却突然下起了雨。阿乙抬掌接了雨，看自己掌心被染得通红。

"天水决堤，血海重覆。"殊冉倏然化身为人，拽着阿乙和浮梨便退，"且退，帝君要吞魔化龙了！"

九天境震动不安，黎嵘不及云生出声，先行起身。他见追魂狱的方向血雾团腾，不禁皱起了眉。

云生脚下的黑白颠倒，他扶身而退，喝问道："你竟放出了血海！"

黎嵘回首，说："不是我。"

他说着，目光迅速转向净霖。

净霖臂间血已凝止，心中奇怪，却面不改色。

果然听见黎嵘说："难道是你？"

净霖玩味地挑眉，既不答是，也不答不是。

122章 化龙

血海奔涌而下，气势汹汹冲卷云浪，犹如衔天瀑布直灌向东海。半边天已经被染成红汤，无数邪魔相争扑下，东海登时被搅成万顷浑浊。

云生现为三界共主，中渡如果再遭血海倾覆，便是他的德行不配，来日必将遭受口诛笔伐。他疑心是黎嵘从中作梗，想要趁乱谋位，故而当即喝令四方："杀戈君欲谋不轨，卸下他的破狰枪，拿住他！"

黎嵘沉声说："大敌当前，君上切勿自乱阵脚。"

"血海由你镇守，如今无故奔涌，不是你擅自做的手脚，难道还能是别人。"云生心中一横，不欲再留下黎嵘，不论到底是不是，今日都要先将他拿下！

黎嵘说："血海奔中渡，大魔必将出。云间三千甲尽在我手中，如此紧要的时候，你却要执意与我再起纷争！"

"你放血海入中渡，芸芸众生将遭此劫难，你却又在此时与我谈纷争，意欲为自己开脱。"云生脚下阴阳分裂成黑白双镜，他说，"黎嵘，你心当诛！"

九天台四方霎时掀起黑白水浪，形成包天之势。黎嵘眼见血海已融入东海之中，便料得苍霁意在吞魔。

黎嵘不由得抬脚一震，翻出破狰枪，说："一千四百年前诛杀他何等艰难，待他再次化龙，谁还能拦得住他！云生，休要听凭挑拨。"

"你既然一心解释，又何必拿出破狰枪。"净霖淡声说道。

黎嵘一滞，云生杀机已显。他握紧枪，深知今日难逃一战。两人猛地暴击于九天台，云生双镜交错间数位"黎嵘"破镜而出，黎嵘当即陷入群战。然而画皮难画骨，云生不承想黎嵘竟如此难缠。破狰枪击破隔界，云生竟险些崩境。

"五百年里你沉眠血海之上。"云生掩去血迹，"不想修为却突飞猛进。"

黎嵘枪愈急，云生便愈缓。他招架不住之时便一脚踹出金笼，将净霖横挡在两人旋涡要害。

"但你神思下界，哪里有时间修炼！"云生明冠被劲风吹开，他眸中狐疑，忽然心下一动，厉声说，"你贪吞了父亲！"

破狰枪轰然砸在金笼上，栏杆倏地下凹。黎嵘死死地盯住云生，骤然提声："你欲放纵罪君净霖，又欲构陷我放出血海。如今我兼追魂狱统将一职，拿你是本分所在！"

云生顿时色变，说："我为君父，谁敢？！孽障不除，天理不容！杀了杀戈君，我重重有赏！"

九天台已随声崩塌，见那无尽长阶轰地下陷。血雾已成铺天之势，闻声赶来的群神竟一时两厢为难，却看东海已然沸腾成炉上之水。

黎嵘枪划半圈，一把扯掉腰侧名牌，飞掷向下，声如洪钟："杀了苍龙！"

苍霁化龙必成祸患。

九天君生时尚且拿不住这条龙，如今待他蓄势而归，便再难撼动，况且那一枪之仇不共戴天。黎嵘在万般艰难的情形之下也要让净霖活着，是因为唯独净霖能杀君父。如今君父已死，不论是净霖还是苍霁，留下都是祸患！

云间三千甲收牌得令，当即如白潮涌出，流进了神将之间。片刻后杀声震天，醉山僧降魔杖已断，腹背受敌时竟已有些疲惫之态。殊冉无水便缩，佛兽不肯滥杀无辜，便只能推出华裳号令群妖。

阿乙气结，反问道："要你何用！"

殊冉心有余悸地摸着肚子，说："无用也行，左右我是给君上充作陪礼的。有了这一层干系，帝君必不会怪罪于我。"

阿乙顿时两拳打出，说："男子汉大丈夫！你也忒没出息了！"

云生不敌，却自有法子。他躲闪黎嵘的破狰枪时，屡次以金笼做格挡。黎嵘次次重力劈下，那栏杆已被击得凹凸不平，终于"砰"地断开，梵文一瞬消失。

云生挥袖，说："咽泉一出，鬼神皆服！净霖，杀他方能平你滔天之怒。此后你我两分三界，临松君当为天地尊者！"

黎嵘枪法凛冽，岂料笼中破口猛地抬出一臂，赤手扛枪，接着狂风乍起，净霖凌身而出。咽泉剑覆锈而现，净霖翻剑入掌，猛地旋身荡开浩然剑气。

破狰枪再次嗡鸣，若有若无的铜铃声包裹四周。

黎嵘滑掌稳住破狰枪，持力击来。劲风扑打，净霖剑走龙势。两方皆带动天云翻卷，将九天台震得飞石乱溅。黎嵘喉间一凉，他立即退身，堪堪躲过，再一摸喉，血已经冒了出来。

净霖却并不追赶，而是飞身而下。天青色顿时坠落，犹如疾雨骤去，眨眼间穿越层层阻隔，直面东海。咽泉剑赫然下掷，定于沸腾的水面之上。下一瞬剑身环荡开肃杀锐气，将所有人清扫出去。

净霖落在水面，涟漪晕开在他踏过的地方。他拔出咽泉剑，垂首与水下游动的庞然之物凝眸对视。

苍霁还没有化龙，他受着邪魔啃咬，灵海被黑雾血色一齐弥漫。硕大的鱼身已顶出了角，在撕咬声中，净霖渺小得好似站在他的眼睛里。

我有一条龙。

净霖无端地想，甚至有一点细小的酸涩，那没擦净血迹的长指隔着水面轻轻点在这怪物的眼中。

他们好似从未分开过。

黎嵘枪掷而来，强风突袭净霖。那被震开的云间三千甲再次跃扑而起，净霖却在四方包围之间，对水下之物缓慢地露出笑来。

这一笑使得天翻地覆皆成虚幻，那千百年的苦楚全部烟消云散。

咽泉剑陡然反起，与破狰枪"铴"声击中。净霖发被风荡起，他一步不退，击得黎嵘再凌半空，无法落水，跟着一手画符，青芒暴涨，霎时间逼退包围。

黎嵘身往下沉，却见净霖已然跃起。他们两人目光交错间仿佛前尘尽过，殊途异路终有一场生死诀别，兄弟两字已成刀剑交锋下的亡魂。

净霖脚下涟漪陡然震开，咽泉剑化出万丈巨影，势如破竹一般惊起万顷涛浪，夹杂着劲风狂袭向黎嵘。黎嵘枪挟雷霆，红芒似如锐箭飞疾，在眨眼间已

与净霖撞在一起。

风如刀割，疯狂地划在两个人的手背与颊面。方圆五里之内，无人能停。击打声嘈疾迸溅，兵刃摩擦着再碰撞，曾经同出一脉的一切全部在这一刻成为较量。

水面"砰砰砰"连续迸溅，净霖已欺身在上，隔剑飞掠一脚。黎嵘受力猛坠向海面，岂料净霖已然闪身而至，破狰枪"叮"的一声定在咽泉剑身，黎嵘借力再跃而起。

群僧寂静而观，众人皆望着这惊天动地的兄弟之战。不知从何处荡来了钟声，余音袅袅，鸣彻天地。

苍霁只差一步，鱼身已瞬化出爪。他于水下嘶声吞食，甩起的尾激荡起数丈海浪。

局势一度陷入胶着，阿乙突然站起身，他仰头一看，见云间隐约腾飞着什么东西。

"那是……"

阿乙倏地跃身追上，他腾身化成五彩鸟，迎着那墨迹染成的鹰而去。巨鹰墨迹未干，仍然滴着墨。它口衔襁褓，里边裹着的正是山月的孩子。

阿乙于半空变回人身，接住孩子，他一看，不禁回首喜道："阿姐——"

黎嵘腾空紧逼，探臂喝道："给我！"

阿乙抬脚就要踹，净霖已追到了后边。黎嵘一枪突出，阿乙当即后仰，净霖拍他一肩，他顿时侧过了身。破狰枪错过阿乙，霎时突到净霖门面，净霖剑身一压，跟着要推开阿乙。可是黎嵘足尖撩风，阿乙又跟跄前扑，臂间的孩子倾滑掉下。

"不好！"阿乙惊声。

黎嵘与净霖已齐追过去，谁知阿乙隔空抛出梵文链，绕住襁褓猛地提了起来。孩子在襁褓间挣扎啼哭，掌心莲花微光闪烁。

黎嵘劈手要夺，阿乙施力回拽。破狰枪索性凶猛杀出，紧追过去。阿乙暗道好狠，只能撒手，孩子再次坠下。

净霖下沉极快，却已经来不及了。见那襁褓已被海水溅湿，即将沉进去。他掌中咽泉剑就要放出，哪想水面骤然开出朵偌大的莲花。

莲花承住孩子旋飞而起，群僧的诵声立刻再响。天地间金芒顿现，开出朵璀璨金莲。真佛直身而立，伸臂抱住了孩子。

孩子哭声戛然而止，探掌于金芒间，睁着纯澈的眼。真佛面作一笑，孩子也笑了起来。

众人当即松出口气，真佛慈悲，即便不能还给山月，也绝不会容许黎嵘下手。

"尊者。"净霖踏莲而去，"此子……"

诵声大响，真佛望向净霖，稍抬一指。

净霖步本从容，谁知竟刹那变得沉重凝缓。他眼见那指点向自己，耳边只做轰鸣不觉。世间万千杂声当即消失，那裂天之力缓慢压来，净霖却无法再动一步。

"吾儿。"

真佛容貌缥缈，他一只眼黢黑冷酷，一只眼灰淡慈悲。天地于他不过刹那，他在这刹那之间，既是九天君父，又是梵坛真佛。

净霖瞬间凉透，仿佛被人兜头浇掉了仅存的热，眼前之景扭曲崩裂。

下一刻血花喷溅，洒在了青衫。

黎嵘屹立不倒！

他持枪撑身，为挡这风平浪静的一指，浑身血痕暴显。破狰枪"噼啪"地碎开，他喉间起伏，盯着真佛。

"你没死。"

黎嵘压抑了不知年月的怒气蓬勃而出，他红着眼，额间被血淌红，却拖着残枪，趔趄着跪倒在水面。

"你没死。"黎嵘声音逐渐起伏，他声嘶力竭地喊，"你竟没死！"

真佛收指，于天地寂静间缓笑。

"你做到了这个地步，为父甚是欣慰。修罗道择于你，本是无上之选。你一路用尽手足，负遍他人，忍辱至今，便是为求登顶巅峰。你心志之坚，为父深爱珍重。"

黎嵘喉间止不住地哽咽，他寒战不绝，破狰枪在这一指间崩碎。他的血迸

在净霖颊面，殷红铺开在身下，他倒了下去。

"他救你一命。"真佛望着净霖怜爱地说，"你便心神皆动。净霖，百年不过弹指间，你却毫无长进。他今日杀你是真，救你也是真。追根究底，不过是利益所需。"

净霖剑锋颤抖。

真佛目光仁慈，缓声说道。

"用你便生，无用则亡。你于所有人而言，只是把剑而已。"

阿乙忽然陷入天火焚烧，他滚摔在地，痛声呼喊。海面如此平静，真佛一指便让黎嵘碎枪倒地，便让苍霁沉寂深海。他似乎手握天地，他方是万物之主。

净霖尝到了血味，那是他咬破的舌尖。

"吾乃天地。"真佛微笑，"傻儿子。"

123章 诞生

多少年前。

一叶小舟。前坐真佛，后立净霖。舟穿于莲池之上，轻轻拖出迤逦的水纹。水雾弥漫，净霖用手掌接着乳白色的雾，仰头和垂头间，竟分不清自己是在天上还是水上。

真佛端坐笑望，在莲影交错间，低低缓缓地念着经文。

净霖不过八岁，裹着的袈裟拖了一半在脚边。他用手捉着雾，那雾又散在他指间，如梦如幻。

"道为何物？"净霖掌心湿漉漉，他不自在地捏紧，天真地背起手来望着真佛，"尊者，道是什么？"

"是你掌心雾。"真佛答道，"是你眼前花。"

净霖说："那是捉不到的东西，我不要它。"

真佛垂指碰着池水，说："大道无形，你不要它，它也会来找你。"

净霖的双眸被水雾湿润，又黑又亮。他背起的手指相勾缠，固执地说："……我不要它。"

真佛便笑了笑，道："好罢。"

净霖又问："我随你去，我便也是和尚了吗？我便不能够再食肉了吗？"

真佛端详着他，说："是呀。"

净霖觉得他眼神慈爱，似是有许多话想要说，可他又总是惜字如金，仿佛只要隔着雾，隔着山，只是遥遥地端详着净霖便足够了。

净霖不害怕，他挺起胸膛，鼓足气说："可是我、我想吃肉……"

真佛说："你是世间的不同。"

净霖垂首，说："我是人呀。"

真佛转过头，看水茫茫间，鹭飞鹤惊。天空骤然昏暗，风猛烈地穿过，水面投映出巨大的影，带着令人战栗的威势游过。

真佛说："你看这天。"

净霖仰头，云雾被疾风吹散。他张大了眼，澄澈的眸中映着威风凛凛的身形，那庞然巨物使得他甚至微微张开了口。

"是龙啊。"净霖情不自禁地笑出声，他抬起双臂，不合身的袖袍被风吹拂飞动。他仿佛在这巨影之下，随着这风，也翱翔在无边无际的天空。

"你要学着做一个人。"真佛说，"他也要学着做一个人。欲念是转瞬即逝，却又亘古不变的东西。净霖，你见得他遨游天际，你便会生出欲望。你终将追随本心，踏上一条坎坷不平的道路。你们皆是这天地的变数，来日你会明白，'想要'本身便是苦楚。"

净霖在舟上追了两步，摇摇晃晃地看着苍龙纵身消失。他还仰着头，却问道："苦楚是什么？"

"是人之味。"真佛答道。

"尊者也尝过苦吗？"净霖好奇地问。

真佛闭眸不答，小舟继续前行，他这样枯坐在天水交错中，似乎万物不侵，仿佛百欲不受。可是当他张开眼，灰色淡淡，流露出千般困惑与痛苦。

"我……"真佛怔怔地停顿。

水中扑通地跃出条锦鲤，将涟漪搅得混乱。他那日坐到了池尽头，也没有再回答净霖这个问题。

"吾乃天地。"

追溯轰然破碎，净霖捆手跪在座下。他说："此乃笑话。"

真佛高居座上，用着九天君惯用的面容，撑首时一只眼能看尽净霖的过往。他闻声一笑，说："你从何处来，你将往何处去。为父都知晓。"

"你知我从何处来。"净霖霎时抬头，"你不是尊者。"

"我是。"真佛双眸一黑一灰，慈悲与冷酷并存于一张脸上。他便像是黑白杂糅之物，连每一个笑都截然不同。

"你立于世间千百年。"净霖说，"你可曾尝过苦楚？"

"我闭眼时人生，我睁眼时人灭。天地万物生死皆在我弹指之间，我一眼能望尽天下前尘，我另一眼能洞察天下将来。无人能在我面前遁形，我口中是天下之苦。我尝过苦楚，并且远比你明白的更多。"

"你若为天地。"净霖说，"何必养我？"

真佛的黑眸冷漠，灰眸却缓闭起来。他以单眼盯着净霖，语气无情："我不曾想养过你，你是这天地间最该死的东西。你那剑锋自出世以来便是场劫难，你能杀人，也能杀神。"他说着，灰眸却又颤开，愧疚化在其中，声音也变得温柔，"这是骗你的话，我本该好好养着你。净霖，净霖。"

净霖察觉怪异，说："你到底是……"

黑眸突地露出冷色，真佛古怪地笑起来，他越笑越大声，说："我是你父亲。"

"你是九天君。"净霖皱起眉。

"不。"真佛的灰眸又闭了起来，他探下身，在明珠摇晃中，残忍地说，"我说，我是你父亲啊。"

净霖骤然面无血色。

真佛屈指虚描着净霖的眉眼，快意道："你本就是神诞之子，是欲念而合的孩子。你与你的母亲长得这般相似，她屡次避过你，你竟毫无察觉。乖净霖，你天生是为父的剑。你生长至今，我功不可没。吾儿吾儿，你们兄弟众人，我便只爱重你啊。"

净霖猛地挣扎起来，梵文幽亮，这空荡荡的大殿间只有两个人的对峙。净霖觉得血液凉透，他在片刻中头脑一片空白，忽然垂首呛出血。

"我曾布衣化斋至京都。"真佛冷冷地收回手，居高临下地看着净霖，"时正四月芳菲天，江面平舟载红袖。你母亲赤足拎花枝，诱我坠入软红尘。于是便有了你，她神躯尊贵，本不该承着俗物，可笑她又割舍不下，一意孤行生下你。她生了你，便知你的不同，天地劫难皆源于你。"

净霖额头抵着光滑的地板，他哑声："胡言乱语！"

"你心中怀剑，是孤寂命啊。"真佛抬脚碾下净霖的肩，寒声说，"你掌中那慈悲莲，便是为父给的东西。你生于世间，便是无时无刻不在提醒我坠入欲望的罪行。欲念乱心，阻我大业的人果真是你。你天生便要杀父！枉费我那般爱重，悉心栽培，你竟毫不感恩！"

真佛忽地踩下净霖的肩胛骨，使得净霖头叩于脚下。他黑眸间既放纵恣意，又狡诈晦涩。

"你该死啊。你该死！"

净霖额撞于地，他背部顶着巨力，连双膝都在颤抖。

"你知道自己如何活下来的吗？"真佛俯首，阴森地说，"佛珠两只定情物，你吃了它，这是我赏的命！你本该死干净，可她偏要度你一回——她不仅度了你，她还度了那条龙。为着你，她便要与我反目为仇，她将那佛珠换成了命。这女人何其该死！我才该是她的天。她那般诱惑了我，却又这样背叛了我。你说，这难道不是你的错？"

净霖背部剧痛，他额间被撞破了口，在地上蹭出凌乱的鲜红。他似是已然乱了心，竟然一言不发。

真佛在净霖的隐忍间得到了乐趣，他越踩越狠，看着净霖溢不出的呛血。真佛暴躁地踹翻净霖，他抬指压下无尽重力。

净霖身间锁链"哗啦"巨响，双肘重磕于地，被踩下去的肩背仍然挺起。这重力如同座山，要将他压趴了压服了，可是他吞咽着喉间血，撑着地面滴砸的都是汗水与血珠。

"你这一世活得难看。"真佛绕着净霖，说，"杀父，杀手足，杀无数，还将希望寄于一条龙。"

他用脚尖翻过净霖。

"本想你绝欲而生，能成为天地杀器，不料你却宁愿与条龙论交。你到底是什么？你不是人，你也不再是把剑。你成为废物一个，即便我如今想要怜惜，也找不到缘由。"

链子霍然拽起，真佛拖起净霖。

"你如今唯一的用途便是立名，我召三界共审你这杀父怪物，从此天地各处都将立碑著写你的恶名，你该死于万众瞩目之下。"

净霖双手手背划痕交错，他掩不住血涌，身上踏痕狼狈，再也不是居于云端的临松君。

"你母亲已死。"真佛忧郁地勒紧链子，"这一回谁能救你？"

净霖喘息不止，脚下却猛地抬踹而起，接着双腕间的梵文链拖挂住真佛的脖颈。真佛身一弯，便被净霖扭掼于地，净霖死死绞着链，两方都欲要对方死。

真佛面露痛苦，净霖嘶声说："我生而无父！"

真佛被绞得面色涨红，净霖喘息着，觉得身体里某一处紧绷已然崩塌，癫狂与狠厉并驾齐驱。他指尖在抖，倏地将人头摁在地面，狠声问："苍霁在哪里？"

真佛喉间哽声，扒喉不语。

净霖就拖起人砰地撞下去，他濒临失控般地问："我母亲是谁？"

真佛如他先前一般一言不发，这空殿里骤然响起重砸声。净霖齿间渗着血，他这一刻像狼像豺像这世间一切的凶恶。

真佛忽然撑住身，面上的痛苦一瞬化作疯癫，他哈哈笑起来，对净霖说："你生而无父？你看看你此刻，你分明是我！你这双眼再也不比曾经，你是恶，你是一切杀欲之源！"

净霖腕间一松，真佛已经眨眼立在了他的身后。

"你深藏的暴戾已然决堤，你杀欲蓬勃，你道已尽崩，你连为神都不配。"真佛俯耳轻嘲，"吾儿，你还没有认清楚自己是什么面目吗？你看看你，哪是什么临松君。"

净霖却倏地回首，适才仿佛皆是幻觉，他盯着真佛，竟然稳声说："你不是真佛，你是九天君。"

那灰眸睁开，真佛似是欲露个笑。下一刻又被生硬地挤了回去，变得暴躁阴冷。

九天君劈手一掌，烦躁道："你住口！我是真佛！"

净霖偏头啐血，冷笑道："你是个什么东西，我已经明白了。"

124章 大魔

殿中灯火一灭，变得昏暗，九天君在盛怒之后又恢复平静。他仍然坐在高座之上，却紧紧闭着灰色的那只眼。

"乖儿。"九天君说，"你明白了什么？我与真佛本就是同一个人，他是我，我是他。把你带入南禅的是我，将你送入九天门的也是我。"

"你可敢睁开那只眼。"净霖拖着链子，半面被打出了指痕。他冷声说，"既然是一个人，何必让双眸成为黑白分界？"

"你自以为参破了天机，其实愚钝至极。"九天君说着睁开灰眸，两种颜色的眸子一齐盯着净霖。那一半森冷、一半仁慈的诡异神色再次出现，他说，"多少年前，我在南禅枯坐无果，便化身为人踏入中渡，想要经历世间八苦，成就大慈大悲之境。然而我在京都遇见你母亲，便生出了欲望，从此拥有了罪恶。真佛本无欲，更不能生恶，于是便将爱恋你母亲的那部分剥出真身，让他化身为九天君，成为教养你的人。这样的事情，你自己也曾做过。你把情欲封入石头中，借此成为了断情绝欲的临松君。净霖，那石头难道不是你？你既是石头，石头也是你！那么我既是九天君，也是真佛又有什么可叹之处。"

大殿的纱幔腾飞，九天君的身形变得影影绰绰。

"九天君便是真佛的'想要'。净霖，你尊崇的真佛便是九天君这样的人。"九天君撑首嗤笑，"傻儿子，真佛不敢正视欲望，便生出了我。他将我驱逐出南禅，却不能狠心灭欲，便让我在中渡成了天下君父。他见我成了君父，才明白欲望已经无法停止，便把你领入南禅，想借着你来杀我。可他怎么能料到，你杀了我的肉身，我就只能回归真身。"

九天君抬起手臂，打量着自己的身躯。

"送我回来的人可是你啊。如今我与他道义相驳，自然要在身体里争个高下。可我了解他，他却不了解我。此刻我已成为这具身体的主人，他与我再无区别。我乃天地，我已成佛，我是不会灭亡的三界欲望。今日你可以唤我父亲，也可以唤我尊者。"

净霖仰看着那高座，真佛的灰眸早已黯淡，九天君的黑瞳却明亮无比。殿

外昼夜不分，已成颠倒之象。他灵海已空，也不知苍霁化龙详情。

净霖不再轻举妄动，他说："既然你要我死，便在我死前告诉我，我母亲是谁。"

"真薄情，竟到此刻也没有猜得你母亲是谁。这天地间能诞出你这个样貌的女人，除了笙乐，还会有谁？"九天君说着闭眸，"你可知你母亲因何而死？"

净霖不答。

"那佛珠本是我掌中物，有两颗曾坠入莲池，渗进了天地的慈悲之心。她怀胎八月时，为保你们母子平安，我赠她一颗。后来我身化九天，不想另一颗却被真佛丢给了你。你死前吞下佛珠，成为再续因果的契机。她便用剩下的一颗佛珠铸就了苍龙新生，可这岂是容易事，她为此修为半废，匿于京都沉睡不醒。"九天君说到此处停顿少顷，想要笑，却不曾笑出来。他沙哑地说，"傻女子，救你是慈母之心，救那条龙却是多此一举。她屡次三番坏我大事，人间情爱能存几时？"

"你杀了她。"净霖声如幽风，"你放出陶致，陶致一心报复，他已沦为邪魔，从山中之城再诞入人世。陶致为得修为，让山中之城成为中渡之恶，却被树神阻挠倾覆。他因此遁入京都，在没有退路、饥不择食的时候吞了沉睡的笙乐。"

"因果不空，这般说来苍龙也是凶手。"九天君漠然地说，"北方群山为何出现？那皆是苍龙造的高墙啊。它们坍塌百年之后变作了群山，苍龙没有吞完的邪气成了陶致诞生在那里的机缘。你若恨我，也应该恨他。"

净霖锁链滑动，他抑制不住声音："你养了清遥，本有救她的机会，却仍旧将她变作了血海。你以血海之难成就九天威名，你让陶致沦为人间孽畜！你利用黎嵘，让兄弟反目。你到底把芸芸众生视为何物！"

"视为我脚底泥，视为我头顶云。"九天君探出手掌，像净霖当年捉雾一般捉了把虚无缥缈的风，"这人世百转皆系因果，我不过是稍作推动罢了。他们此生命数就该如此，怎能怪我？怎能怪我！"

殿中大风突起，九天君起身扬声。

"我是天下君父！我不过是顺势而为。我是欲，却不是恶。你与苍龙因缘相结，这岂是我的强迫？你怪不得别人。"

"善恶终有报。"净霖眸中冰凉。

九天君黑眸轻蔑，面上却笑着说："我已成天，不受因果戒律，善恶报应皆由我定。你便等待会审，待你死后，我不会杀了苍龙——他现如今也不是龙。一条苟且偷生的锦鲤，连被剐鳞抽筋的资格也没有。你两人也不过如此，我留着他的命，将他圈于你曾经待过的石棺中，一百年，一千年，他能记得你多久？他若是死，那必定是自尽。可惜你们皆不入轮回。"

净霖被猛地拖向殿外，他望着九天君，那高座孤寂，只能站下一个人。

九天君再度闭起灰眸，对净霖合掌颔首。

净霖被押入石棺，这一次连眼睛也被蒙住，他浑身捆扎结实，听力和嗅觉全部封闭，唯剩额头蹭在墙壁时还能得到触感。

净霖挣不脱身，墙壁似乎坎坷不平，他压着那些血线，却熟悉无比。

不知过了多久，净霖重见天日时，九天台长阶之上已立满了人。银甲抵着他缓慢踏上阶，两侧噤若寒蝉。

吠罗与颐宁共坐台上，见得净霖，吠罗竟收腿坐直了身。他将那小碟瓜子推出去，没滋味道："莫非今日审的是他？可他是临松君啊！我素来见不得美人受苦，我还是不看了。"

颐宁扫净霖一眼，对吠罗说："东君今日也要受审，你不是曾遭他羞辱么？今日大可看个尽兴。"

吠罗讪讪："我何时受过羞辱？根本没有！"

净霖已到了台上，众僧环绕成山海，九天君居中坐莲心。东君竟也立在前边，虽然被束着手，却像是闲庭信步，听着脚步，还回首给净霖打招呼。

"今日够排场，你我也算死得其所。"东君风轻云淡，"斩妖除魔临松君，跟你一块，没辱没我血海邪魔的名号。只是我给人做了几千年的儿子，却混得像个孙子。心里不大痛快。"

净霖与他对视片刻，没问苍霁，而是说："中渡冬日将过，你死了，往后谁再唤春。"

"爱谁谁啊。"东君笑出声，"冻死那千万人，不正好给我陪葬？我高兴。"

"恶性不改。"九天君睁眸，他变作了真佛，自然不会自称九天君。他对东

287

君温声说，"君父以慈悲之心收你为子，本想你洗心革面，不料你却趁着血海之难暗自贪食无辜稚儿。如今自食恶果，还不跪下受诛。"

东君说："天地不是我老子，众生不是我老母。我是血海邪魔，我跪你，你当得起我一声爹么？"

九天君微笑着说："狡言善辩。"

东君荒唐地仰颈大笑，他说："你误我，我是这天下最不善言谈的魔。"

"你杀人如麻，不知悔改，又与罪君净霖共匿邪祟，引起天地动荡。你如今知错吗？"

东君笑声渐止，他说："我那日说了一句话，听的人太少，不够威风。今日三界皆在，我便与在座诸位再说一次。"

他回过身，轻笑着说。

"我为东君，不沦苟且。"

风霎时涌起，东君桃眼灼灼，竟在这劫难之时显出风华无数。他笑得散漫，那皮囊间的亦正亦邪尽数被风吹去，变成了坦荡荡的恣意妄为。

"我妹清遥，生无依，死无居。天地对不起她，我便对不起天地。"

"清遥乃血海。"九天君说，"你们共谋天下劫难，怎还能说天地对不起她。东君，你疯魔了。"

他说着抬指，东君双膝承力，竟砰声跪在了地上。

九天君再看净霖，他将灰眸睁开，把痛惜与惭愧皆置于净霖眼前，学做真佛那日的悲悯。

"净霖，回头是岸。"

净霖亦如从前一般地回答："晚了。"

九天君似是不忍，说："你仍是不肯放下屠刀？"

净霖顶着这身污秽与狼狈，盯着九天君，说："你叫我放下屠刀，但我不欲成佛，我甘愿沦落。多少年前我不懂人因何而爱，因此将恨延作此生唯一。可我养了一条鱼，从此恨再了无踪迹。你要我放下屠刀，然而我天生为剑。如要放，须我死。"

九天君霍然起身，梵文跟着旋亮。他俯瞰净霖，说："你罪恶滔天，既不欲成佛修身，便只有死路一条。"

"既然今日会审,不如话尽前尘。"净霖手腕轻轻晃动,接着声传八方,"九天门八子一父皆有罪。罪在助纣为虐,罪在私欲瞒天,罪在阻挠苍帝,罪在滥杀无辜。在座诸位谁敢脱逃?我等称天称地称三界统将,皆是诛心谎言!"

　　净霖震荡罡风,长袖鼓浪,他嘲遍天地八方,但见九天君足踏金浪,已然飞身而下。

　　"你杀父弑君,包藏邪祟。"九天君抬掌时背后巨掌浮影,他说,"你私通苍龙,为祸中渡。今时今日,留你不得!"

　　净霖说:"善恶终有报。"

　　那法印轰然盖头砸来,净霖猛踏地面,见九天台砰声下塌,周遭一瞬混乱。

　　东君便抵膝昂首,高声道:"还不动手!"

　　吠罗当即踹桌翻出,对颐宁说:"我虽受了点胁迫,却到底见不得美人难过!今日便……"

　　他身侧哪里还有人,转头一看,却见颐宁陡然挥袖。那乾坤袖间立即涌出殊冉巨身,接着见浮梨化鸟冲出,双兽并驾直冲向净霖。

　　吠罗当即跳脚:"你也是细作啊!"

　　颐宁正色谦逊道:"真巧。"

　　却说净霖身陷那一刻,殊冉已横挡在前,他鼓气吹风。众僧一齐后仰,那狂风肆虐而去,只见九天君掌不留情,已经按了下来。

　　殊冉巨身扛鼎,又"嘭"地变作了人身。他失色吼道:"其力之大,我扛不住!君上且退!"

　　净霖腕间束缚不断,浮梨已俯冲而下,口衔净霖,爪拎殊冉便要逃。岂料九天君轻哼一声,那天竟像是轰然而塌,四周云浪劈头盖来,浮梨飞也难逃。

　　"乌合之众,不自量力。"

　　九天君巨掌摁下,浮梨只觉得泰山压顶,顿时喷血滚地。梵文四散飞旋,霍然变大,连续掷在九天台各方,将众人围得水泄不通。

　　九天君跨一步,净霖闷声受力。他汗如雨下,双膝似是承着座山,却迟迟不跪。

九天君笑睨众人，一字一字地说。

"芸生归顺，逆我者亡！"

净霖猛进一步，汗顺鬓淌。

"吾儿又要杀父，可你如今失了慈悲莲，咽泉蒙尘覆锈，连这链子也挣不脱。"九天君说着抬掌，婴孩的啼哭声登时响起，"待我杀了他，慈悲莲便归于我手中。我本欲留你一条黄泉路，你却偏要这般行事。净霖，今日诸人，都要为你而亡。"

金芒登时暴涨于眼前，无数虚幻巨掌轰然盖下。净霖腕间链子被九天君的威力震断，他反手隔空拔出咽泉剑，青光随剑破云而现，雷霆万钧地扫向九天君。

然而风刹那停止。

九天君一指挡剑，咽泉剑"嗡"声崩裂，他说："不知悔改，你死期已至。"

说罢提掌便打。

净霖腕间莹线倏地亮起，紧接着脚底转瞬狂卷血雾，只听得那梵文墙一瞬破开，龙啸猛地席卷天地。

"既然会死，不如将这一身血肉尽数交给我。我嚼碎了吞下去，从此你我再不分离。"

劲风自上涌下，黑红色的长袍逆风立于梵文墙之上。乌发向后拂尽，露出那双锐气逼人、放浪不羁的眼眸。血雾暴绽他脚下，像海一般地汹涌扑去，无数邪魔俯首麾下，一时间妖孽纵横，天地已然变了色。

"哪儿也不要去。"

苍霁随着笑声坠下，九天君门面袭风，见那龙爪已暴起在眼前，跟着风中撕裂，九天君轰然被击中，九天境"砰"声巨震。

风烟散开时，九天君却作一笑，他说："大魔已诞，秉承天道，诛你应当！我料想你该逃，你却送上门来。"

苍霁说："知交在前，不敢不来。"

音落只见血色迸溅，龙爪竟拿住九天君的面，带着人擦风重砸在梵文墙。整个墙面应声破碎，梵文飞舞满天。背后群僧齐力出掌，法相向苍霁盖下。

苍霁抬起一臂轰地挡碎，头也不回。

九天君受力却不慌，挥开梵文，阴冷道："我乃天……"

苍霄嘘声: "我是生来吞天纳地的龙,五常于我乃消遣,戒律于我乃废物。你要做天。"

他邪气凛然。

"那便是用来撕烂嚼碎的阿物儿。"

125章 莹线

云消浪尽,见九天君足踏莲花,金光从血雾中绽出波浪,无上威严震慑着四下邪魔。

苍霄单臂化爪,乌黑鳞片间红色若隐若现。他为化龙吞尽血海,却叫九天君一指封于东海,若非再遇机缘,只怕此刻还埋在水中。当下面对佛光,竟一步不退。

东海诞大魔,东海欲化龙。

净霖不曾料到,这两件事情都是预指苍霄。他见苍霄于群魔之间回首而望,竟有一日不见如隔三秋之感。

金莲随波疾掷而来,耳边皆是爆声。苍霄已腾身跃起,血雾紧随其后。梵坛莲水剧烈震动,他俩皆是大开大合之势,九天台也难承其凶。梵文轰散在九天境,云海间竟响起了阵阵雷鸣。

吠罗要与人厮杀,却被人绊了一跤。他一个前滚翻站起身,正欲发作,却见东君收脚抬手。

"干什么!"吠罗对他防备颇深。

东君扬扬下巴,示意道:"给我解开。"

吠罗落了把柄在他手里,纯属不得已而为之,替他解了链,又见他修长白皙的手摊在面前。那手腕粗细正好,吠罗鼻尖顿时有点热,他往后跳了跳,说:"又干什么!"

东君说:"扇子呢?扇子还我。"

　　吠罗这才在袖里掏了掏，没掏着又摸腰，从腰后拿出山河扇，却见扇面被自个坐成一团墨了。

　　"你莫不是在上边吐了口水吧？"东君极其嫌弃地拎过扇，啧啧称奇，"我才给了你几个时辰。"

　　吠罗目光飘忽，便是不敢直视东君。他心里哼，又怕见了东君的脸，哼不出声，于是只扭着脖子说："一把扇子算……"

　　话还没完，余光便见得东君一扇打来。吠罗闪避要逃，东君一把拽回他衣襟，两个人撞了正着。

　　吠罗说："你打我！"

　　东君"啪"地一扇打开刀剑，嘴里还要逗着他，说："我哪里舍得打你？小耗子失心疯！去找黎嵘，他戴罪立功的时候来了！"

　　说罢一脚踹在吠罗后边，吠罗便倏地滚出刀光剑影，灵敏地奔向追魂狱。

　　东君嗅着血海的味道，不禁浑身舒爽，他开扇掩面，冲周围客气道："劳驾诸位闭个眼，大庭广众之下，在下也怪羞涩的。"

　　他话音方落，殊冉便立刻蹲身抱头，冲左右大喊道："他乃血海凶相，万不可正视！"

　　只见东君桃眼一挑，面倒不变，背后却倏然浮现出顶天黑影。那黑影片刻清晰，通身恶眼如梦魇之色。东君凶相一现，诵经声便戛然而止。他扇子稍移，露出面来。背后黑影铺天而涌，将金光一瞬覆盖。下一刻他已闪离地面，直跃向众僧。

　　"度人度妖皆无趣，不如今日度一度我。"

　　颐宁落于净霖身侧，说："你咽泉可在？"

　　净霖摊掌而对，说："如今已断。"

　　"你生而为剑，你在，剑便在。"颐宁说着眺望浓云密雾间的九天君与苍霁，说，"原本铜铃在侧，必能助你重铸剑身。可如今它已助了帝君化龙，你要铸剑，须得再寻法子。"

　　"你也知道铜铃。"净霖侧首。

　　"我送你下界，着实费了一番工夫。那铜铃……"颐宁语顿，说，"此刻不是闲话时，你要铸剑，便须拿回慈悲莲。孩子就藏在君父乾坤袖中。"

　　净霖再度望去，见苍霁已连破数墙，九天君有不支之状。净霖脚下风起，他几步凌身，青衫顿至苍霁身侧。

两人腕间绑着的莹线在混沌中亮起，苍霁龙爪暴出，另一只人手却精准地握住了净霖。他脚一踏地，便猛地再度跃起。

黑袍猎猎而响，九天君掌盖门面，却见苍霁踏空旋身，净霖当即与他错身，借着他的巨力陡然冲至九天君面前。

咽泉已断，净霖却虚化青芒长剑厉扫向九天君脖颈。九天君抬掌而握，青芒长剑霎时崩碎，他黑眸震怒："找死！"

法印轰然疾砸，净霖不退，腕间莹线一重，整个人已被倒拽飞起。接着苍霁龙爪已至，猛地承住九天法印，下一瞬空中一沉，法印已崩。

九天君口中经声震耳欲聋。天地霍然极速合拢，形成天压地盖之势。金光穿破云海雷霆，如同钢针一般骤然疾落。

眼前陡然陷入黑暗。

杀声远在天边，净霖冷汗却猝然滚滑。看不见的威慑仿佛是不可抵抗的天之力，他听见什么裂开的声音。然而这种压迫并未弥漫，因为龙吟顿响于身侧。

净霖的手指在漆黑之中，清晰地感觉着苍霁的手化为龙爪。龙鳞锐利刚硬的触感紧贴而来，净霖指下倏地滑动着冰凉巨物。

"看不见如何是好？"浮梨正踹翻人，回头大喊，"殊冉！火来！"

殊冉不及回答，却见一把伞如幽光而立。华裳抬指向前，说："追魂狱藏天火炉，击翻它，光明自来！"

醉山僧翻杖扛肩，隔空踏去。

浮梨却道："时不待人！眼下……"

他们话音陡然变得模糊，风中嘶传而出的是震天动地的龙啸。罡风吹得华裳幽光骤灭，九天境内黑暗一片。

电光石火间，只见无边黑暗中一条巨龙腾身而跃。青芒如铠甲一般覆盖他浑身，他自云间腾起时天地合拢之势也被震退。那巨身超越佛兽，甚至超越东君凶相，大到一时间不见龙尾。

苍龙破暗啸出，净霖居于龙首，两人合力，竟当真有撕天裂地的气势。净霖化出青芒，见那青芒似风一般狂绕龙身，成为天地间唯一亮光。

苍霁突破阻碍，九天君的法界轰然崩塌。他睁眼冷看苍霁啸吟冲来，却

探臂而迎。

"你是生来吞天纳地的龙,却不承想过,你被吞的时候是何等壮景?"

九天君承风大笑,只见他人形融化,逐渐变作通体绕火的巨兽。这兽生狰狞四角,四蹄皆酷似龙爪,一条粗壮大尾如电如火。

"我做真佛之后,方才明白,我是天地,也是万物。"九天君口吐人言,"我知道了世间前尘。区区一条龙,不见古兽,便如此猖狂。今日便要你破鳞破脑,留作餐食!"

九天君化作的犰踏足奔向苍霁,双兽吼声穿云裂石。净霖抵风前望,见九天君的火缠龙身,烧出"噼啪"的爆声,便明白这兽不是凡物。

龙已缠住犰身,净霖青符顶天,为助苍霁,暴雨顿时滚滚而下。双方缠斗,这犰撕咬间龙身竟真的破鳞进血。

苍霁生时,天地早已没有古兽。故而他没有能够与原身匹敌的对手,纵横四海也是狂妄到底。谁知今日九天君化作的古兽,不仅能破鳞撕肉,还能啖火相喷。

苍霁从来不曾服过谁,当下眸中暴戾,已扯得犰兽吃痛长啸。天雨倾盆,这三界昼夜已混,四季已错。九天境中打得不可开交,中渡也陷入五常淆乱。

犰爪掼龙身,苍霁便轰然陷于宫殿楼阁,激起云浪翻滚。九天君爪摁着龙身,撕得苍霁鳞片飞溅。苍霁忍痛化人,九天君便随之化人,掌下已是血肉模糊。

"蚍蜉撼树!"

九天君嗤声欲下杀手,却见苍霁陡然擒住他一臂,将他猛掀在地。九天君坠地反拍而起,那臂间衣袖却已然裂开。

无数珍宝坠落而下,其间婴孩啼哭大作。那掌心莲花摇在半空,随着孩子一起掉向中渡。

九天君迈步欲追,苍霁已翻身而起。他无兵刃,拳脚之重却砸得九天君连退几步。

净霖跟着踏风追去,黑暗间孩子哭声飘忽。正踟蹰间,却见追魂狱的方向火光大盛,天火炉翻滚在地,九天境刹那间便烧了起来。

云间海蛟脱身跃出,化作人身抱住孩子。宗音疾步向净霖,净霖探指与孩子小掌相触。

却无事发生。

婴孩哭过的眼望着净霖，净霖掌心空空，他的灵海已经竭尽，本相仍旧死寂一片。

"无用……"宗音愕然地说，"怎么会无用！"

净霖皱眉看掌，想要唤出石头小人，却发觉袖中空荡，连石头也不见踪影。

怎么会这样？

醉山僧杖竖脚下，他蹲在上边，对东君遥遥喊道："你是不是算错了？！"

东君也难得怔神，他说："不该如此，怎会如此。难道真的要吃了孩子才行？"

苍霁被顿砸在地，九天君犰身在后，压得他龙啸都发不出了。他撑身翻踹，邪魔尽涌向九天君。

九天君兽声大响，周遭血雾竟然也散开了。他说："我知世界，即便你是龙。也再也逞不了威风。你可知犰兽在时，好食什么？"

他收紧五指，卡着苍霁咽喉。

"它好食龙脑。你吞天吞地，也没尝过自己是什么味。"

苍霁紧紧擒着九天君的手臂，喉间已经露出了要害。

九天君怜悯道："你本无要害，若你那一日，在南禅遇见净霖时便杀了他，今日就无需再遭此难。可你终究没动手。"

九天君另一手化作犰爪，苍霁喉间血痕已冒。

九天君说："你生软肋，你便已经输了。"

那爪霎时扑下，就要掏断苍霁咽喉。

暴雨扑打，净霖在这一刻记起抵额的那一声。

"你活着。"

净霖见风从苍霁那里来，吹开他的袖袍与湿发。他忽然溢起哽咽，又被迅速压下，他步迈出去，接着变作凌空踏去。

一千四百前擦肩而过的虚影在一刻重叠相合，净霖眼已泪花涌现，却又寒煞满溢。

他步踏风间时，掌间凝风呼啸，仿佛是什么"啪"声断裂，跟着灵海暴涨翻上，咽泉剑在大雨狂风间寒光破现。

九天君爪未下，那天地第一剑已然到了眼前，眨眼间击开金芒真佛，听得净霖切齿寒声。

"你胆敢杀他！"

松涛轰响，咽泉雪光刺眼。这个瞬间，他两人腕间莹线陡然变色，那线似如春草一般缠绕而生，紧密相连。

铜铃叮咚，响了一下。

126章　惊蛰

金芒回避剑光，隐约有些黯淡。苍霁趁势而起，脚下乱云已散，变作接连绽放的青莲。

净霖的咽泉重塑，那线腾覆于剑柄，一直以来止步不前的灵海狂躁上冲，似如江河归海，随着龙息交错，成就无上大成。

他两人齐身踏莲，共冲向九天君。

九天君在火光中铸就真佛金身，他巍然屹立，挥手间风云再起，梵文隆起金光大界。净霖一剑起势，那光界应声而震，接着苍霁拳砸其上，光界不堪受力，当即碎成无数梵文。然而梵文再度飞绕，眨眼又筑光界阻碍。

九天君的身形变幻无常，他自诩天地，通晓世界，故而认定万物是他，他是万物。身形不过寄宿之囊，当下变化间万兽形貌皆可显出。

天火已经焚烧下界，连云海也生出烟雾。血浪渗在四周，邪魔也噤声匍匐。众神与群妖融为一处，仰观那激战要地，已经打得天翻地覆。

九天君黑眸明亮，他倦合灰眸，说："你两人如此执迷不悟。"

谁知那空中骤然击下一枪，九天君头顶光界"砰"地飞溅，破狰枪煞气横显，黎嵘鼎力相助。

九天君抬眸，说："你亦要与他们共沉沦，同赴死。"

黎嵘单臂翻枪，落于莲上。他伤势未愈，却道："与旁人无关。我生有一愿，便是要你死。为此众叛亲离、杀尽亲故也在所不惜。"

"你看似光明磊落，实则不然。你既要我死，却不肯正面相迎，只敢落井下石。"九天君讽笑，"你今日助了他们，来日他们也不会轻饶了你。"

"我行事自有主张。"黎嵘握紧破狰枪，目不斜视，"父亲引我去往修罗道，殊不知修罗一道，便是无亲无友的孤道。我无须任何人的饶恕，我做到如今，因果报应自有预料。"

他话音一落，见凶相铺天而涌，东君斜身靠着断壁残垣。

"既然此刻是生离死别，便叫我们父子几人好好话别。"东君扇敲额心，笑说，"我生于血海，血海为何物？血海乃天地恶源。多少年前，真佛诞出情欲私心，成了九天君。九天君为扼制因果轮回，决意将恶源饲养为座下走兽。岂料它识尽天下之苦，却变作了一个有着慈悲之心的小姑娘。你们说，天地可不可笑，它素来爱这般玩弄万物。它给了清遥极恶的出身，却又给了清遥极善的心肠。"

东君话到此处，笑已冷淡。

"清遥已生舍己为人的渡尘之心，料定自己死期将至，却还想要给你留下一条悔悟之路。她把你叫作父亲，知那中渡因血海而死的千万人从此入不了轮回，再也没有新生，便求请笙乐相助。笙乐点悟澜海铸成铜铃，清遥便将无数无处可归的生魂纳入其中。这铃铛不是为了净霖而现，它原本是为了给你将功补过的机会。"

真佛灰眸大张，半面之上竟化出泪来，他道："今日该叫我自食恶果……"下一刻黑眸又把持全身，神色登时变得狠厉，九天君说："她们若真心待我，便不会留下这等祸物！天下人皆负我良多！"

"话已至此。"苍霁扯掉臂间血袖，"给你个痛快。"

九天君逐渐癫狂，半面大笑，半面泪涌，他声音高低起伏，说："我出轮回，已成天地，你们能如何？谁也灭不得我！"

黎嵘掀枪便打，东君紧随其后。九天君法印顿涨，在夹击间金光只爆不减。

风啸云滚，天火熊燃。

净霖提剑而行，渐踏凌空。到了这一刻，他反而心如止水。咽泉剑身被风涌环绕，他掠起时莹线纵横，苍霁在其身后，龙息顿时腾旋剑身，咽泉霎时再覆雪光，龙纹游走其上。

绝情剑与慈悲莲共生一身，剑芒在空中凝化而出苍龙之形。一龙一剑相融并存，天火经风而盛，直指向九天君。

黎嵘破狰枪猛压下九天法印，接着东君山河扇横扫金芒，两厢包夹下九天君已然暴露出金身。他提掌相迎，净霖与苍霁已共赴身前。那通天佛像与巨龙剑芒齐齐相撞，青金迸爆，九天境轰然坍塌。

咽泉剑锋没进九天君金身，九天君于狂风间声嘶力竭地喊道："我乃天地！"

那双眸陡然变作了温和的灰色，黑雾腾身欲逃。莹线倏地织网而拢，苍霁龙身一跃，从上扑下，一口吞尽那团腾黑雾。

净霖握剑而视，见那双灰眸望着他，真佛指抚剑身，轻轻地说："吾儿已成人……"

真佛目光放远，霍然一笑。净霖这惊天一剑的背后化出淡淡的飞纱虚影，笙乐飘浮凌空，拢纱的手臂探向真佛。

真佛忽地潸然泪下。

许多年前，布衣僧人在江边肃立。他见一舟横斜渡过，舟上女神赤足挂铃，纱环裸臂。他看得入神，在刹那之间心潮涌动，从此忘不掉那枝四月娇杏。

真佛迎掌，指尖顿化为荧光。他两人皆随风而散，变作碎光闪烁。

万物皆有灵，做一个人，当一个神，也逃不开灵性本欲。天地既世界，世界纳生机。这是永恒，不是一人之身能够贪图得了的东西。

东君在崩塌中回首，见境中水云决堤而下，化作瀚海荧光，从他周身飞舞冲开。他凶相静化成夜色，通身戾气随之消散。

铜铃虚影轻摇。

东君探指去拿，却见那铜铃"啪"地也碎成了荧光。他仿佛见得清遥跪坐在花丛间，恍惚间六月炎热的风正吹着他的面，清遥冲他喊着"哥哥"。

东君自嘲而笑，他仰面长叹，低声说："我是天地间最凶的邪魔……我怎担得起你一声兄长。我不过如此。"

醉山僧拾着降魔杖，在后说："你心愿已了，往后要去何处？"

东君低落一扫而空，他开扇扑风，说："我么？天下之大随便走咯。今日死了老子，先与你喝上几盅。"

醉山僧转眸看向黎嵘，说："我还没有挫败他，仍要闭关再修。"

东君却道："你此刻踹他一脚，他便输定了。"

醉山僧说："我岂能如此。"

东君便说："你看，你这般的人，注定是此生求不得。既然如此，你不跟着我了？如今天下邪魔都成了帝君的狗，唯独我逍遥在外，你放得下心？"

醉山僧却说："我在这一千四百年中参悟了一件事。"

东君转过身，说："说来听听。"

"你修生道，不是压制自己，而是这便是你。"醉山僧摊开手，降魔杖再难支撑，断成几截。他刻板的脸上露出点笑，对东君说，"你早已不是邪魔。你搞不懂的不是'人'，是你自己。东君，从此你我分道扬镳，我不杀你了。"

东君在风中似笑非笑，却不曾接话。醉山僧转身而去，旧袈裟逐渐变作了麻布衣，他离开九天境，一如他当年离开北地那样决绝。

东君独自摸着鼻尖，反手揪住了开溜的吠罗。

吠罗挣扎着说："我坏事做尽！该回家了！"

"带我一程。"东君回头说，"我也想回家。"

吠罗惊恐地说："你回啊！"

东君凝眉忧伤，说："我孤家寡人，没家的。如今醉山僧也不要我了，天大地大，好生无依。"

吠罗见他神色失落，眼中孤寂，分明是个美人忧郁图。不禁心下怜惜，记不得东君本相为何物，踌躇着说："阎王殿很冷的……"

东君抬腿就走："无妨无妨，听说你坐拥美人无数，温香软玉嘛！再暖我一个也不打紧。"

吠罗脚不沾地，片刻间已飞向黄泉。他后知后觉地扒着东君的胳膊，想说我后悔了，却开不了口。

九天坍塌，咽泉剑也随之消散。净霖衣袍鼓动，倒坠下去。他飞在风中，前尘旧事件件在目，他望着那天，看见苍龙穿云而出，变作人身疾追而来。

天火从上同覆而下，他两人直沉向中渡。

净霖抬指把线条轻轻拉开，像画出一条龙。

"同归，"净霖说。

苍霁笑声渐起，他在空中说："那你须携礼，要送我什么才行。"

净霖闷声。

苍霁闻声大笑，在云端、在风中肆意地说："那我要带你归去，做天底下最逍遥的人！"

两个人已坠入中渡。见夜空中天火陡然扭转，灰烬中猛地传出一声雏声，接着华光绚丽，一只凤凰浴火而飞，正接住他们。

浮梨顿时声音哽咽，攥着华裳的衣袖，对左右众人说："吾家稚儿初长成，此后便再也无须他阿姐相罩。我既欢喜，又难过。"

阿乙旋身翱翔，穿越苍茫夜云，渡过无边清风，飞向广袤大地。

苍霁枕在阿乙背上，大声喊："此番我定要三界无人不晓！"

净霖见线已经绕成了结，半空除了风再无旁人，他便说："哥哥。"

苍霁凑近首，应道："你叫什么？"

净霖眸中明亮，还没张口。

凤凰忽地变作人身，阿乙抱臂大喊："我受不住了！你们自己下去吧！"

苍霁也不恼，"扑通"一声带着净霖坠入池中。水花四溅，苍霁霍然出水，哈哈笑着，眼里映着池水，皆是波光粼粼。

天间黑色顿时退散，夜幕瞬消，变作天明破晓时。雷云电光也接连而止，风推阴云，雨已停歇。

雨过天晴，水波荡漾，细风拂漪。

大雪殆尽，惊蛰已至。